Chenelière

Mathématiques

Édition
PONC/WNCP

Ray Appel
Dorothy Galvin
Sharon Jeroski
Wendy Weight
Ricki Wortzman
Trevor Brown
Lorelei Gibeau
Peggy Morrow
Mignonne Wood

Auteurs collaborateurs

Ralph Connelly
Angie Harding
Michael Davis
Don Jones
Steve Thomas
Sue Gordon
Jeananne Thomas

Consultante à l'édition française

Corinne Larue-Madill

Traduit de l'anglais par

François-Marie Gérin

CHENELIÈRE
ÉDUCATION

Chenelière Mathématiques 3 – Édition PONC/WNCP

Traduction autorisée de la version anglaise, intitulée *Pearson Mathematics Makes Sense 3, WNCP Edition*, de Ray Appel, Trevor Brown, Dorothy Galvin, Lorelei Gibeau, Sharon Jeroski, Peggy Morrow, Wendy Weight, Mignonne Wood et Ricki Wortzman © 2009 Pearson Education Canada, une division de Pearson Canada Inc. (ISBN 978-0-321-46935-9)

Authorized translation from the English language edition, entitled *Pearson Mathematics Makes Sense 3, WNCP Edition*, by Ray Appel, Trevor Brown, Dorothy Galvin, Lorelei Gibeau, Sharon Jeroski, Peggy Morrow, Wendy Weight, Mignonne Wood and Ricki Wortzman © 2009 Pearson Education Canada, a division of Pearson Canada Inc. (ISBN 978-0-321-46935-9)

Édition : Marianne Gravel
Coordination : Amélie Ménard
Révision linguistique : Paul Lafrance
Correction d'épreuves : Isabelle Dowd
Infographie : Claude Bergeron
Impression : Imprimeries Transcontinental

Conception graphique : Word & Image Design Studio inc.

5800, rue Saint-Denis, bureau 900
Montréal (Québec) H2S 3L5 Canada
Téléphone : 514 273-1066
Télécopieur : 514 276-0324 ou 1 800 814-0324
info@cheneliere.ca

ISBN 978-2-7650-2398-2

Dépôt légal : 1er trimestre 2010
Bibliothèque et Archives nationales du Québec
Bibliothèque et Archives Canada

Imprimé au Canada

5 6 7 8 9 ITIB 20 19 18 17 16

Gouvernement du Québec – Programme de crédit d'impôt pour l'édition de livres – Gestion SODEC.

Ce projet est financé en partie par le gouvernement du Canada | Canada

Membre du CERC

Consultants, conseillers et réviseurs

Consultants

Trevor Brown
Maggie Martin Connell
Craig Featherstone
John A. Van de Walle
Mignonne Wood

Consultante en évaluation
Sharon Jeroski

Consultantes autochtones
Pamela Courchene
Manitoba First Nations Education Resource Centre

Conseillers et réviseurs

Ont participé aux discussions, à la révision et aux expérimentations liées au matériel de la collection :

Alberta

Joanne Adomeit
Calgary Board of Education

Bob Berglind
Calgary Board of Education

Jacquie Bouck
Lloydminster Public School Division 99

Auriana Burns
Edmonton Public School Board

Daryl Chichak
Edmonton Catholic School District

Lissa D'Amour
Medicine Hat School District 76

Florence Glanfield
University of Alberta

Paige Guidolin
Edmonton School District 7

Jodi Mackie
Edmonton Public School Board

Laura L. Massie
Calgary R.C.S.S.D. 1

Jeffrey Tang
Calgary R.C.S.S.D. 1

Colombie-Britannique

Sandra Ball
School District 36 (Surrey)

Lorraine Baron
School District 23 (Central Okanagan)

Donna Beaumont
School District 41 (Burnaby)

Jennifer Ewart
School District 83 (North Okanagan-Shuswap)

Lori Fehr
School District 8 (Kootenay Lake)

Denise Flick
School District 20 (Kootenay-Columbia)

Marc Garneau
School District 36 (Surrey)

Linda Judd
School District 23 (Central Okanagan)

Debbie Korn
School District 20 (Kootenay-Columbia)

Selina Millar
School District 36 (Surrey)

Sandy Sheppard
School District 39 (Vancouver)

Chris Van Bergeyk
School District 23 (Central Okanagan)

Denise Vuignier
School District 41 (Burnaby)

Sheri Webster
School District 83 (North Okanagan-Shuswap)

Mignonne Wood
Formerly School District 41 (Burnaby)

Manitoba

Heather Anderson
Louis Riel School Division

Rosanne Ashley
Winnipeg School Division

Joanne Barré
Louis Riel School Division

Ralph Mason
University of Manitoba

Christine Ottawa
Mathematics Consultant, Winnipeg

Jean Anne Overand
Fort La Bosse School District

Gretha Pallen
Formerly Manitoba Education

Brenda Scoular
Winnipeg School Division

Pat Steuart
St. James-Assiniboia School Division

Gay Sul
Frontier School Division

Saskatchewan

Susan Beaudin
File Hills Qu'Appelle Tribal Council

Dr. Edward Doolittle
First Nations University, University of Regina

Betina Fisher
Holy Trinity Catholic School Division

Lori Jane Hantelmann
Regina School Division 4

Angie Harding
Regina R.C.S.S.D. 81

Deb Karakochuk
Greater Saskatoon Catholic Schools

Lori Saigeon
Regina Public School Board

Cheryl Shields
Spirit School Division

Heather Taylor-Berriault
Regina Public School Board

Heather Thomas
Regina Public School Board

Table des matières

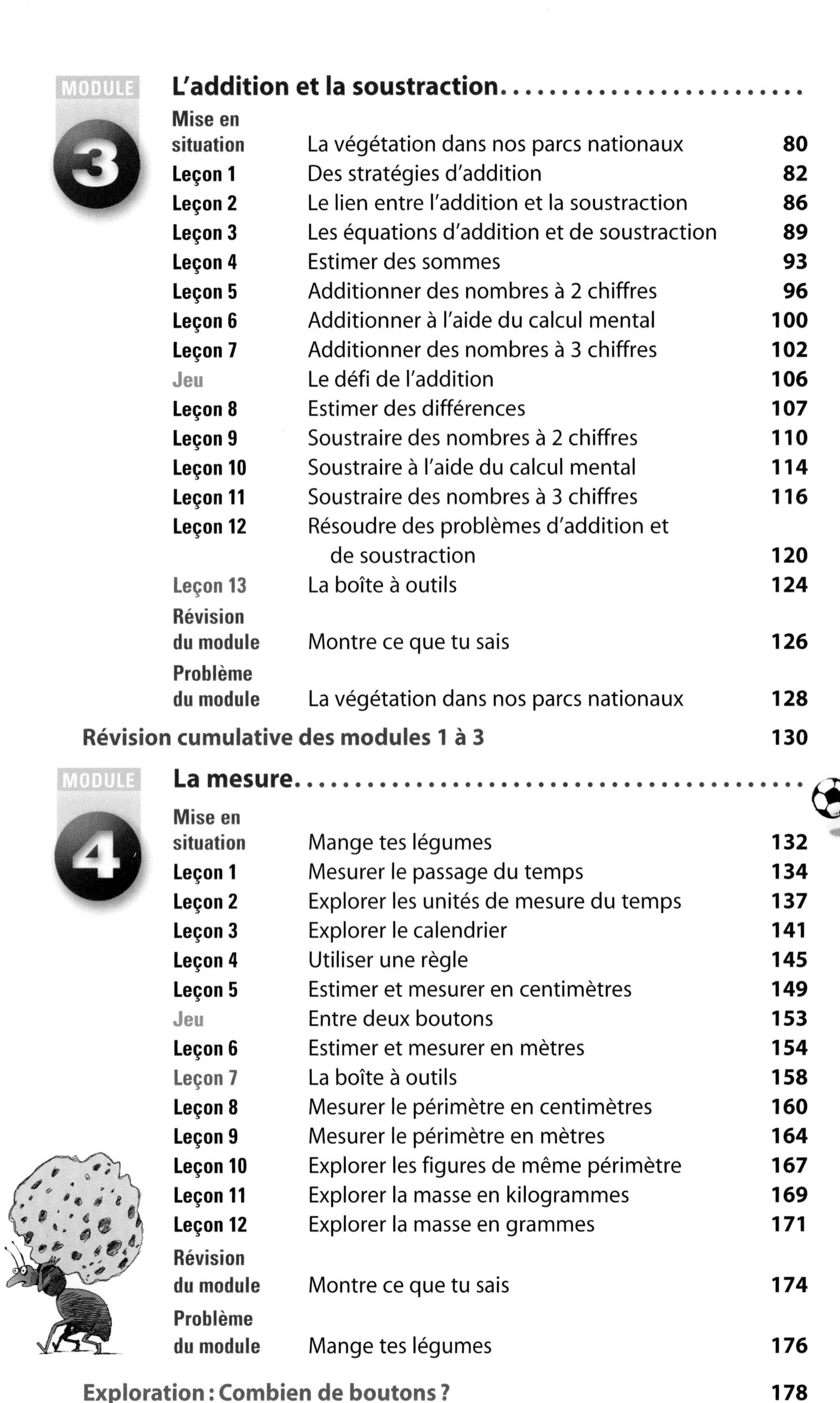

L'addition et la soustraction

La mesure

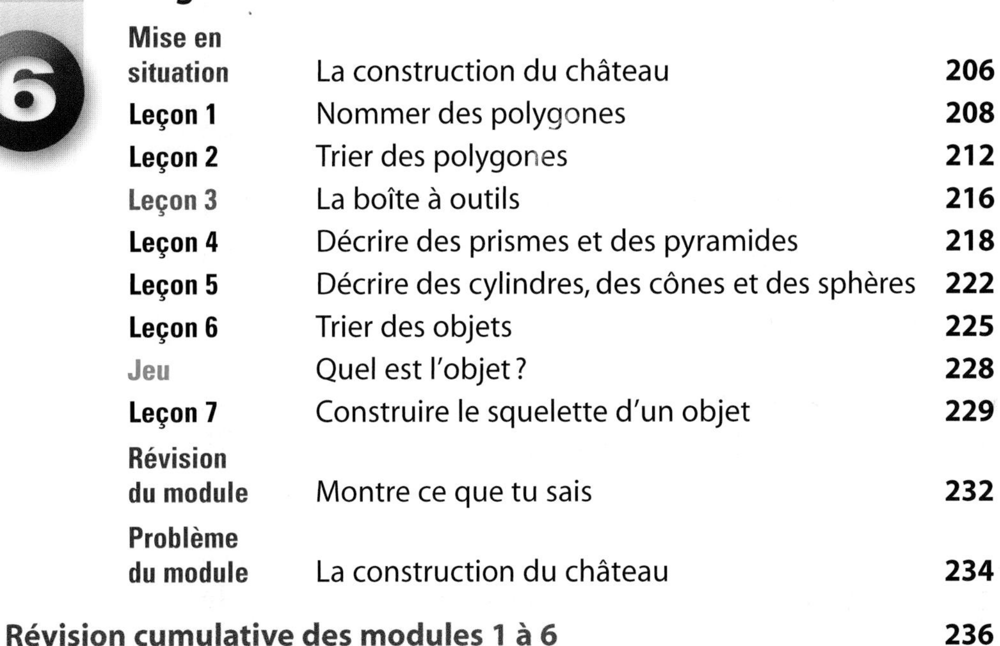

Bienvenue dans le monde de *Chenelière Mathématiques 3*

Les mathématiques t'aident à comprendre ce que tu vois et ce que tu fais tous les jours.

Ce manuel te permettra de découvrir l'utilisation que tu peux faire des mathématiques dans ta vie quotidienne.
Voici comment.

Dans chaque module :

- Une mise en situation te rappelle les notions de mathématiques que tu connais déjà.

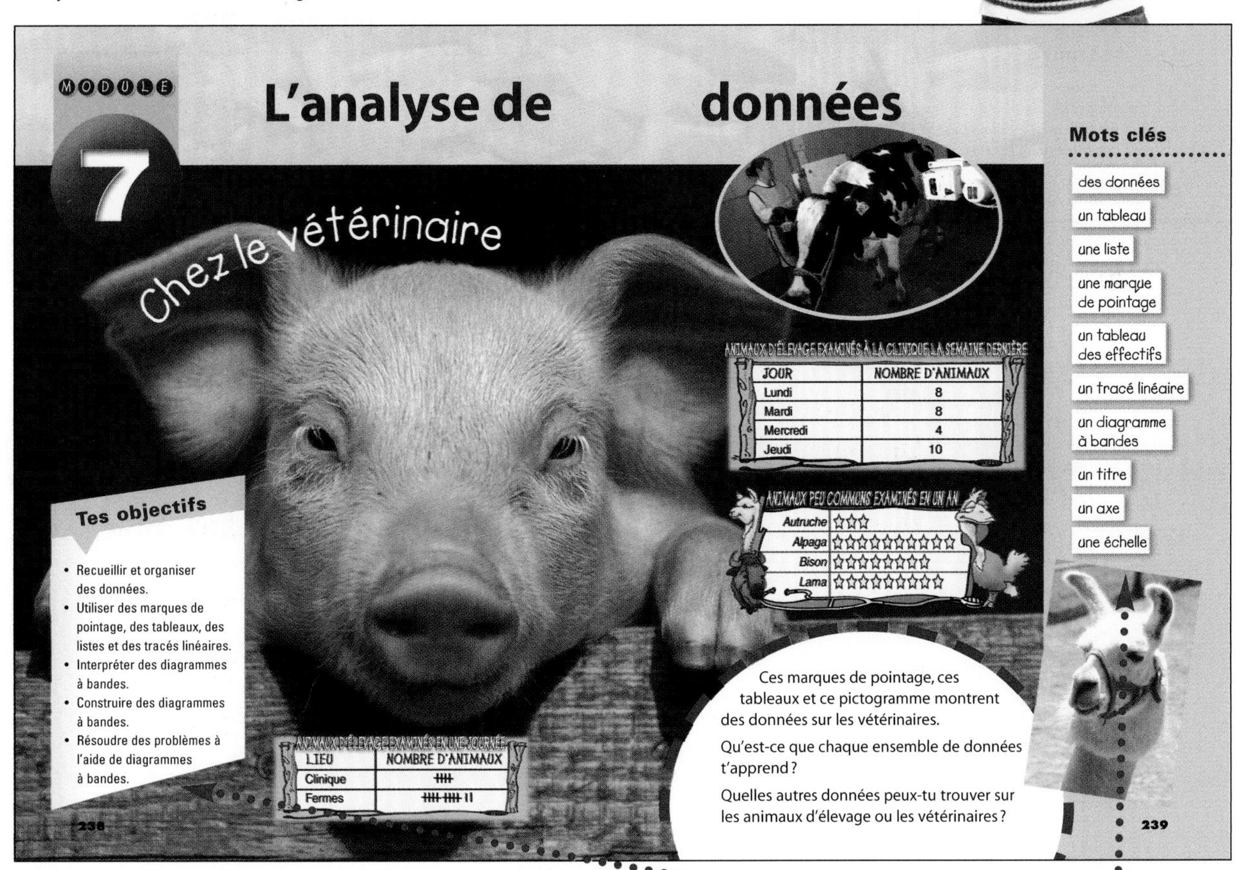

MODULE 7

L'analyse de données

Chez le vétérinaire

Tes objectifs

- Recueillir et organiser des données.
- Utiliser des marques de pointage, des tableaux, des listes et des tracés linéaires.
- Interpréter des diagrammes à bandes.
- Construire des diagrammes à bandes.
- Résoudre des problèmes à l'aide de diagrammes à bandes.

ANIMAUX D'ÉLEVAGE EXAMINÉS À LA CLINIQUE LA SEMAINE DERNIÈRE

JOUR	NOMBRE D'ANIMAUX
Lundi	8
Mardi	8
Mercredi	4
Jeudi	10

ANIMAUX PEU COMMUNS EXAMINÉS EN UN AN

Autruche	☆☆☆
Alpaga	☆☆☆☆☆☆☆☆☆☆
Bison	☆☆☆☆☆☆☆☆
Lama	☆☆☆☆☆☆☆☆☆

ANIMAUX D'ÉLEVAGE EXAMINÉS EN UNE JOURNÉE

LIEU	NOMBRE D'ANIMAUX
Clinique	𝍸
Fermes	𝍸 𝍸 II

Ces marques de pointage, ces tableaux et ce pictogramme montrent des données sur les vétérinaires.

Qu'est-ce que chaque ensemble de données t'apprend ?

Quelles autres données peux-tu trouver sur les animaux d'élevage ou les vétérinaires ?

Mots clés

- des données
- un tableau
- une liste
- une marque de pointage
- un tableau des effectifs
- un tracé linéaire
- un diagramme à bandes
- un titre
- un axe
- une échelle

238 239

Pour savoir ce que tu apprendras dans ce module, lis **Tes objectifs** et les **Mots clés**.

Dans chaque leçon :

Explore une idée ou un problème, généralement avec une ou un camarade et souvent à l'aide de matériel.

Puis, tu fais part de tes résultats à d'autres camarades dans la rubrique **Qu'as-tu trouvé ?**

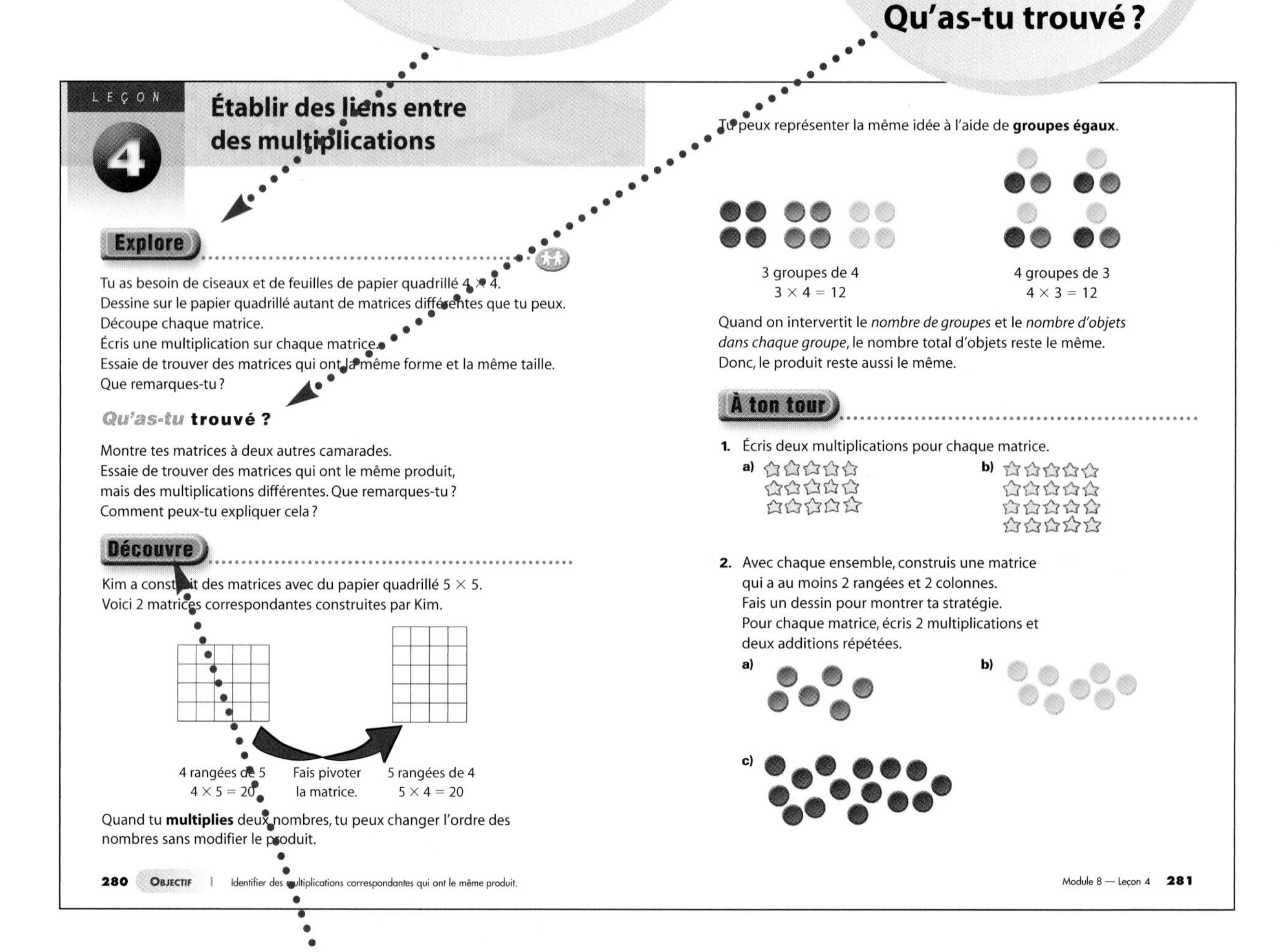

LEÇON 4

Établir des liens entre des multiplications

Explore

Tu as besoin de ciseaux et de feuilles de papier quadrillé 4 × 4.
Dessine sur le papier quadrillé autant de matrices différentes que tu peux.
Découpe chaque matrice.
Écris une multiplication sur chaque matrice.
Essaie de trouver des matrices qui ont la même forme et la même taille.
Que remarques-tu ?

Qu'as-tu trouvé ?

Montre tes matrices à deux autres camarades.
Essaie de trouver des matrices qui ont le même produit, mais des multiplications différentes. Que remarques-tu ?
Comment peux-tu expliquer cela ?

Découvre

Kim a construit des matrices avec du papier quadrillé 5 × 5.
Voici 2 matrices correspondantes construites par Kim.

Quand tu **multiplies** deux nombres, tu peux changer l'ordre des nombres sans modifier le produit.

Tu peux représenter la même idée à l'aide de **groupes égaux**.

Quand on intervertit le *nombre de groupes* et le *nombre d'objets dans chaque groupe*, le nombre total d'objets reste le même.
Donc, le produit reste aussi le même.

À ton tour

1. Écris deux multiplications pour chaque matrice.
   a) b)

2. Avec chaque ensemble, construis une matrice qui a au moins 2 rangées et 2 colonnes.
   Fais un dessin pour montrer ta stratégie.
   Pour chaque matrice, écris 2 multiplications et deux additions répétées.
   a) b) c)

280 OBJECTIF | Identifier des multiplications correspondantes qui ont le même produit.

Module 8 — Leçon 4 281

Découvre résume les notions de mathématiques de la leçon. Cette rubrique décrit souvent une solution ou plusieurs solutions à un problème.

Réponds aux questions de la rubrique **À ton tour** pour t'aider à utiliser les notions de mathématiques et à t'en souvenir.

Le symbole ²₃ te rappelle d'utiliser des dessins, des mots ou des nombres pour expliquer tes réponses.

À ton tour

1. Utilise les données de la rubrique *Découvre*.
   a) Construis un diagramme à bandes horizontales.
   b) Compare ton diagramme avec celui de la rubrique *Découvre*.
2. Emma a demandé à ses camarades de classe : « Qui aimeriez-vous inviter à dîner ? »
   a) Construis un diagramme à bandes.
   b) Combien d'élèves en tout ont choisi l'athlète et la musicienne ?
   c) Supposons que 2 élèves changent d'idée et choisissent « Agent de la GRC » au lieu de « Musicienne ». Comment le diagramme en sera-t-il modifié ?

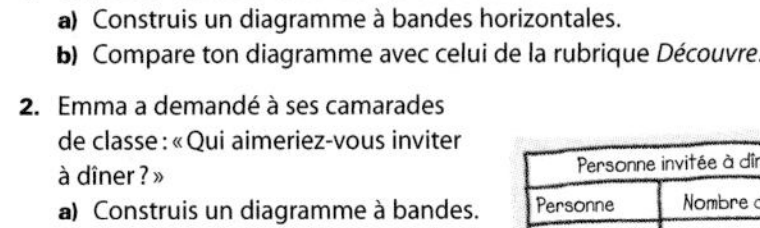

Personne invitée à dîner

Personne	Nombre de votes
Athlète	7
Infirmière	4
Musicienne	6
Agent de la GRC	5

3. L'hiver dernier, des élèves de Vancouver ont noté les jours où il a neigé. Ils ont construit un tracé linéaire.

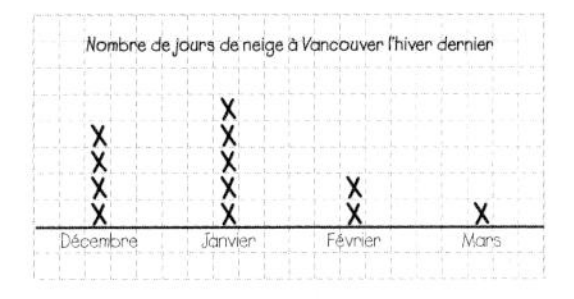

   a) Selon toi, pourquoi les élèves n'ont-ils pas représenté les autres mois de l'année dans leur tracé linéaire ?
   b) Construis un diagramme à bandes à partir des mêmes données.
   c) Combien de jours a-t-il neigé à Vancouver ?
   d) Note 2 autres choses que ton diagramme t'apprend.

...onnées au tableau de la classe.

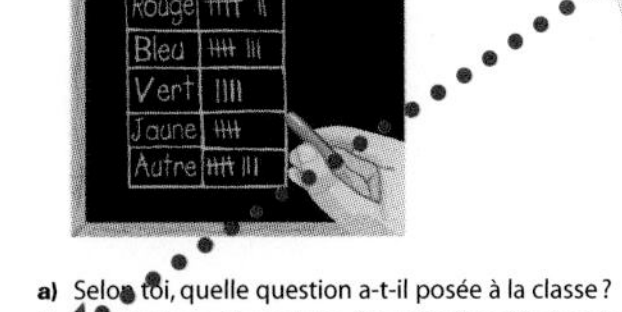

   a) Selon toi, quelle question a-t-il posée à la classe ?
   b) Construis un diagramme à bandes à partir des données.

5. a) Construis un diagramme à bandes à partir des données du tableau.
   b) Quelle est la différence de longueur des deux plus petits dinosaures ? Explique ta réponse de 2 façons.
   c) Écris une question au sujet du diagramme. Réponds à ta question.

Longueur des dinosaures

Dinosaure	Longueur
Tyrannosaurus Rex	14 m
Albertosaurus	8 m
Tricératops	9 m
Ankylosaurus	10 m
Dromæosaurus	2 m
Pachycephalosaurus	5 m

Réfléchis

Selon toi, quelle erreur peut-on faire en construisant un diagramme à b... Comment corrigerais-tu cette er...

254 Module 7 — Leçon 4 ÉVALUATION Question 5

Réfléchis aux idées principales de la leçon et à ton style d'apprentissage.

- Dans **La boîte à outils**, découvre des stratégies de résolution de problèmes.

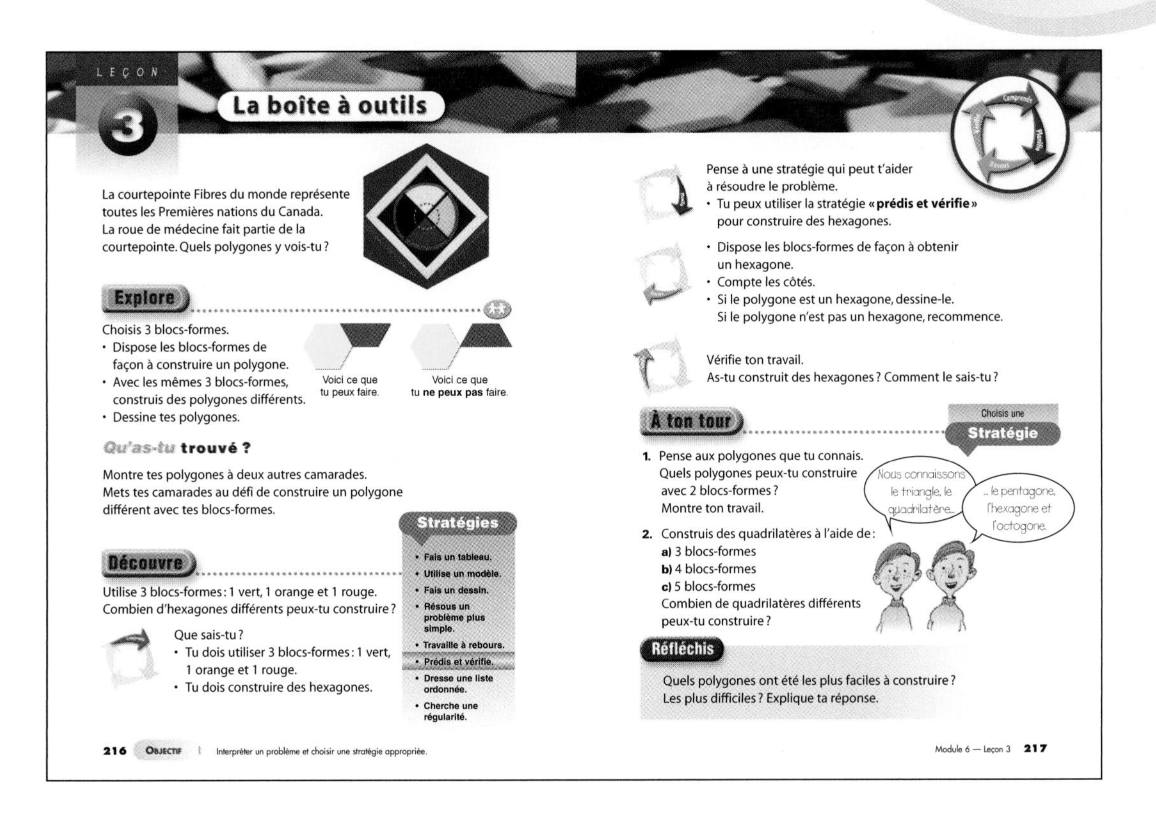

LEÇON 3 **La boîte à outils**

La courtepointe Fibres du monde représente toutes les Premières nations du Canada. La roue de médecine fait partie de la courtepointe. Quels polygones y vois-tu ?

Explore

Choisis 3 blocs-formes.
- Dispose les blocs-formes de façon à construire un polygone.
- Avec les mêmes 3 blocs-formes, construis des polygones différents.
- Dessine tes polygones.

Voici ce que tu peux faire. Voici ce que tu **ne peux pas** faire.

Qu'as-tu trouvé ?

Montre tes polygones à deux autres camarades. Mets tes camarades au défi de construire un polygone différent avec tes blocs-formes.

Découvre

Utilise 3 blocs-formes : 1 vert, 1 orange et 1 rouge. Combien d'hexagones différents peux-tu construire ?

Que sais-tu ?
- Tu dois utiliser 3 blocs-formes : 1 vert, 1 orange et 1 rouge.
- Tu dois construire des hexagones.

Stratégies
- Fais un tableau.
- Utilise un modèle.
- Fais un dessin.
- Résous un problème plus simple.
- Travaille à rebours.
- Prédis et vérifie.
- Dresse une liste ordonnée.
- Cherche une régularité.

Pense à une stratégie qui peut t'aider à résoudre le problème.
- Tu peux utiliser la stratégie « **prédis et vérifie** » pour construire des hexagones.

- Dispose les blocs-formes de façon à obtenir un hexagone.
- Compte les côtés.
- Si le polygone est un hexagone, dessine-le. Si le polygone n'est pas un hexagone, recommence.

Vérifie ton travail. As-tu construit des hexagones ? Comment le sais-tu ?

À ton tour Choisis une **Stratégie**

1. Pense aux polygones que tu connais. Quels polygones peux-tu construire avec 2 blocs-formes ? Montre ton travail.
2. Construis des quadrilatères à l'aide de :
   a) 3 blocs-formes
   b) 4 blocs-formes
   c) 5 blocs-formes
   Combien de quadrilatères différents peux-tu construire ?

Nous connaissons le triangle, le quadrilatère...
... le pentagone, l'hexagone et l'octogone.

Réfléchis

Quels polygones ont été les plus faciles à construire ? Les plus difficiles ? Explique ta réponse.

216 OBJECTIF Interpréter un problème et choisir une stratégie appropriée. Module 6 — Leçon 3 217

- *Vérifie ce que tu as appris dans les rubriques* **Montre ce que tu sais** *et* **Révision cumulative**.

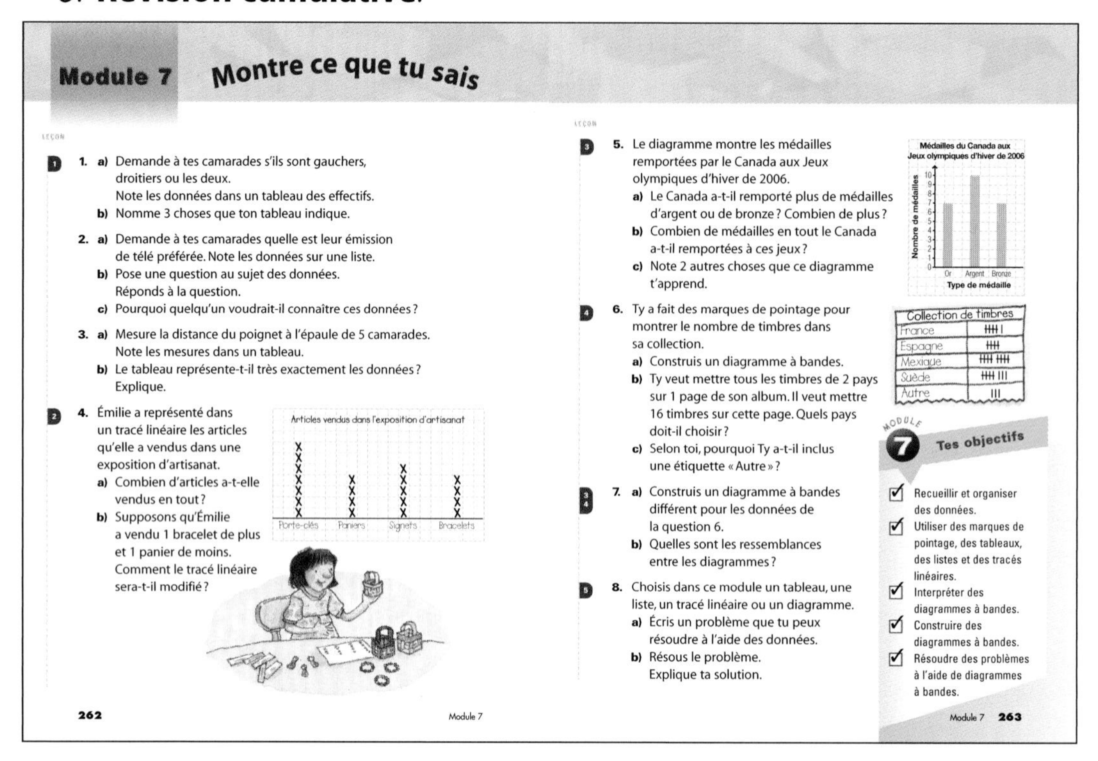

Module 7 Montre ce que tu sais

1. a) Demande à tes camarades s'ils sont gauchers, droitiers ou les deux. Note les données dans un tableau des effectifs.
   b) Nomme 3 choses que ton tableau indique.
2. a) Demande à tes camarades quelle est leur émission de télé préférée. Note les données sur une liste.
   b) Pose une question au sujet des données. Réponds à la question.
   c) Pourquoi quelqu'un voudrait-il connaître ces données ?
3. a) Mesure la distance du poignet à l'épaule de 5 camarades. Note les mesures dans un tableau.
   b) Le tableau représente-t-il très exactement les données ? Explique.
4. Émilie a représenté dans un tracé linéaire les articles qu'elle a vendus dans une exposition d'artisanat.
   a) Combien d'articles a-t-elle vendus en tout ?
   b) Supposons qu'Émilie a vendu 1 bracelet de plus et 1 panier de moins. Comment le tracé linéaire sera-t-il modifié ?

5. Le diagramme montre les médailles remportées par le Canada aux Jeux olympiques d'hiver de 2006.
   a) Le Canada a-t-il remporté plus de médailles d'argent ou de bronze ? Combien de plus ?
   b) Combien de médailles en tout le Canada a-t-il remportées à ces jeux ?
   c) Note 2 autres choses que ce diagramme t'apprend.

6. Ty a fait des marques de pointage pour montrer le nombre de timbres dans sa collection.
   a) Construis un diagramme à bandes.
   b) Ty veut mettre tous les timbres de 2 pays sur 1 page de son album. Il veut mettre 16 timbres sur cette page. Quels pays doit-il choisir ?
   c) Selon toi, pourquoi Ty a-t-il inclus une étiquette « Autre » ?

Collection de timbres	
France	卌 I
Espagne	卌
Mexique	卌 卌
Suède	卌 III
Autre	III

7. a) Construis un diagramme à bandes différent pour les données de la question 6.
   b) Quelles sont les ressemblances entre les diagrammes ?
8. Choisis dans ce module un tableau, une liste, un tracé linéaire ou un diagramme.
   a) Écris un problème que tu peux résoudre à l'aide des données.
   b) Résous le problème. Explique ta solution.

Module 7 Tes objectifs

- ☑ Recueillir et organiser des données.
- ☑ Utiliser des marques de pointage, des tableaux, des listes et des tracés linéaires.
- ☑ Interpréter des diagrammes à bandes.
- ☑ Construire des diagrammes à bandes.
- ☑ Résoudre des problèmes à l'aide de diagrammes à bandes.

262 Module 7 — Module 7 263

- *Le* **Problème du module** *reprend la mise en situation du module. Il te propose de résoudre un problème ou de réaliser un projet à l'aide des notions de mathématiques apprises dans le module.*

Problème du module — La folie des régularités

Les élèves créent des régularités pour la fête des régularités. Ils créent des régularités croissantes et décroissantes.

Partie 1

●●○ Figure 1 ●●○○ Figure 2 ●●○○○ Figure 3 ●●○○○○ Figure 4

Chaque ● signifie « tape des mains ».
Chaque ○ signifie « tape des pieds ».

➤ Écris la règle de la régularité.
➤ Dessine les 3 figures suivantes.
➤ Mime la régularité.

Partie 2

➤ Invente une régularité de sons ou de gestes pour la fête. Ta régularité peut être croissante ou décroissante.
➤ Dessine ta régularité.
➤ Décris ta régularité.
➤ Mime ta régularité.

Partie 3

Il faut des décorations pour la fête des régularités !

➤ Dessine une régularité croissante ou décroissante.
➤ Décris ta régularité.
➤ Explique comment prolonger ta régularité.
➤ Affiche ta régularité dans la classe.

Liste de contrôle

Ton travail devrait montrer :

- ☑ un dessin de la régularité prolongée « tape des mains et des pieds » ;
- ☑ une image de la régularité « sons ou gestes » que tu as créée ;
- ☑ une régularité croissante ou décroissante que tu as créée comme décoration ;
- ☑ un langage mathématique approprié pour décrire tes régularités.

Retour sur le module

Pense aux régularités croissantes et décroissantes que tu as créées dans ce module. Écris 2 choses que tu as apprises sur ces régularités.

34 Module 1 — Module 1 35

- Tu explores des notions de mathématiques intéressantes dans les rubriques **Exploration**.

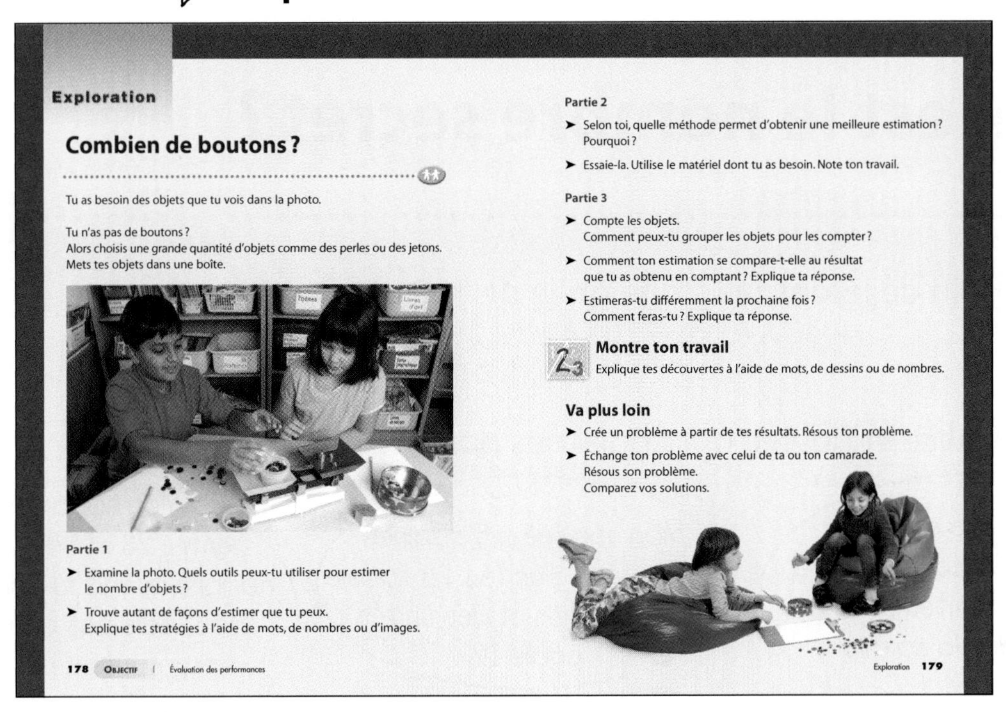

Exploration

Combien de boutons ?

Tu as besoin des objets que tu vois dans la photo.

Tu n'as pas de boutons ?
Alors choisis une grande quantité d'objets comme des perles ou des jetons.
Mets tes objets dans une boîte.

Partie 1

- Examine la photo. Quels outils peux-tu utiliser pour estimer le nombre d'objets ?
- Trouve autant de façons d'estimer que tu peux. Explique tes stratégies à l'aide de mots, de nombres ou d'images.

Partie 2

- Selon toi, quelle méthode permet d'obtenir une meilleure estimation ? Pourquoi ?
- Essaie-la. Utilise le matériel dont tu as besoin. Note ton travail.

Partie 3

- Compte les objets. Comment peux-tu grouper les objets pour les compter ?
- Comment ton estimation se compare-t-elle au résultat que tu as obtenu en comptant ? Explique ta réponse.
- Estimeras-tu différemment la prochaine fois ? Comment feras-tu ? Explique ta réponse.

Montre ton travail
Explique tes découvertes à l'aide de mots, de dessins ou de nombres.

Va plus loin

- Crée un problème à partir de tes résultats. Résous ton problème.
- Échange ton problème avec celui de ta ou ton camarade. Résous son problème. Comparez vos solutions.

178 OBJECTIF | Évaluation des performances

Exploration 179

Trois de suite

Jeu

Tu as besoin de planches de jeu, de cartes de fractions et de jetons.

Le but du jeu est de former une rangée de 3 jetons dans n'importe quel sens sur la planche de jeu.

- Les joueurs choisissent une planche de jeu.
- Mêle les cartes de fractions et place-les sur la table, face vers le bas.
- Le joueur A tire une carte et nomme la fraction.
- Les joueurs qui ont cette fraction sur leur planche de jeu placent un jeton sur la case.
- Les joueurs, à tour de rôle, tirent une carte et nomment la fraction.
- Le gagnant est l'élève qui forme une rangée de 3 jetons dans n'importe quel sens sur sa planche de jeu.

196 Module 5

- Il y a également des pages de **Jeu**.

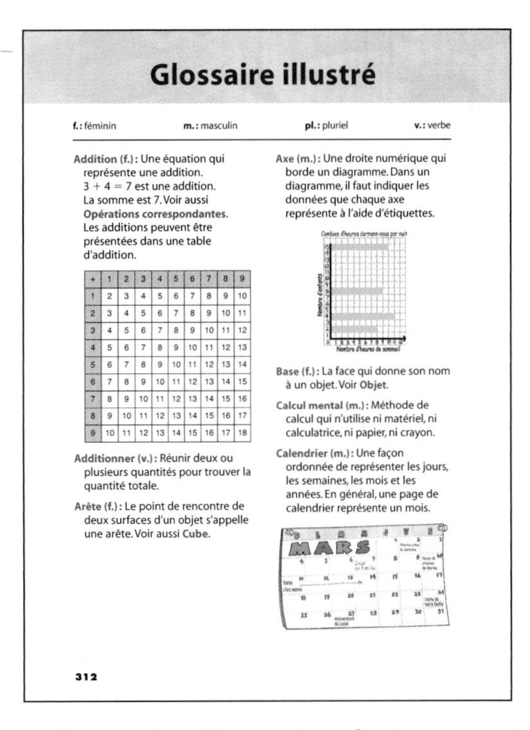

Glossaire illustré

f. : féminin **m.** : masculin **pl.** : pluriel **v.** : verbe

Addition (f.) : Une équation qui représente une addition. $3 + 4 = 7$ est une addition. La somme est 7. Voir aussi **Opérations correspondantes.** Les additions peuvent être présentées dans une table d'addition.

+	1	2	3	4	5	6	7	8	9
1	2	3	4	5	6	7	8	9	10
2	3	4	5	6	7	8	9	10	11
3	4	5	6	7	8	9	10	11	12
4	5	6	7	8	9	10	11	12	13
5	6	7	8	9	10	11	12	13	14
6	7	8	9	10	11	12	13	14	15
7	8	9	10	11	12	13	14	15	16
8	9	10	11	12	13	14	15	16	17
9	10	11	12	13	14	15	16	17	18

Additionner (v.) : Réunir deux ou plusieurs quantités pour trouver la quantité totale.

Arête (f.) : Le point de rencontre de deux surfaces d'un objet s'appelle une arête. Voir aussi **Cube**.

Axe (m.) : Une droite numérique qui borde un diagramme. Dans un diagramme, il faut indiquer les données que chaque axe représente à l'aide d'étiquettes.

Base (f.) : La face qui donne son nom à un objet. Voir **Objet**.

Calcul mental (m.) : Méthode de calcul qui n'utilise ni matériel, ni calculatrice, ni papier, ni crayon.

Calendrier (m.) : Une façon ordonnée de représenter les jours, les semaines, les mois et les années. En général, une page de calendrier représente un mois.

312

- Le **Glossaire illustré** définit des mots importants en lien avec les mathématiques.

Exploration

Quel est le nombre secret ?

Tu as besoin de jetons ou d'une grille de 100.

Partie 1

Édouard, Alice et Russell ont choisi des nombres secrets.

Mon nombre est pair. Le chiffre des dizaines est 1. Le nombre d'unités est plus grand que la somme de 2 et 4.

Mon nombre a 6 dizaines de plus que d'unités. La somme des dizaines et des unités égale 12.

Mon nombre se trouve entre 26 et 54. Tu nommes mon nombre quand tu comptes par sauts de 5, mais pas quand tu comptes par sauts de 2. Mon nombre n'a pas les mêmes chiffres que 54.

Mon nombre secret est un nombre impair. Il est plus grand que 70.

➤ Trouve les nombres secrets.

Partie 2

Mia a choisi un nombre secret et elle a donné ces indices.

➤ Mia a-t-elle fourni assez d'information ? Explique.

➤ Le nombre secret de Mia est 87. Quels autres indices pourrait-elle donner pour te permettre de trouver le nombre secret ?

➤ Échange tes indices avec ceux de deux autres camarades. Vérifie leur travail.

➤ Explique comment des indices différents peuvent décrire le même nombre.

Partie 3

- Choisis un nombre secret plus petit que 100.
- Écris des indices pour permettre de deviner ton nombre.
- Échange tes indices avec ceux de deux autres camarades. Trouve leur nombre secret.

Montre ton travail

Crée une affiche au sujet de ton nombre secret.
Écris les indices sur le devant de l'affiche et le nombre secret au verso.

Va plus loin

Écris une addition ou une soustraction secrète.
Invente des indices pour l'opération choisie.
Lis les indices à une ou un camarade.
Demande-lui de deviner ton opération secrète.

1

Les régularités

La folie des régularités

Tes objectifs

- Identifier, prolonger, créer et comparer des régularités croissantes.
- Identifier, prolonger, créer et comparer des régularités décroissantes.
- Décrire des régularités et les règles des régularités.
- Résoudre des problèmes à l'aide de régularités.

Mots clés

- une régularité croissante
- augmenter
- la règle de la régularité
- diminuer
- une régularité décroissante

Il y a des régularités dans les vêtements, les chansons et les danses des élèves. Il y a même des régularités quand ils tapent des mains, tapent des pieds et claquent des doigts.

- Quelles régularités vois-tu dans l'image ?
- Imagine une régularité de pas de danse. Décris-la.
- Imagine une régularité de sons. Décris-la.

Explorer les régularités croissantes

Voici une **régularité croissante**.

Figure 1

Figure 2

Figure 3

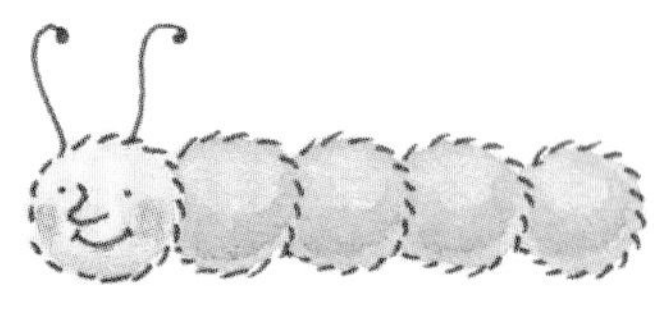
Figure 4

Qu'est-ce qui est pareil et qu'est-ce qui change dans chaque figure ?
À quoi ressemblera la figure 5 ?

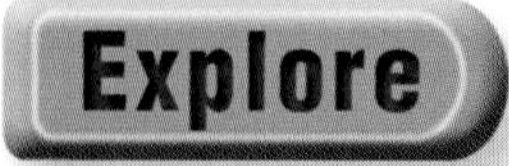

Tu as besoin de blocs-formes.

- ➤ Montre à quoi ressemble la figure 4.
- ➤ Construis la figure 5 et la figure 6.

Figure 1

Qu'as-tu trouvé ?

Montre tes régularités à deux autres camarades. Décrivez les régularités à tour de rôle.

Figure 2

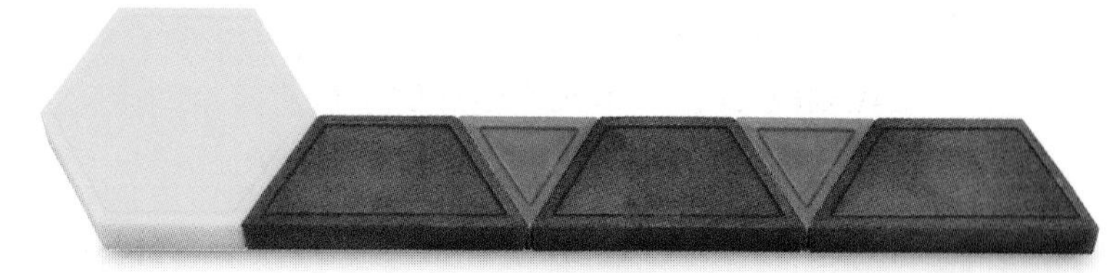
Figure 3

OBJECTIF | Identifier, décrire et prolonger des régularités croissantes.

Découvre

Les régularités croissantes sont des régularités qui **augmentent**.

➤ Cette régularité augmente chaque fois du même nombre de formes.

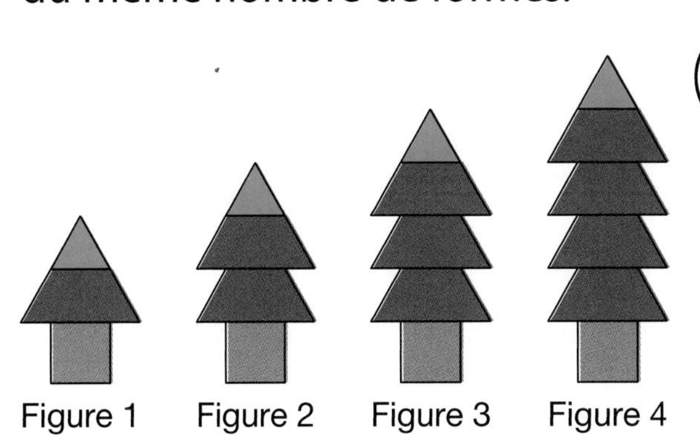

La règle de la régularité est : à partir de ,

ajoute 1 chaque fois.

➤ Cette régularité augmente chaque fois d'un nombre différent de formes.

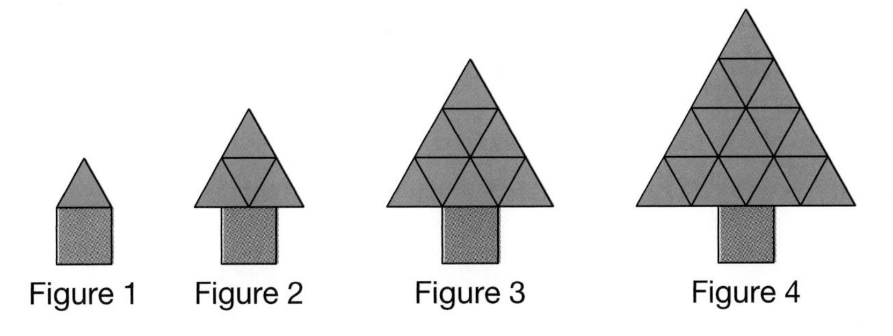

La règle de la régularité est :

- À partir de ,
- ajoute 3 pour créer un triangle plus grand.
- Puis, ajoute 2 de plus que la fois précédente. Conserve chaque fois la forme triangulaire.

À quoi ressemblera la figure 5 ?
Ajoute des pour agrandir l'arbre.

À ton tour

1. Utilise des blocs-formes.
Crée les 3 figures suivantes de chaque régularité croissante.

a)

Figure 1   Figure 2   Figure 3

b)

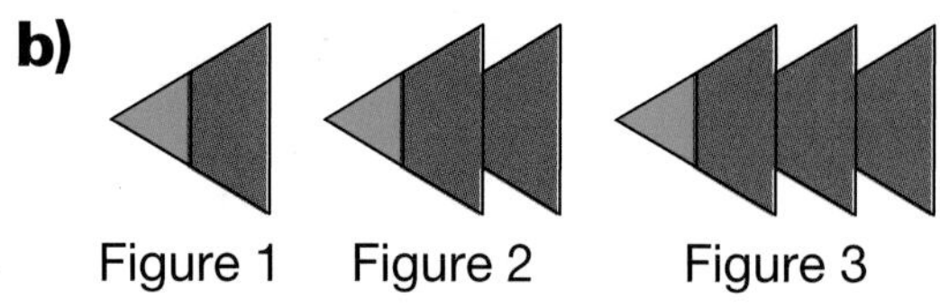

c)

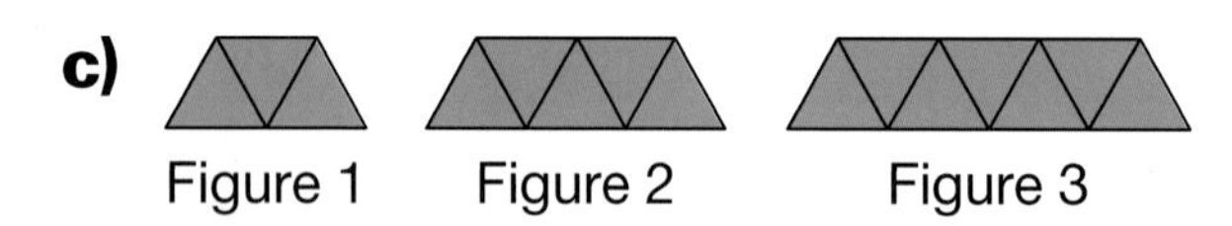

2. Écris la règle de la régularité de chaque régularité de la question 1.

3. Utilise des blocs-formes.
Recopie la régularité.
Crée les 3 figures suivantes.
Dessine la régularité sur du papier quadrillé.
Écris la règle de la régularité.

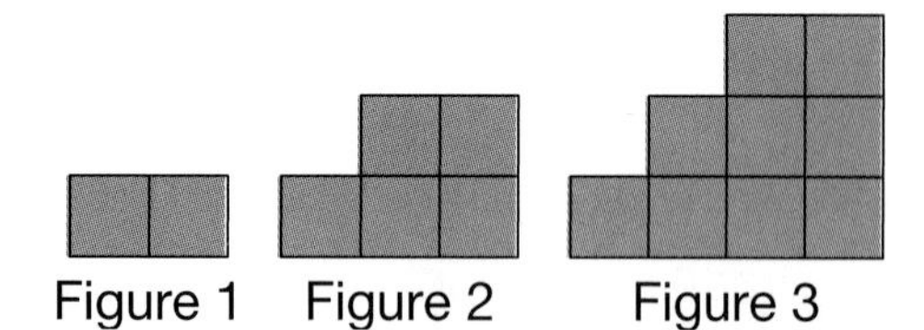

4. Samuel a dessiné cette régularité croissante.
Sa régularité augmente chaque fois du même nombre de formes.

Est-ce qu'il manque une figure ? Si c'est le cas, dessine-la.

Réfléchis

Choisis une régularité croissante dans la leçon.
Explique comment elle augmente.

LEÇON

Créer des régularités croissantes

Une boutique d'enseignes fabrique des lettres de différentes grosseurs. Voici les 3 premières grosseurs de la lettre U.

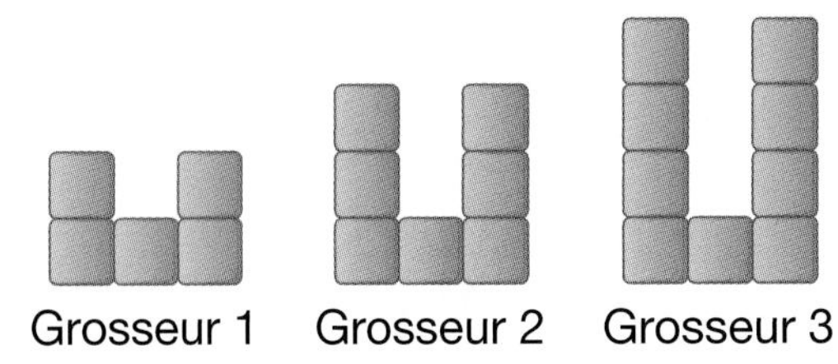

À quoi ressemblera la lettre suivante de la régularité ?
Quelle est la règle de cette régularité ?

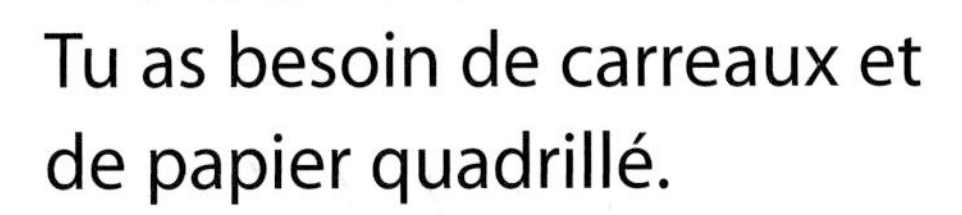

Explore

Tu as besoin de carreaux et de papier quadrillé.

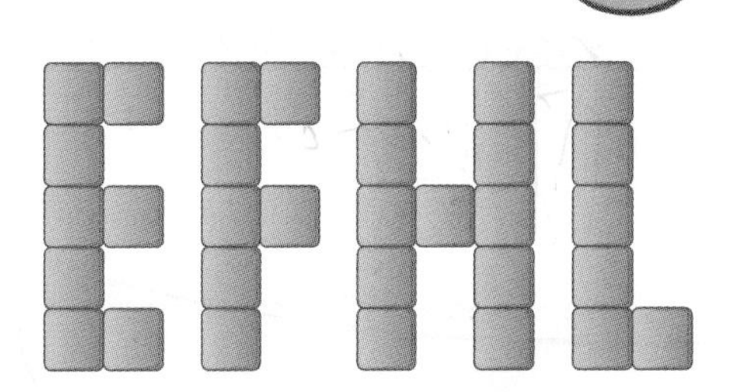

- Choisis 1 de ces lettres.
- Utilise des carreaux pour créer la lettre.
- Crée une régularité croissante pour montrer 3 autres grosseurs de la lettre.
- Dessine la régularité sur du papier quadrillé.
- Recommence avec une autre lettre.

Qu'as-tu trouvé ?

Montre les lettres que tu as créées à deux autres camarades.
Décrivez à tour de rôle la règle de votre régularité.

OBJECTIF | Créer et décrire des régularités croissantes.

Découvre

Pour créer une régularité croissante :
- tu crées un point de départ ;
- tu décides de ce qui sera ajouté chaque fois.

Luc et Marie créent la lettre T pour la boutique d'enseignes.

➤ Luc a choisi cette règle :
- À partir de , ajoute 1 chaque fois.

Sa régularité augmente dans 1 direction.

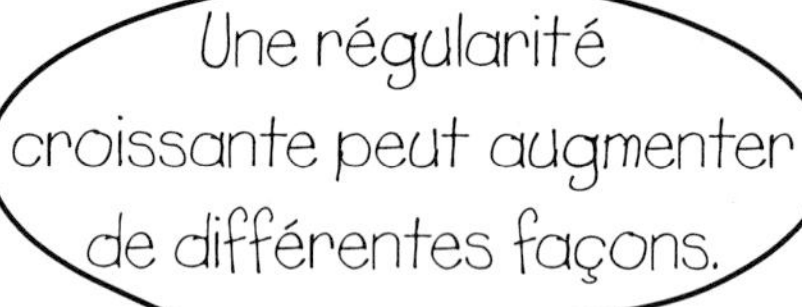

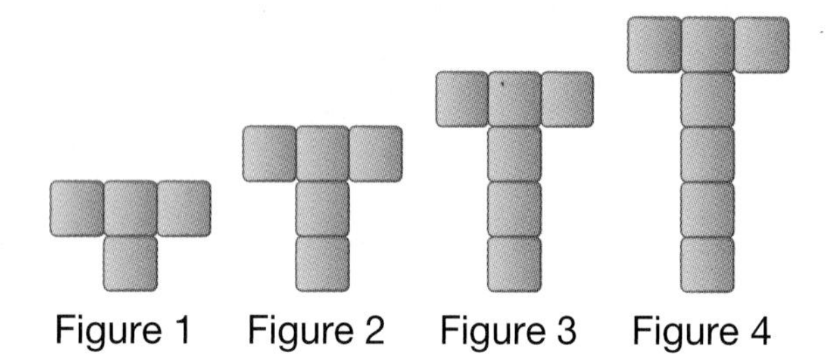

➤ Marie a choisi cette règle :
- À partir de , ajoute 3 chaque fois, un à chaque bout du T.

Sa régularité augmente dans plus de 1 direction.

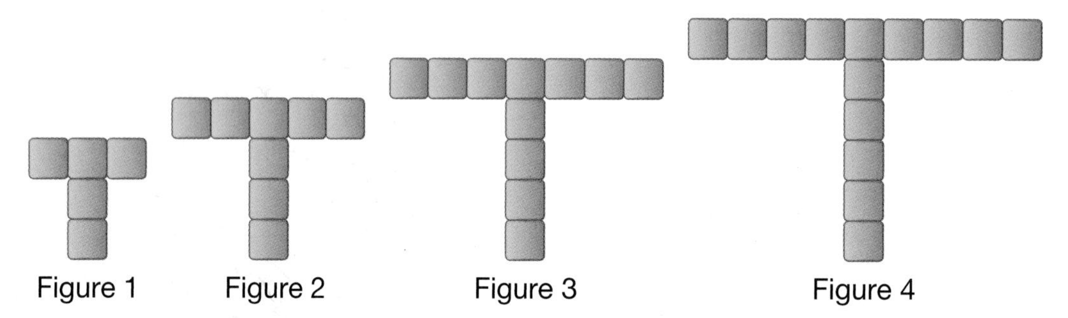

Math +

Études sociales

Les Inuits utilisent des régularités pour différencier leurs *kamik* (bottes). On retrouve des bandes horizontales sur les bottes des femmes et des bandes verticales sur celles des hommes.

À ton tour

1. Utilise des carreaux.
   Crée une régularité en suivant cette règle :
   À partir de 4 carreaux, ajoute 2 carreaux à chaque fois.
   Dessine la régularité sur du papier quadrillé.
   Décris ta régularité à l'aide de nombres et de mots.

2. Écris la règle d'une régularité croissante.
   Échange ta règle contre celle d'une ou d'un camarade.
   Crée la régularité de ta ou ton camarade.
   Vérifiez votre travail.

3. Dessine les 4 premières figures d'une régularité croissante.
   Décris ta régularité, par écrit.

4. Dans cette régularité, il manque la figure 3.
   Dessine la figure 3.
   Explique comment tu le sais.

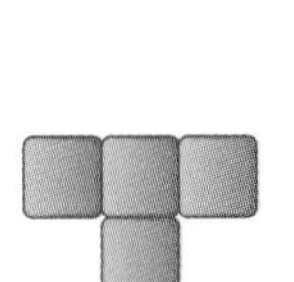

Figure 1 Figure 2 Figure 3 Figure 4

5. a) Utilise 2 gestes ou plus pour créer une régularité croissante.
   b) Note la règle de la régularité.
   c) Mime la régularité.

Réfléchis

Explique les étapes à suivre pour créer une régularité croissante.

Comparer des régularités croissantes

Explore

Tu as besoin de carreaux et de papier quadrillé.

- Utilise ce point de départ.
- Crée une régularité croissante qui augmente de 1 ■ chaque fois.
- Crée une régularité croissante qui augmente de 2 ■ chaque fois.
- Dessine tes régularités sur du papier quadrillé.

Qu'as-tu trouvé ?

Montre tes régularités à deux autres camarades.
Quelles sont les ressemblances et les différences entre les régularités ?

Découvre

- Caroline a créé cette régularité.

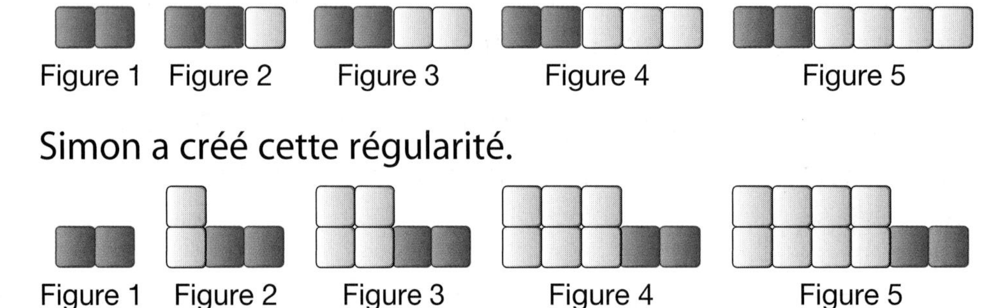

Les régularités utilisent le même point de départ, mais elles n'augmentent pas de la même façon.
La règle de Caroline est :
- À partir de ■■, ajoute chaque fois 1 □ à la fin.

La règle de Simon est :
- À partir de ■■, ajoute chaque fois 2 □ au début.

 Objectif | Créer, décrire et comparer des régularités croissantes.

➤ Éliane a créé cette régularité.

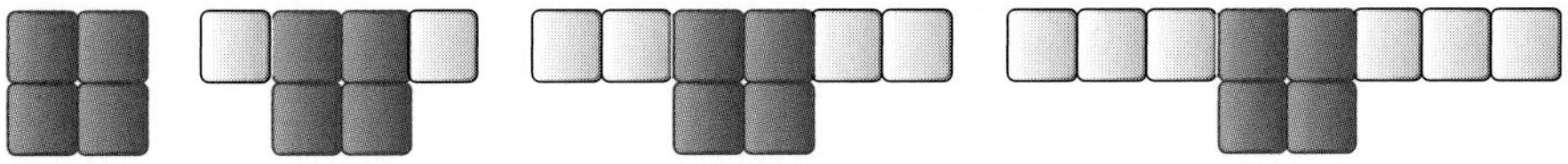

Figure 1 Figure 2 Figure 3 Figure 4

Paul a créé cette régularité.

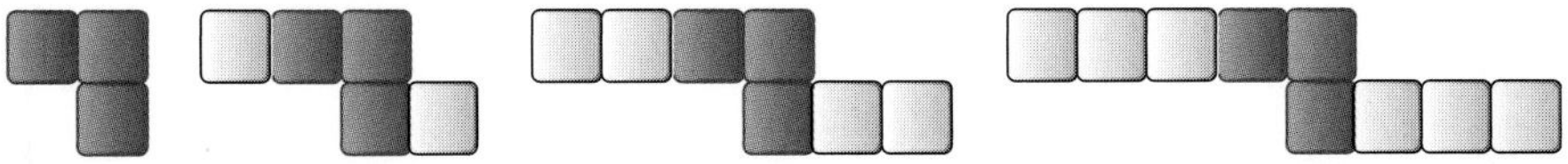

Figure 1 Figure 2 Figure 3 Figure 4

Les régularités n'utilisent pas le même point de départ, mais elles augmentent de la même façon.
La règle d'Éliane est :
- À partir de ▦, ajoute un ☐ chaque fois de chaque côté.

La règle de Paul est :
- À partir de ▦, ajoute un ☐ chaque fois de chaque côté.

À ton tour

1. a) Écris la règle de la régularité.

Figure 1 Figure 2 Figure 3 Figure 4

b) Dessine une régularité qui a le même point de départ, mais qui n'augmente pas de la même façon.

2. Trouve les 2 régularités qui n'ont pas le même point de départ, mais qui augmentent de la même façon. Écris la règle de ces deux régularités.

a) Figure 1 Figure 2 Figure 3 Figure 4

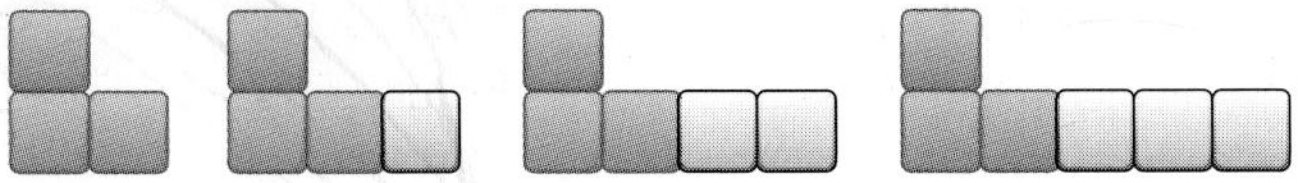

b) Figure 1 Figure 2 Figure 3 Figure 4

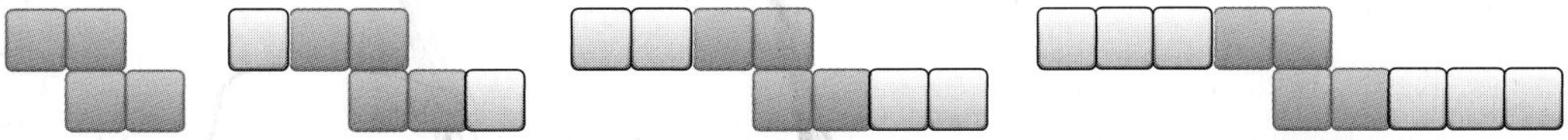

c) Figure 1 Figure 2 Figure 3 Figure 4

3. Crée une régularité croissante. Montre les 4 premières figures. Compare ta régularité avec celle d'une ou d'un camarade. Décris les régularités à l'aide de nombres et de mots. Quelles sont les ressemblances et les différences entre les régularités ?

4. Jess a créé cette régularité.

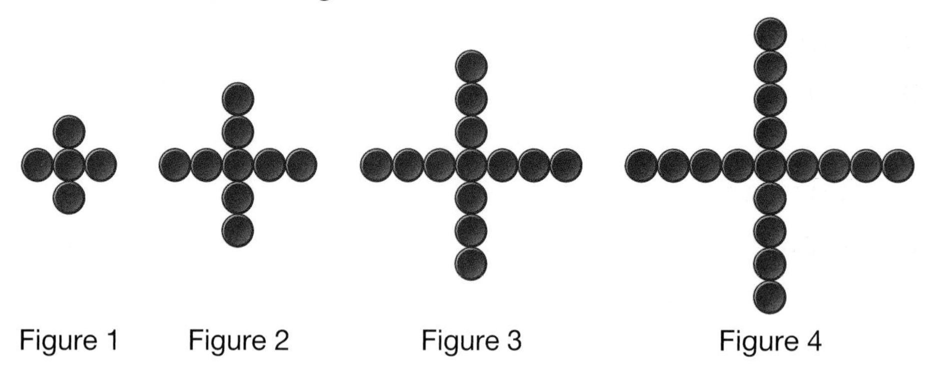

Macha a créé cette régularité.

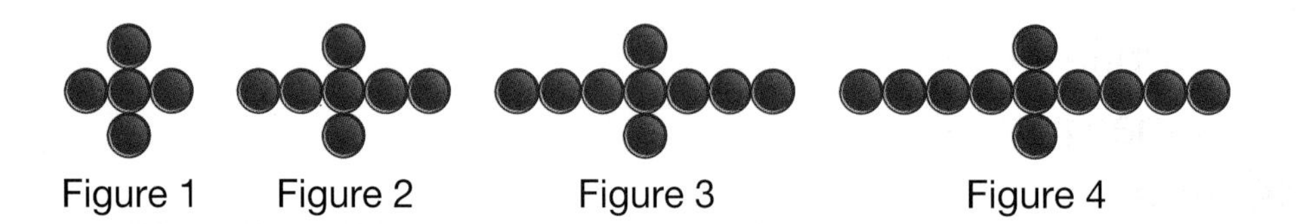

Quelles sont les ressemblances et les différences entre les régularités ? Écris la règle de chaque régularité.

5. Utilise des carreaux.

a) À partir de 3 ▢, ajoute 1 ▢ chaque fois pour créer une régularité.

b) Répète la partie a), mais crée une régularité différente.

c) Compare tes régularités avec celles d'une ou d'un camarade. Quelles sont les ressemblances ? Quelles sont les différences ?

Réfléchis

Comment peux-tu comparer des régularités croissantes ?

Les régularités numériques croissantes

Comment peux-tu compter les yeux dans ce groupe d'élèves ?
Comment peux-tu compter les doigts dans les mains levées ?

Explore

Tu as besoin d'une grille de 100 et de 2 crayons ou marqueurs de couleur différente.

- ➤ Comment peux-tu utiliser la grille de 100 pour compter par sauts de 2 ? par sauts de 5 ?
- ➤ Colorie la grille. Quelles régularités vois-tu ?

1	2	3	4	5	6	7	8	9	10
11	12	13	14	15	16	17	18	19	20
21	22	23	24	25	26	27	28	29	30
31	32	33	34	35	36	37	38	39	40
41	42	43	44	45	46	47	48	49	50
51	52	53	54	55	56	57	58	59	60
61	62	63	64	65	66	67	68	69	70
71	72	73	74	75	76	77	78	79	80
81	82	83	84	85	86	87	88	89	90
91	92	93	94	95	96	97	98	99	100

Qu'as-tu trouvé ?

Compare tes régularités avec celles de deux autres camarades.
Quels nombres sont coloriés deux fois ?
Selon toi, pourquoi c'est comme ça ?

OBJECTIF | Identifier, décrire, créer, prolonger et comparer des régularités numériques croissantes.

Découvre

Les nombres dans les cases colorées forment une régularité croissante.

1	2	3	4	5	6	7	8	9	10
11	12	13	14	15	16	17	18	19	20
21	22	23	24	25	26	27	28	29	30
31	32	33	34	35	36	37	38	39	40
41	42	43	44	45	46	47	48	49	50
51	52	53	54	55	56	57	58	59	60
61	62	63	64	65	66	67	68	69	70
71	72	73	74	75	76	77	78	79	80
81	82	83	84	85	86	87	88	89	90
91	92	93	94	95	96	97	98	99	100

➤ La règle de la régularité des cases jaunes est :
- À partir de 10, additionne 10 chaque fois.

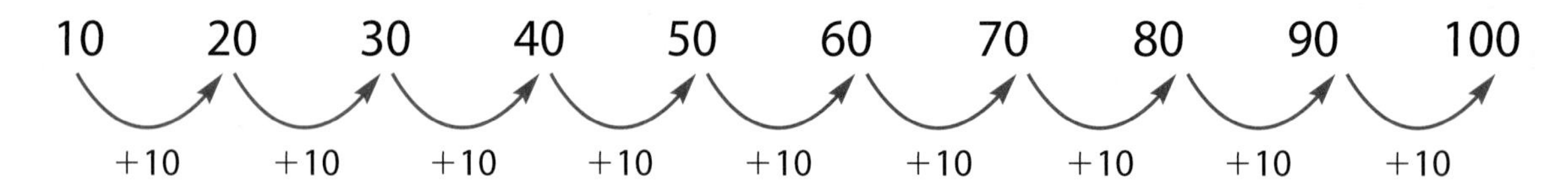

La régularité forme une ligne verticale.
Le chiffre des dizaines augmente de 1.
Le chiffre des unités est toujours 0.

➤ La règle de la régularité des cases bleues est :
- À partir de 5, additionne 10 chaque fois.

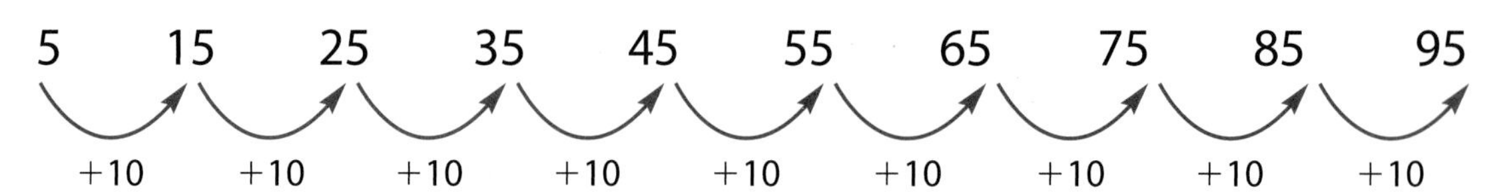

La régularité forme une ligne verticale.
Le chiffre des dizaines augmente de 1.
Le chiffre des unités est toujours 5.

À ton tour

1. Décris cette régularité à l'aide de nombres et de mots.

1	2	3	4	5	6	7	8	9	10
11	12	13	14	15	16	17	18	19	20

2. Réjean a commencé une régularité numérique. Quels nombres coloriera-t-il pour prolonger la régularité ? Quelle est la règle de cette régularité ?

1	2	3	4	5	6	7	8	9	10
11	12	13	14	15	16	17	18	19	20
21	22	23	24	25	26	27	28	29	30
31	32	33	34	35	36	37	38	39	40
41	42	43	44	45	46	47	48	49	50
51	52	53	54	55	56	57	58	59	60
61	62	63	64	65	66	67	68	69	70
71	72	73	74	75	76	77	78	79	80
81	82	83	84	85	86	87	88	89	90
91	92	93	94	95	96	97	98	99	100

3. Utilise une grille de 100.
   a) À partir de 30, additionne 10 chaque fois. Colorie en bleu les nombres de cette régularité.
   b) Trouve une autre régularité numérique dans la même grille. Colorie les nombres en rouge.
   c) Compare les deux régularités.

4. Recopie chaque régularité. Écris la règle. Écris les nombres qui manquent.
   a) 15, 20, 25, ____, ____, ____
   b) 40, 50, 60, ____, ____, ____

5. Jessica compte sa monnaie.
   Elle dit : « 25, 30, 35, 40, 45, 50. J'ai 50 cents. »
   Décris la régularité à l'aide de nombres.
   Selon toi, quelles pièces de monnaie a-t-elle ? Explique ta réponse.

Réfléchis

Choisis une régularité numérique dans cette leçon.
Décris la stratégie que tu utiliserais pour trouver la règle.
Explique à l'aide de mots et de nombres.

LEÇON

La boîte à outils

Explore

Jean construit cette tour avec des blocs-formes.
Chaque étage comporte 1 bloc rouge et 2 blocs verts.
Jean a beaucoup de blocs rouges, mais il a seulement 10 blocs verts.
Combien d'étages peut-il construire ?

Aide-le à résoudre le problème.
Prends tout matériel qui peut t'être utile.

Qu'as-tu **trouvé ?**

Décris la stratégie que tu as utilisée pour résoudre ce problème.

Découvre

Stratégies

- Fais un tableau.
- Utilise un modèle.
- Fais un dessin.
- Résous un problème plus simple.
- Travaille à rebours.
- Prédis et vérifie.
- Dresse une liste ordonnée.
- Cherche une régularité.

Jaleel empile des blocs-formes.
Chaque étage est formé de ces blocs.
Elle a 23 blocs verts et 15 blocs rouges.
Combien d'étages peut-elle construire ?
Est-ce qu'il restera des blocs ?

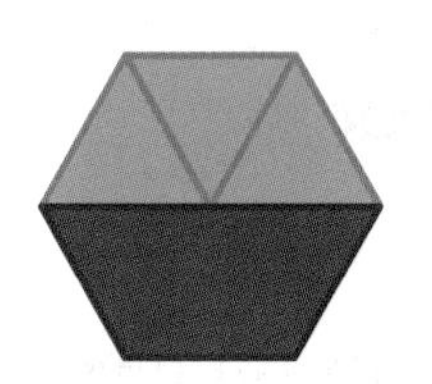

Que sais-tu ?
- Il y a 23 blocs verts et 15 blocs rouges.
- Il y a 3 blocs verts et 1 bloc rouge à chaque étage.

Pense à une stratégie qui peut t'aider à résoudre le problème.
- Tu peux **chercher une régularité**.

 OBJECTIF | Interpréter un problème et choisir une stratégie appropriée.

Représente la régularité dans une grille de 100.
Colorie le nombre de blocs verts utilisés à chaque étage.
Combien d'étages peux-tu construire avant de manquer de blocs verts ?
Y a-t-il assez de blocs rouges pour construire autant d'étages ?

Vérifie ton travail.
Peux-tu résoudre ce problème d'une autre façon ?
Comment ?

À ton tour

Choisis une **Stratégie**

1. Hakim a construit une tour à l'aide de blocs jaunes et de blocs orange. Sa tour a 5 étages. Chaque étage est formé de 2 blocs jaunes et de 3 blocs orange. Combien y a t-il de blocs jaunes et de blocs orange dans sa tour ?

2. Suzie a inscrit dans un tableau le nombre total de blocs à chaque étage de sa tour. Combien y a-t-il de blocs en tout au 6e étage ? Comment le sais-tu ?

Niveau	Nombre total de blocs
1	18
2	22
3	26

Réfléchis

Comment peux-tu utiliser une régularité pour t'aider à résoudre un problème ? Explique à l'aide de mots, de nombres ou d'images.

La règle de la régularité

Jeu

Tu as besoin de carreaux, de cartes « Construis une régularité » et de cartes « Départ ».

Le but du jeu est de deviner la règle de la régularité de ta ou ton camarade.

- Mêle les deux jeux de cartes et place-les sur la table, face vers le bas.
- Tire une carte « Départ ». Place-la devant toi, face vers le haut.
- Tire une carte « Construis une régularité ». Ne la montre pas.
- Utilise le point de départ et la règle inscrite sur ta carte secrète.

Construis les 5 premières figures d'une régularité croissante.

- Ta ou ton camarade essaie de deviner la règle de ta régularité.
  Si sa description est correcte, elle ou il marque 1 point.
  Si sa description est incorrecte, tu marques 1 point.
- À son tour de jouer et à toi de deviner.
- Celle ou celui qui a marqué le plus de points après 3 tours gagne la partie.

LEÇON

Explorer les régularités décroissantes

Jérôme mange des œufs au déjeuner tous les jours.

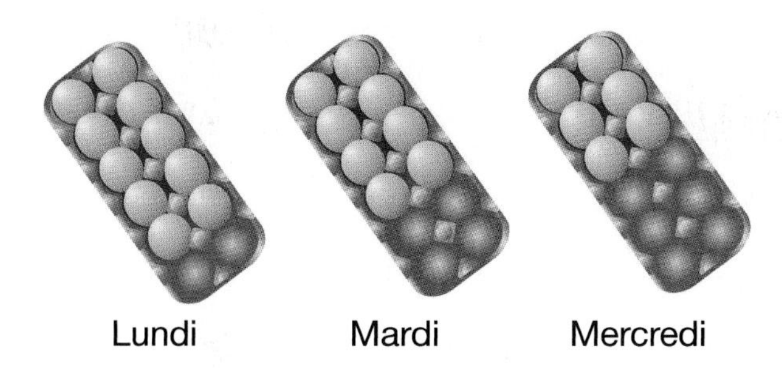

Combien restera-t-il d'œufs après le déjeuner de jeudi ?
Comment le sais-tu ?

Tu as besoin de cubes emboîtables.

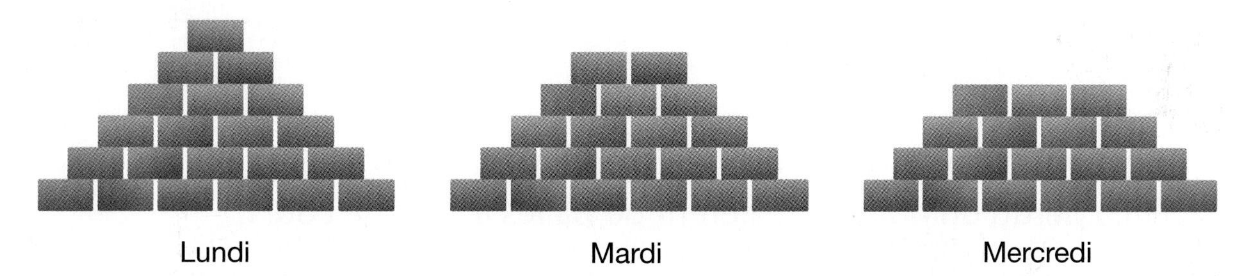

Des ouvriers prennent des briques dans la pile chaque jour.

➤ Montre à quoi la pile de briques ressemblera le jeudi.

➤ Montre à quoi la pile ressemblera le vendredi et le samedi.

Qu'as-tu **trouvé ?**

Montre tes piles de cubes emboîtables à deux autres camarades.
Décrivez à tour de rôle la règle de la régularité.

OBJECTIF | Identifier, décrire et prolonger des régularités décroissantes.

Découvre

Les régularités décroissantes sont des régularités qui **diminuent**.

➤ Au premier cours de tennis de Maxime, il y avait 15 balles.
On a perdu le même nombre de balles à chaque cours.

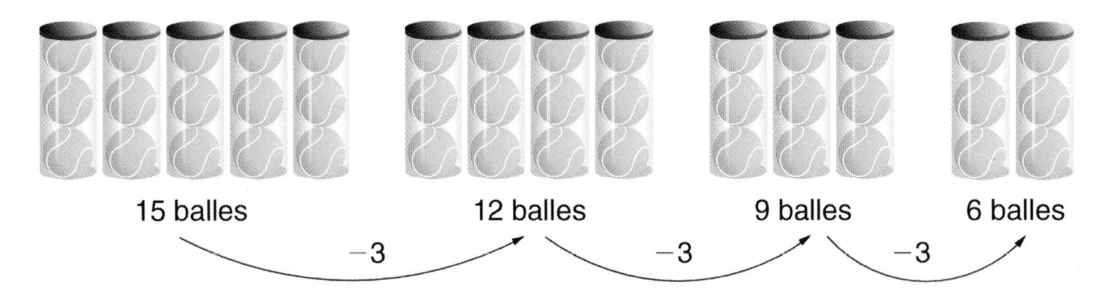

Le nombre de balles est 15, 12, 9, 6...
La règle de la régularité est :

- À partir de 15 balles, soustrais 3 balles chaque fois.

➤ Au premier cours de tennis de Chloé, il y avait 15 balles.
On a perdu un nombre différent de balles à chaque cours.

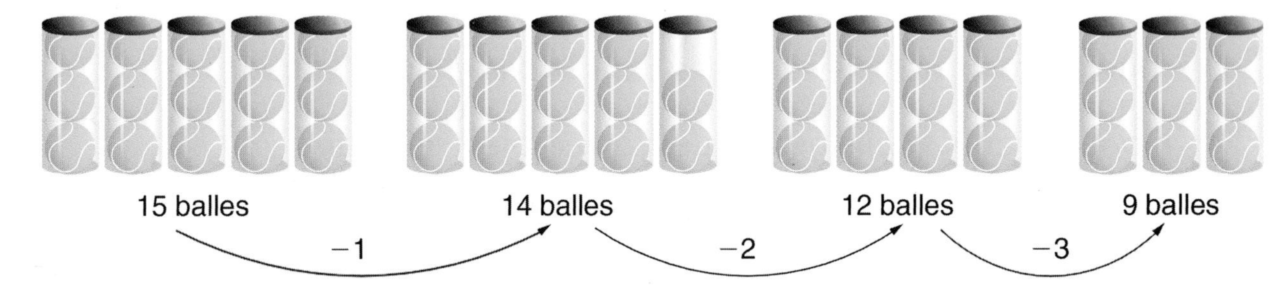

Le nombre de balles est 15, 14, 12, 9...
La règle de la régularité est :

- À partir de 15 balles, soustrais 1 balle.
- Puis, soustrais 1 balle de plus que la fois précédente.

À ton tour

1. Utilise des cubes emboîtables.
   Crée les 3 figures suivantes de chaque régularité décroissante.

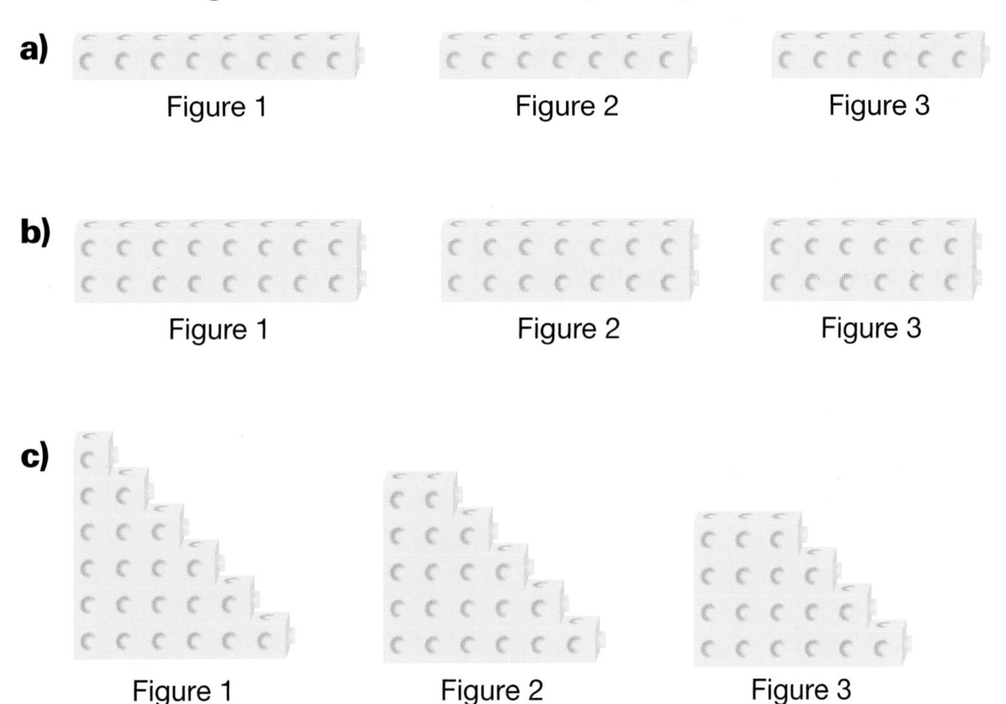

a) Figure 1 Figure 2 Figure 3

b) Figure 1 Figure 2 Figure 3

c) Figure 1 Figure 2 Figure 3

2. Examine les régularités de la question 1.
   Écris la règle de chaque régularité.

3. Janine a créé une régularité décroissante à l'aide de billes.
   Elle continue la régularité.
   Combien d'autres figures peut-elle créer ?
   Explique comment tu le sais.

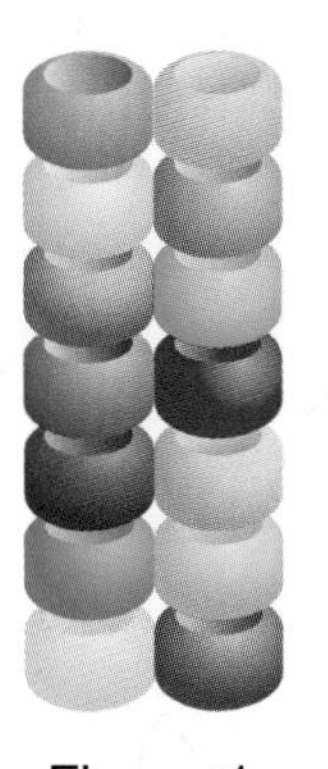

Figure 1

Figure 2

Figure 3

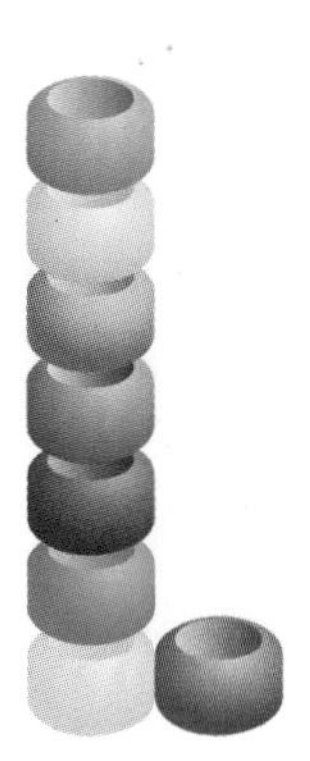

Figure 4

4. Zin a photographié des oiseaux à la campagne.
Il a disposé les photos de façon à créer une régularité décroissante.

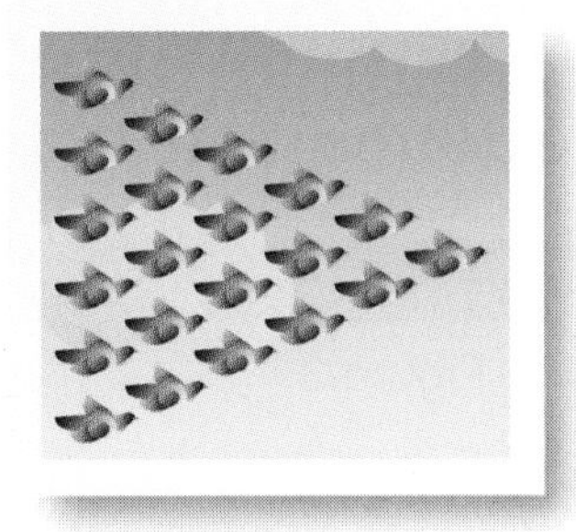
Figure 1

Figure 2

Figure 3

Quelle photo ci-dessous prolonge la régularité ?
Explique comment tu le sais.

a)

b)

5. Une employée d'épicerie doit placer 28 boîtes de céréales.
Elle continue cette régularité.

Elle place toutes les boîtes. Combien y aura-t-il de boîtes dans la rangée du haut ?
Comment le sais-tu ? Dessine les boîtes.

Réfléchis

Choisis une régularité décroissante dans la leçon.
Explique comment elle diminue.

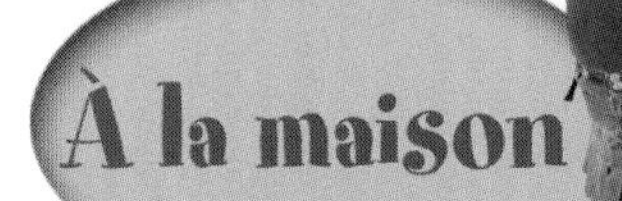

Joue au détective !
Cherche des régularités dans les vêtements, les immeubles, les meubles ou les tapisseries.
Quelles régularités peux-tu trouver ?

LEÇON 7

Créer et comparer des régularités décroissantes

La professeure Diminutive a construit une machine à diminuer.
Elle a fait passer un collier 3 fois dans sa machine.

Figure 1

Figure 2

Figure 3

Figure 4

À quoi ressemblera le prochain collier ?
Quelle est la règle de cette régularité ?

Explore

Tu as besoin de jetons.

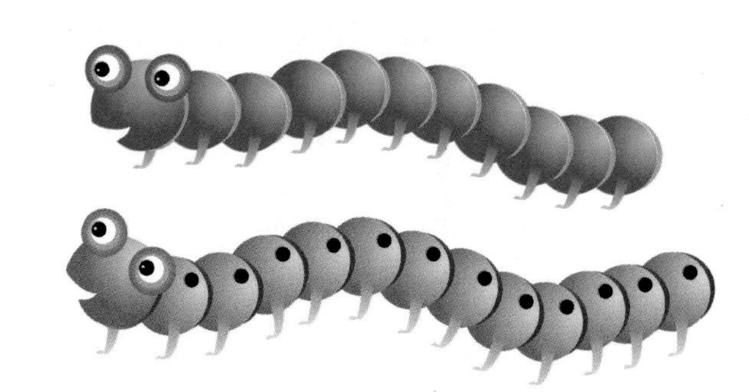

➤ Utilise 10 à 15 jetons pour créer une chenille.

➤ Crée une régularité décroissante pour montrer des chenilles de 4 longueurs différentes.

➤ Dessine la régularité.
Écris la règle de la régularité.

➤ Recommence. Utilise une règle différente.

Qu'as-tu trouvé ?

Compare ta chenille avec celles de deux autres camarades.
Décrivez à tour de rôle la règle de votre régularité.

OBJECTIF | Créer, décrire et comparer des régularités décroissantes.

Pour créer une régularité décroissante :

- tu crées un point de départ ;
- tu décides de ce qui sera soustrait chaque fois.

➤ Ellis a choisi cette règle :
- À partir de 11 ▲ disposés en ligne, soustrais 2 ▲ chaque fois.

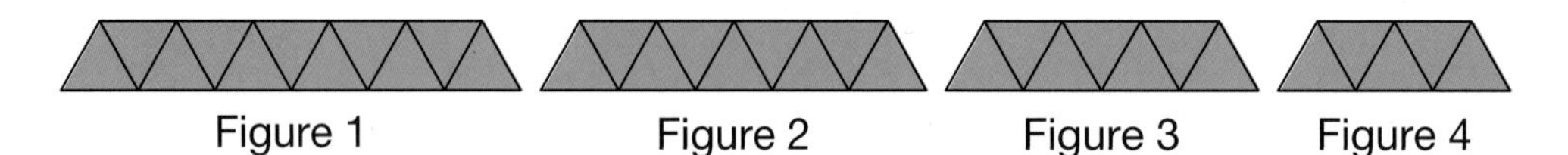

➤ Julie a choisi cette règle :
- À partir de 11 ▲ disposés en ligne, soustrais 1 ▲.
- Puis, soustrais 1 ▲ de plus que la fois précédente.

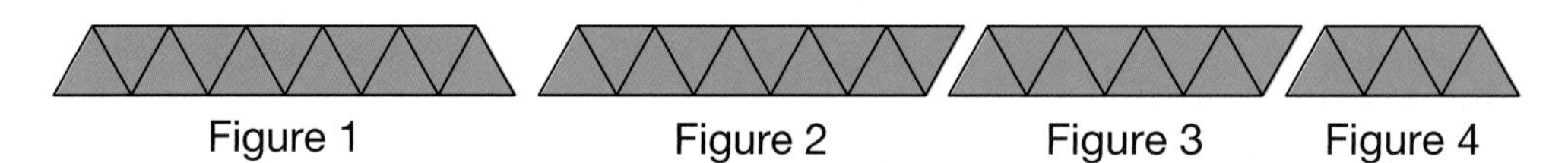

Leurs régularités ont le même point de départ, mais elles ne diminuent pas de la même façon.

À ton tour

1. Thomas a aligné 20 cubes pour créer une régularité. Puis, il a soustrait 2 cubes à chaque étape de sa régularité.
Crée une régularité qui suit la même règle.
Décris ta régularité à l'aide de nombres et de mots.

2. Quelles sont les ressemblances entre ces régularités ?
Quelles sont les différences ?
Donne la règle de chaque régularité.

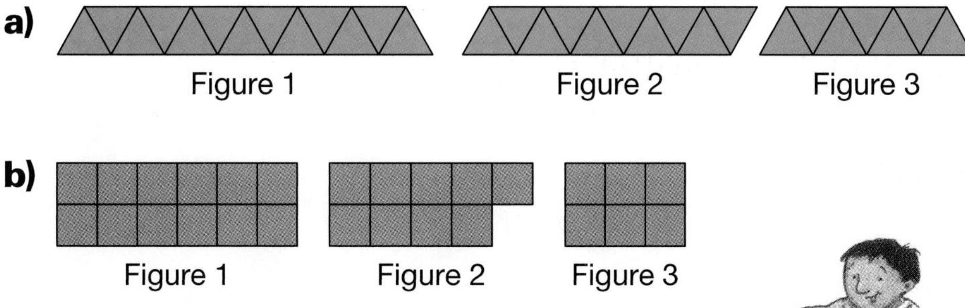

3. Utilise 2 gestes ou plus pour créer une régularité décroissante.
Décris la règle de la régularité.
Mime ta régularité.

4. La professeure Diminutive a mis une créature dans sa machine à diminuer.
Dessine ou construis la créature qui manque.
Donne la règle de la régularité.

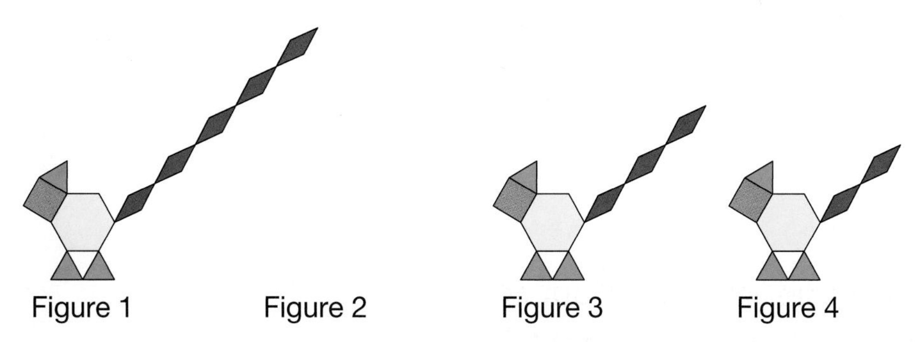

5. Crée une régularité décroissante. Montre les 4 premières figures.
Compare ta régularité avec celle d'une ou d'un camarade.
Note les ressemblances et les différences entre vos régularités.

Réfléchis

Explique les étapes à suivre pour créer une régularité décroissante.

Les régularités numériques décroissantes

Charlotte a 20 ¢.
Chaque jour, elle achète un autocollant à 2 ¢.

Un jour, lui restera-t-il 9 ¢ ?
Comment le sais-tu ?

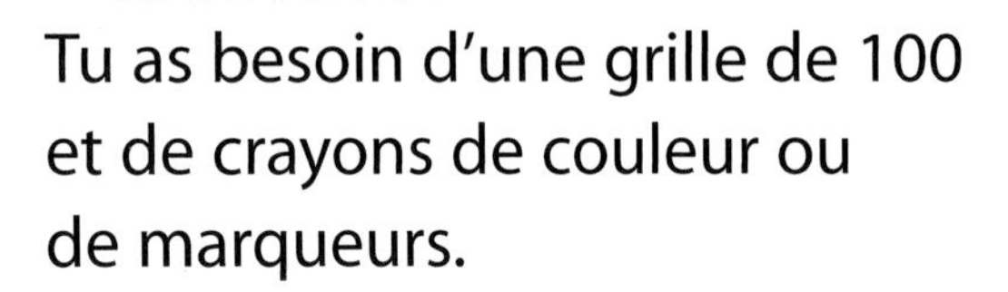

Tu as besoin d'une grille de 100 et de crayons de couleur ou de marqueurs.

Supposons que tu as 95 ¢.
Chaque bonbon coûte 5 ¢.
Combien de bonbons peux-tu acheter ?

- Note ton travail dans la grille de 100.
- Quelle régularité vois-tu ?

Qu'as-tu trouvé ?

Compare ta régularité numérique avec celles de deux autres camarades.
Détermine la règle de cette régularité.

 OBJECTIF | Identifier, décrire, créer, prolonger et comparer des régularités numériques décroissantes.

Découvre

100	99	98	97	96	95	94	93	92	91
90	89	88	87	86	85	84	83	82	81
80	79	78	77	76	75	74	73	72	71
70	69	68	67	66	65	64	63	62	61
60	59	58	57	56	55	54	53	52	51
50	49	48	47	46	45	44	43	42	41
40	39	38	37	36	35	34	33	32	31
30	29	28	27	26	25	24	23	22	21
20	19	18	17	16	15	14	13	12	11
10	9	8	7	6	5	4	3	2	1

Les nombres dans les cases colorées forment des régularités.

La règle de la régularité des cases orange est :
- À partir de 100, compte à rebours par sauts de 5 chaque fois.

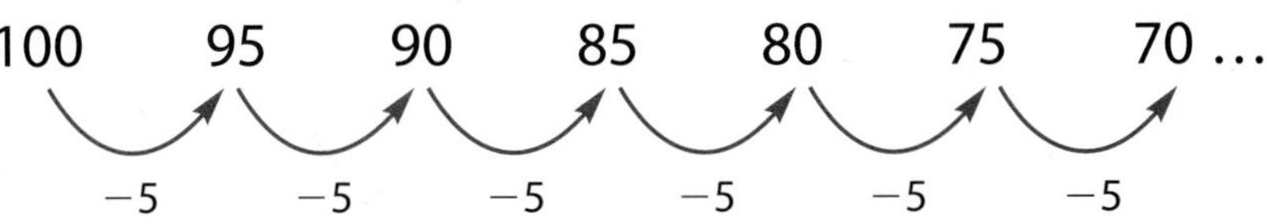

Le chiffre des unités suit cette régularité : 0, 5, 0, 5, 0, 5...
Le chiffre des dizaines suit cette régularité : 9, 9, 8, 8, 7, 7...

La règle de la régularité des cases vertes est :
- À partir de 100, compte à rebours par sauts de 2 chaque fois.

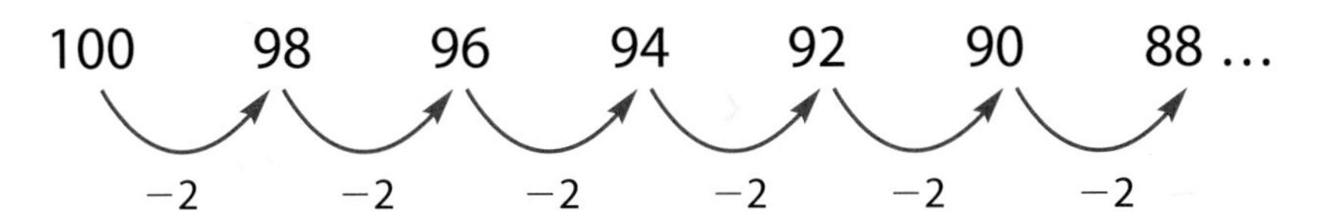

Le chiffre des unités suit cette régularité : 8, 6, 4, 2, 0, 8, 6, 4, 2, 0...
Le chiffre des dizaines suit cette régularité : 9, 9, 9, 9, 9, 8, 8, 8, 8, 8, 7, 7, 7, 7, 7...

Les deux régularités forment des lignes verticales.
Certains nombres font partie des deux régularités.

À ton tour

1. Écris les 4 premiers nombres de chaque régularité.
   a) À partir de 75, compte à rebours par sauts de 5 chaque fois.
   b) À partir de 100, compte à rebours par sauts de 3 chaque fois.
   c) À partir de 65, compte à rebours par sauts de 10 chaque fois.
   d) À partir de 50, compte à rebours par sauts de 2 chaque fois.

2. May-Lin a colorié ces régularités dans une grille de 100.

100	99	98	97	96	95	94	93	92	91
90	89	88	87	86	85	84	83	82	81
80	79	78	77	76	75	74	73	72	71
70	69	68	67	66	65	64	63	62	61
60	59	58	57	56	55	54	53	52	51
50	49	48	47	46	45	44	43	42	41
40	39	38	37	36	35	34	33	32	31
30	29	28	27	26	25	24	23	22	21
20	19	18	17	16	15	14	13	12	11
10	9	8	7	6	5	4	3	2	1

Décris les régularités.
Quelles sont les ressemblances entre ces régularités ?
Quelles sont les différences ?

3. Recopie chaque régularité.
   Écris la règle de la régularité.
   Écris les nombres qui manquent.
   a) 78, 76, 74, 72, ___, ___, ___
   b) 35, 30, 25, 20, ___, ___, ___
   c) 100, 90, 80, ___, ___, ___, ___
   d) 83, 80, 77, ___, ___, ___, ___

4. Élise a écrit cette régularité numérique : 98, 96, 94, 92, 88, 86...
   A-t-elle oublié un nombre ?
   Comment le sais-tu ?

5. Supposons que tu écris cette régularité : 74, 72, 70, 68...
   Écriras-tu 47 dans ta régularité ?
   Comment le sais-tu ?

6. Utilise cette grille de 100.

100	99	98	97	96	95	94	93	92	91
90	89	88	87	86	85	84	83	82	81
80	79	78	77	76	75	74	73	72	71
70	69	68	67	66	65	64	63	62	61
60	59	58	57	56	55	54	53	52	51
50	49	48	47	46	45	44	43	42	41
40	39	38	37	36	35	34	33	32	31
30	29	28	27	26	25	24	23	22	21
20	19	18	17	16	15	14	13	12	11
10	9	8	7	6	5	4	3	2	1

a) Les cases colorées forment une régularité décroissante. Donne la règle de la régularité.

b) Le nombre 18 fera-t-il partie de la régularité ? Comment le sais-tu ?

c) Prolonge la régularité pour le savoir.

7. Colorie une régularité numérique décroissante dans une grille de 100.
Donne la règle de la régularité.
Compare ta régularité avec celle d'une ou d'un camarade.
Quelles sont les ressemblances entre ces régularités ?
Quelles sont les différences ?

8. Salvio a 18 pommes.
Il mange 2 pommes chaque jour.
Combien restera-t-il de pommes à Salvio au bout de 5 jours ?

Réfléchis

Quelles sont les ressemblances et les différences entre une régularité croissante et une régularité décroissante ?
Donne des exemples pour expliquer ton raisonnement.

Module 1 Montre ce que tu sais

LEÇON

1 **1.** Dessine les 3 figures suivantes de chaque régularité croissante.

a) **b)**

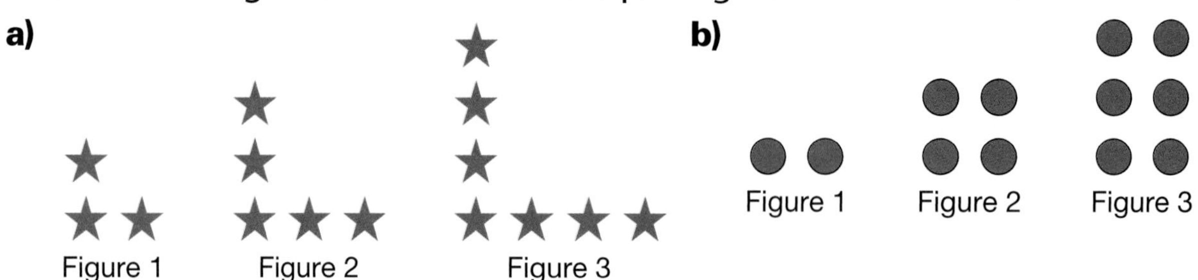

2. Écris la règle de chaque régularité de la question 1.

2 **3.** Utilise cette image comme point de départ.
Écris la règle d'une régularité.
Dessine les 4 figures suivantes
de la régularité.

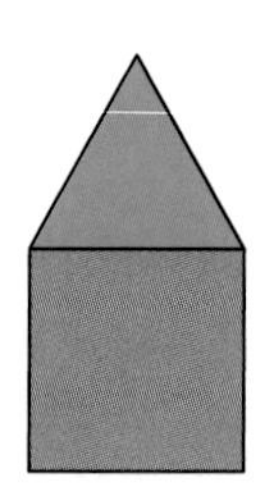

3 **4.** Écris la règle de chaque régularité.
Quelles sont les ressemblances entre les régularités ?
Quelles sont les différences ?

a)

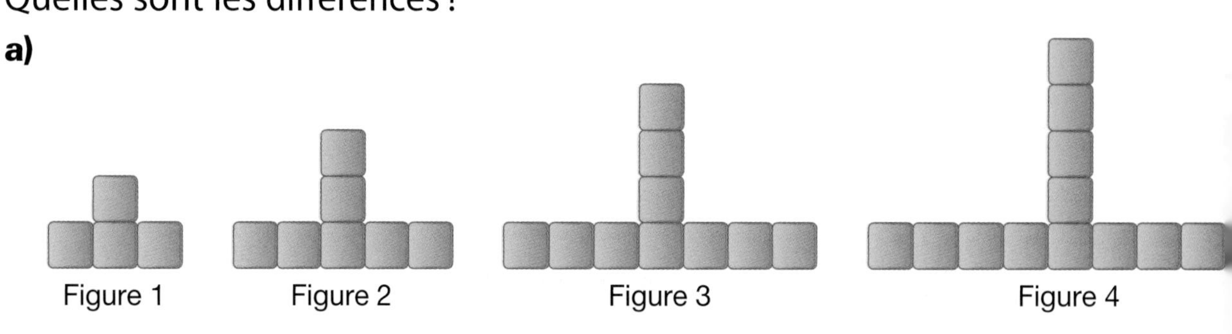

b)

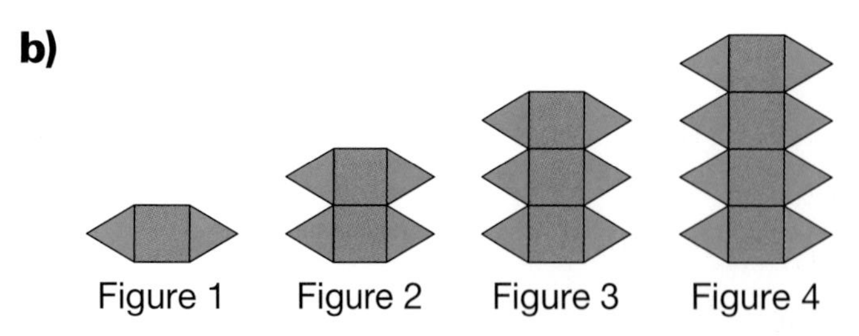

4

5. Jérémie a écrit cette régularité : 15, 20, 25, 30, 35...

a) Écris la règle de la régularité.

b) Écris les 3 nombres suivants de la régularité.

c) Choisis un autre nombre de départ.
Écris une régularité différente qui augmente de la même façon.

6

6. Utilise du papier quadrillé.
Dessine les 3 figures suivantes de cette régularité.
Écris la règle.

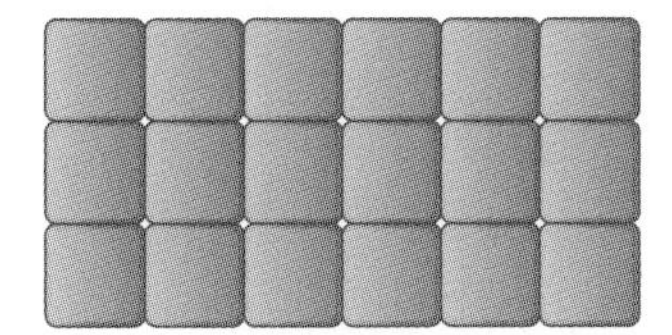

Figure 1

Figure 2

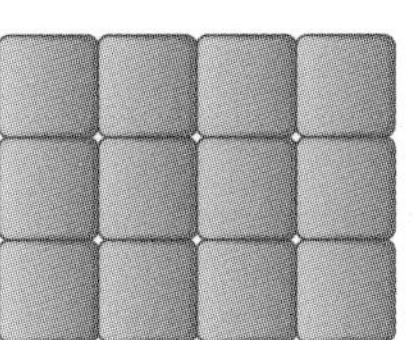

Figure 3

7

7. Choisis un point de départ. Crée une régularité décroissante.
Dessine 4 figures de ta régularité.
Compare ta régularité avec celle d'une ou d'un camarade.
Quelles sont les ressemblances entre les régularités ?
Quelles sont les différences ?

8

8. Examine ces régularités numériques.

I) 22, 20, 18, 16, 14 **II)** 60, 55, 50, 45

a) Écris la règle de chaque régularité.

b) Quelles sont les ressemblances entre les régularités ?
Quelles sont les différences ?

c) Écris les 3 nombres suivants de chaque régularité.

d) Écris une régularité numérique qui diminue d'une autre façon.

MODULE

Tes objectifs

- ☑ Identifier, prolonger, créer et comparer des régularités croissantes.
- ☑ Identifier, prolonger, créer et comparer des régularités décroissantes.
- ☑ Décrire des régularités et les règles des régularités.
- ☑ Résoudre des problèmes à l'aide de régularités.

Problème du module

La folie des régularités

Les élèves créent des régularités pour la fête des régularités. Ils créent des régularités croissantes et décroissantes.

Partie 1

●●○	●●○○	●●○○○	●●○○○○
Figure 1	Figure 2	Figure 3	Figure 4

Chaque ● signifie « tape des mains ».
Chaque ○ signifie « tape des pieds ».

➤ Écris la règle de la régularité.
➤ Dessine les 3 figures suivantes.
➤ Mime la régularité.

Partie 2

➤ Invente une régularité de sons ou de gestes pour la fête. Ta régularité peut être croissante ou décroissante.
➤ Dessine ta régularité.
➤ Décris ta régularité.
➤ Mime ta régularité.

Liste de contrôle

Ton travail devrait montrer :

- ☑ un dessin de la régularité prolongée « tape des mains et des pieds » ;
- ☑ une image de la régularité « sons ou gestes » que tu as créée ;
- ☑ une régularité croissante ou décroissante que tu as créée comme décoration ;
- ☑ un langage mathématique approprié pour décrire tes régularités.

Partie 3

Il faut des décorations pour la fête des régularités !

➤ Dessine une régularité croissante ou décroissante.

➤ Décris ta régularité.

➤ Explique comment prolonger ta régularité.

➤ Affiche ta régularité dans la classe.

Retour sur le module

Pense aux régularités croissantes et décroissantes que tu as créées dans ce module.
Écris 2 choses que tu as apprises sur ces régularités.

MODULE 2

Les nombres

Tes objectifs

- Modéliser, comparer et ordonner des nombres jusqu'à 1 000.
- Explorer la signification de la valeur de position dans les nombres jusqu'à 1 000.
- Compter par sauts de 3, 4, 5, 10, 25 et 100.
- Estimer une quantité à l'aide d'un référent.

jusqu'à 1 000

Mots clés

- la forme symbolique
- un chiffre
- la valeur de position
- comparer
- ordonner
- une droite numérique
- estimer
- un référent
- un millier

Le samedi matin, le marché propose des fruits et des légumes fraîchement cueillis, différents pains et de la banique à goûter. Il y a aussi toutes sortes de choses amusantes à faire !

Observe l'image.

- Comment les nombres sont-ils utilisés au marché ?
- Quel est le plus grand nombre que tu peux trouver dans l'image ?
- Que peux-tu dire au sujet de ce nombre ?

LEÇON

Compter les éléments de grands ensembles

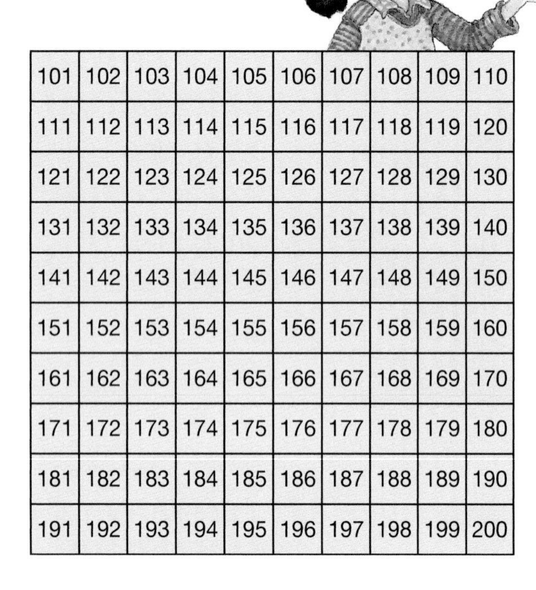

101	102	103	104	105	106	107	108	109	110
111	112	113	114	115	116	117	118	119	120
121	122	123	124	125	126	127	128	129	130
131	132	133	134	135	136	137	138	139	140
141	142	143	144	145	146	147	148	149	150
151	152	153	154	155	156	157	158	159	160
161	162	163	164	165	166	167	168	169	170
171	172	173	174	175	176	177	178	179	180
181	182	183	184	185	186	187	188	189	190
191	192	193	194	195	196	197	198	199	200

Pour compter après 100, j'utilise la même régularité que pour compter jusqu'à 100.

À partir de cent huit :
108, 109, 110, 111, 112, 113, 114, …

À partir de cent quarante-six :
146, 147, 148, 149, 150, 151, 152, …

Quels nombres suivent 199 ?
Quels nombres suivent 209 ?

Explore

En groupes de trois ou quatre, choisissez un ensemble d'objets.

Groupez les objets, puis comptez-les.
Trouvez une autre façon de grouper les objets. Recomptez.
Notez votre travail.

 OBJECTIF | Lire et représenter des nombres plus grands que 100.

Qu'as-tu **trouvé ?**

Montrez votre ensemble d'objets à un autre groupe.
Expliquez comment le fait de grouper les objets vous a aidé à compter.
Discutez d'autres façons de grouper les objets.

Découvre

Pour compter un grand ensemble, tu peux former des groupes de dix et des groupes de cent.

➤ Compte les pailles.
Il y a un groupe de 100, un groupe de 10 et trois unités.

Compte d'abord les centaines, puis les dizaines et les unités.

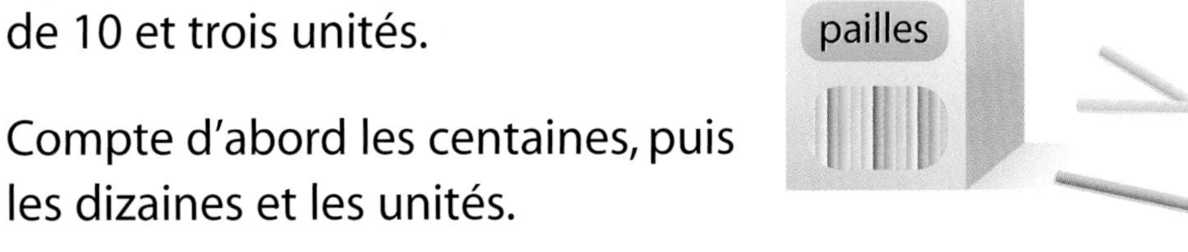

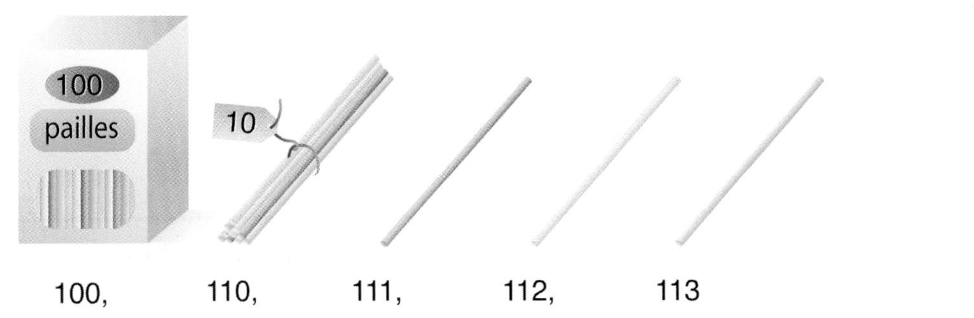

Il y a cent treize pailles.

➤ Compte les boutons.
Il y a 2 sacs de 100 boutons, 3 tasses de 10 boutons et 4 boutons.

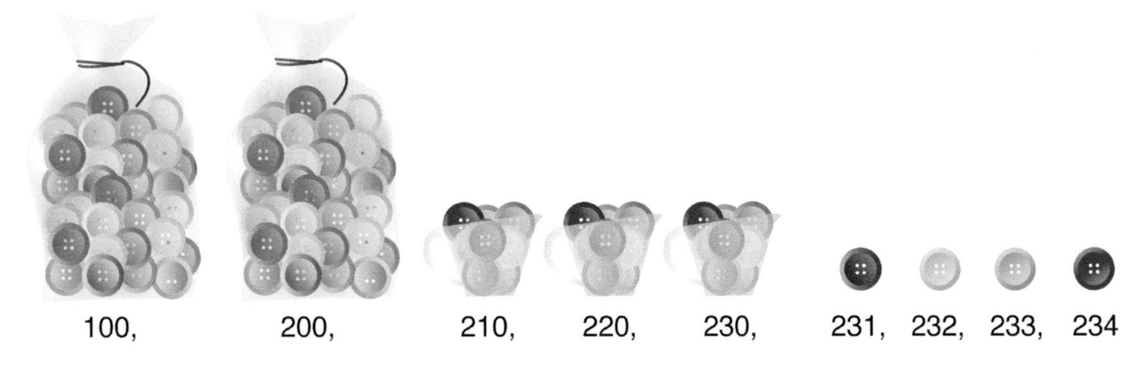

Il y a deux cent trente-quatre boutons.

➤ Dessine un ensemble de 317 boutons.

Je dois dessiner 3 sacs de 100 boutons, 1 tasse de 10 boutons et 7 boutons.

Compte pour vérifier : 100, 200, 300, 310, 311, 312, 313, 314, 315, 316, 317

1. Combien y a-t-il de pailles ? Note comment tu as compté.

a)

b)

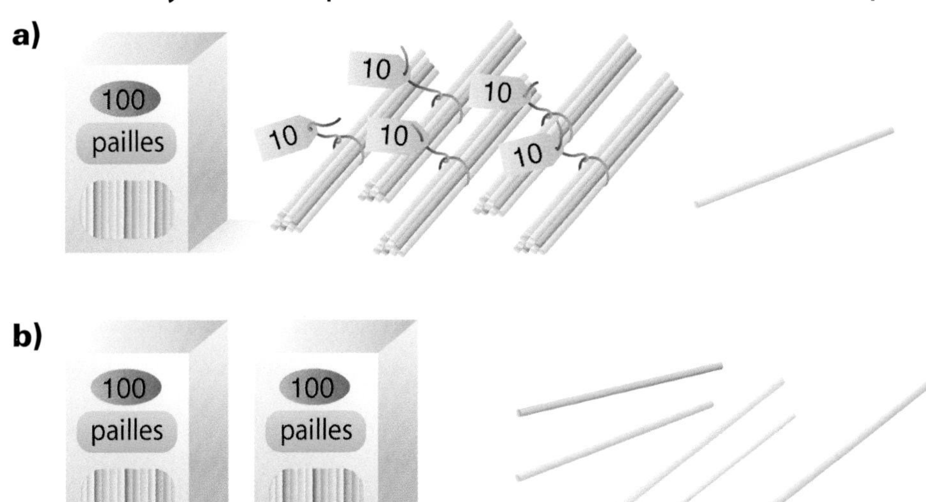

2. Représente chaque nombre en faisant un dessin.
Donne le nombre de centaines, de dizaines et d'unités.

a) 139 **b)** 224 **c)** 120 **d)** 73

3. Pourquoi utilisons-nous des groupes de dix et des groupes de cent pour compter les grands ensembles ?

4. Dessine un ensemble de 333 objets.
Utilise ton dessin pour donner la signification de chaque chiffre du nombre 333.

5. Céline a compté les pièces de 1 ¢ dans sa tirelire. Elle sait qu'elle s'est trompée.
Trouve son erreur et corrige-la.

6. Recopie les rangées de cette grille de 100.
Écris les nombres qui manquent.

101	102	103	104	105				109	
	112	113			116	117	118		
		123	124	125	126	127	128		

7. Michel a rempli cette rangée d'une grille de 100.
Trouve les erreurs qu'il a commises.
Quels nombres vont dans ces cases ?

251	252	253	254	255	265	257	258	259	270

Réfléchis

Décris une façon de compter plus facilement les grands ensembles.

À la maison

Trouve un grand ensemble.
Compte le nombre d'objets qu'il contient.

Représenter des nombres à 3 chiffres

Un cultivateur récolte 128 épis de maïs.

Tu peux représenter ce nombre à l'aide d'un dessin.

Tu peux représenter ce nombre avec du matériel de base dix.

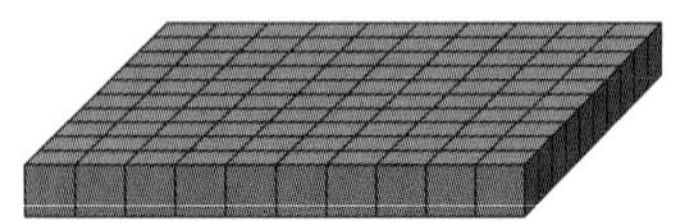

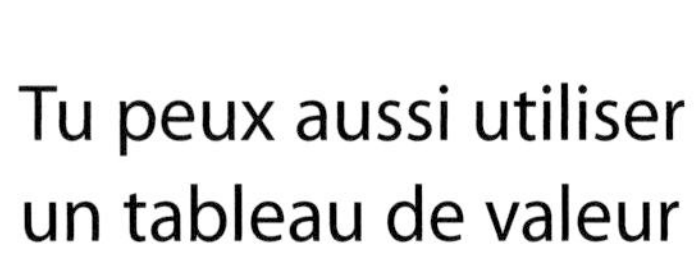

Tu peux aussi utiliser un tableau de valeur de position.

Centaines	Dizaines	Unités
1	2	8

Explore

Tu as besoin de matériel de base dix et d'un tableau de valeur de position.

- Choisis un nombre secret entre 100 et 1 000.
  Représente-le à l'aide du matériel de base dix.
- Invite ta ou ton camarade à dire le nombre, puis écris-le dans un tableau de valeur de position.
- Inversez les rôles.
  Refaites l'activité 5 fois.

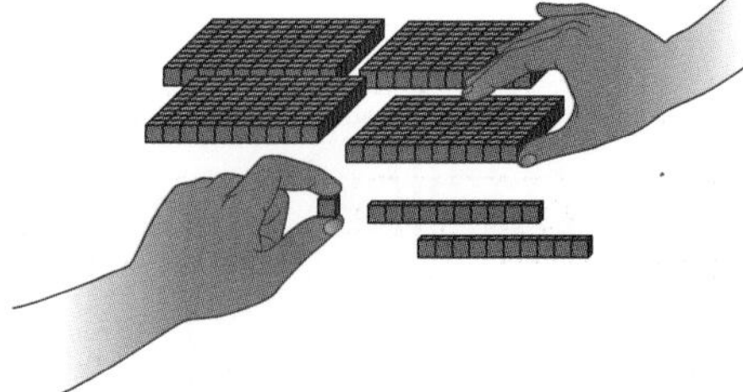

Qu'as-tu trouvé ?

Explique à ta ou ton camarade comment tu savais ce qu'il fallait écrire dans le tableau de valeur de position.

 OBJECTIF | Explorer la valeur de position de nombres à 3 chiffres à l'aide de matériel de base dix.

Notre système numérique est basé sur des groupes de 10.

100 une centaine 1 centaine = 10 dizaines	10 une dizaine 1 dizaine = 10 unités	1 une unité

Voici une façon de représenter 432.

4 centaines 3 dizaines 2 unités

Centaines	Dizaines	Unités
4	3	2

La valeur de ce chiffre est 4 centaines ou 400.

La valeur de ce chiffre est 3 dizaines ou 30.

La valeur de ce chiffre est 2 unités ou 2.

Tu peux représenter 432 sous la forme 400 + 30 + 2.
Sous cette forme, 432 s'écrit 4 centaines 3 dizaines 2 unités.
En mots, 432 s'écrit quatre cent trente-deux.

Le 0 dans 205 signifie que tu utilises zéro dizaine pour représenter le nombre.

Voici une façon de représenter 205.

Centaines	Dizaines	Unités
2	0	5

Sous cette forme, 205 s'écrit 2 centaines 5 unités.
En mots, 205 s'écrit deux cent cinq.

À ton tour

1. Écris chaque nombre dans un tableau de valeur de position.

a) **b)**

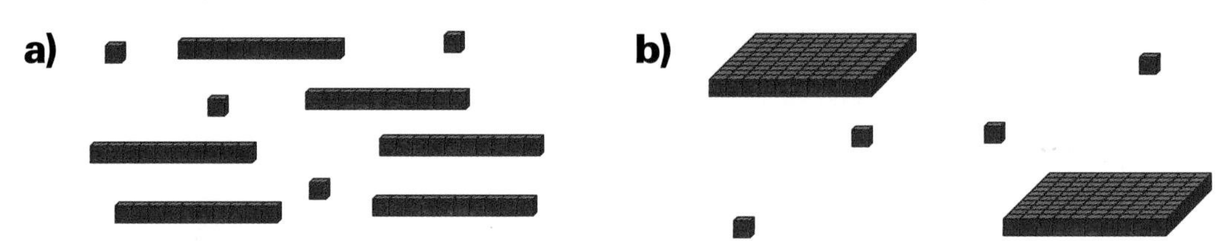

2. Représente chaque nombre à l'aide d'un dessin.

a) 417 **b)** 540 **c)** 966 **d)** 795 **e)** 128 **f)** 702

3. Écris chaque nombre sous forme de centaines, dizaines et unités.

a) 582 **b)** 414 **c)** 690 **d)** 308 **e)** 500 **f)** 987

4. Écris chaque nombre en chiffres.

a) 9 centaines 6 dizaines 2 unités **b)** 7 centaines 8 dizaines

c) 5 centaines 7 unités **d)** 8 centaines 8 dizaines 8 unités

5. Donne la valeur de chaque chiffre souligné.

a) $8\underline{5}4$ **b)** $\underline{7}15$ **c)** $10\underline{9}$ **d)** $\underline{5}26$

e) $7\underline{0}8$ **f)** $33\underline{9}$ **g)** $35\underline{0}$ **h)** $6\underline{8}8$

6. **a)** Combien d'unités y a-t-il dans 1 dizaine ?

b) Combien de dizaines y a-t-il dans 1 centaine ?

c) Combien de centaines y a-t-il dans 1 millier ?

d) Quelle régularité vois-tu ?

e) Combien de milliers y a-t-il dans 10 000 ? Explique.

7. Dessine du matériel de base dix pour représenter chaque réponse.

a) Quel nombre a 10 unités de plus que 167 ?

b) Quel nombre a 3 unités de moins que 348 ?

c) Quel nombre a 200 unités de plus que 203 ?

Réfléchis

Comment la valeur de chaque chiffre dans 747 dépend-elle de sa position dans le nombre ? Explique à l'aide de mots, de dessins ou de nombres.

Représenter des nombres de différentes façons

Sabine et Jacques ont représenté le nombre 34 avec du matériel de base dix.

Sabine : 3 dizaines 4 unités

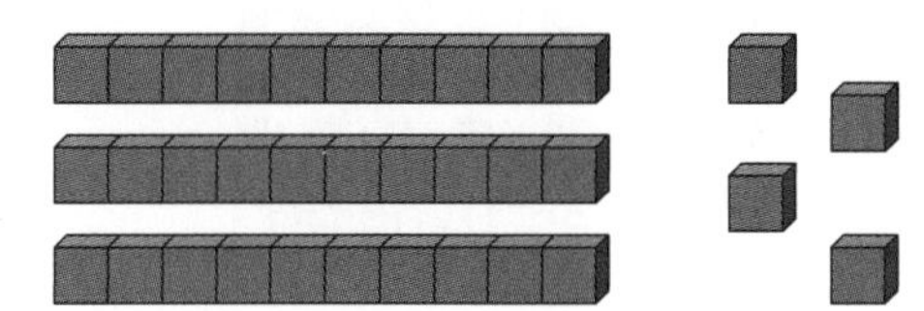

Jacques : 2 dizaines 14 unités

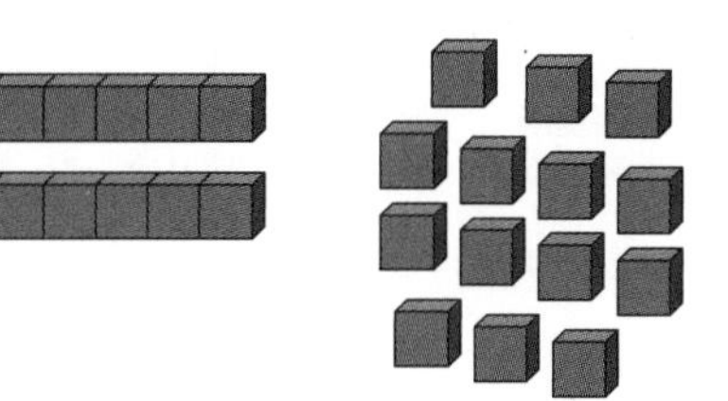

De quelles autres façons peux-tu représenter 34 avec du matériel de base dix ?

Explore

Tu as besoin de matériel de base dix, d'un crayon et de papier.

➤ Représente 236 de 3 façons à l'aide du matériel de base dix.
Note chaque représentation.
Utilise des dessins, des mots et des nombres.

Qu'as-tu trouvé ?

Décris les différentes façons de représenter le nombre.

Découvre

Voici différentes façons de représenter 208.
Avec des chiffres, le nombre est écrit sous **forme symbolique :** 208

Dessin : ☐ ☐ • • • • • • • •

Objectif | Représenter des nombres de plus d'une façon à l'aide de matériel de base dix.

Centaines, dizaines et unités: 2 centaines 8 unités

Tableau de valeur de position:

Centaines	Dizaines	Unités
2	0	8

Matériel de base dix: 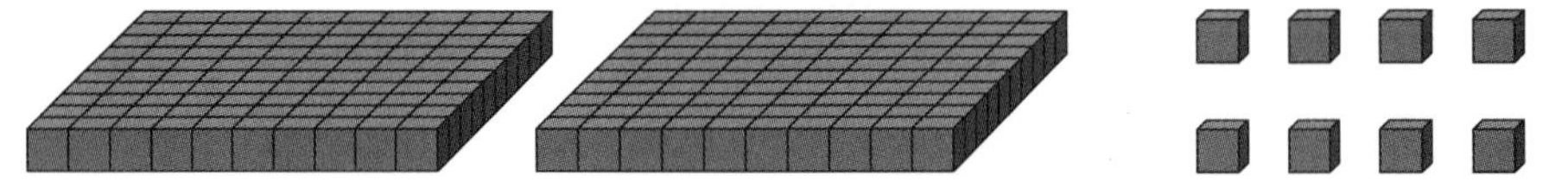

Tu peux aussi représenter 208 sous la forme

1 centaine 10 dizaines 8 unités

ou

1 centaine 9 dizaines 18 unités

Utilise au besoin du matériel de base dix.

1. Écris chaque nombre sous forme de centaines, dizaines et unités.

a)

b) 862 **c)** 501 **d)** vingt-sept

2. Écris chaque nombre sous forme symbolique.

a) **b)**

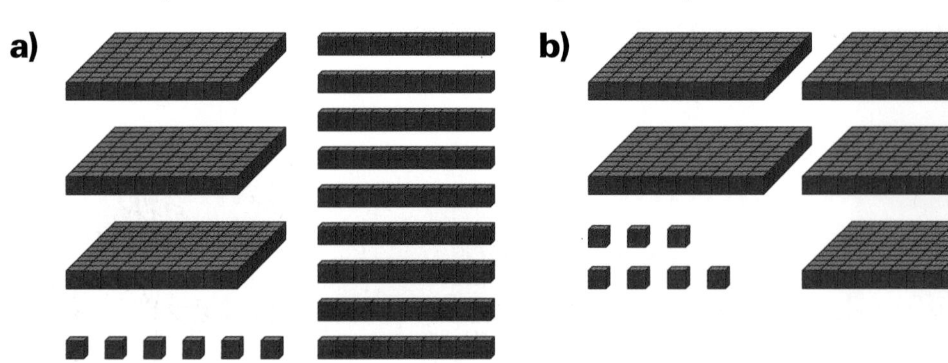

c) soixante-sept

d) 6 centaines 8 dizaines

e) quatre-vingt-quatorze

f) 3 centaines 4 dizaines 5 unités

3. Représente chaque nombre en utilisant le moins de matériel de base dix que possible. Écris ensuite chaque nombre sous forme symbolique.

4. Représente chaque nombre de 3 façons.

   a) 286 b) 309 c) 529

   Compare tes représentations avec celles de tes camarades. Que remarques-tu ?

5. Dessine chaque nombre de 3 façons différentes avec du matériel de base dix.

   a) 61 b) 315 c) 406

6. Que signifie le zéro dans 308 ?

7. Dessine du matériel de base dix pour représenter 267 avec exactement 24 pièces. Explique comment tu as fait.

8. Hélène dit qu'il y a 53 dizaines dans 536. Es-tu d'accord ? Explique ton raisonnement.

Réfléchis

Comment sais-tu que les deux images représentent 241 ? Explique à l'aide de mots, de nombres ou de dessins.

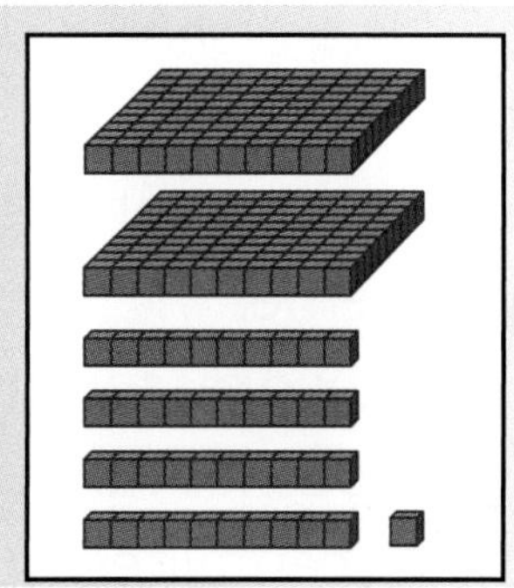

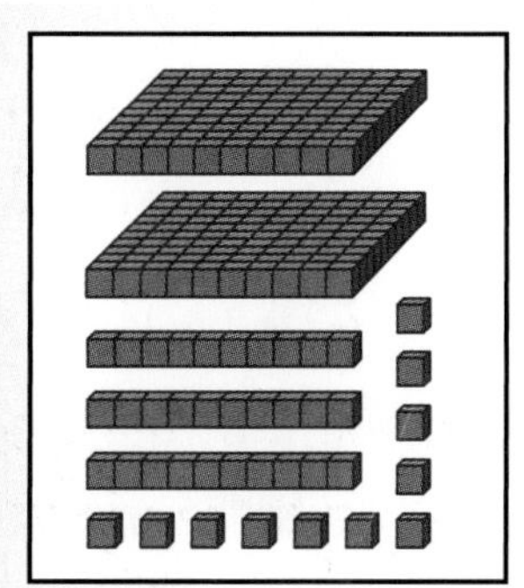

La boîte à outils

Explore

Combien de nombres à 3 chiffres peux-tu représenter en utilisant, pour chaque nombre, 4 de ces pièces ?

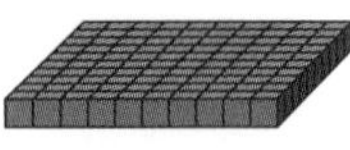

Note ton travail.

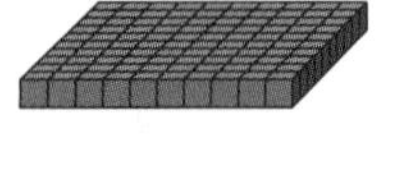

Qu'as-tu trouvé ?

Montre à tes camarades comment tu as représenté les nombres.

Découvre

Combien de nombres à 3 chiffres peux-tu représenter en utilisant, pour chaque nombre, 3 de ces pièces ?

Stratégies

- Fais un tableau.
- Utilise un modèle.
- Fais un dessin.
- Résous un problème plus simple.
- Travaille à rebours.
- Prédis et vérifie.
- Dresse une liste ordonnée.
- Cherche une régularité.

Que sais-tu ?
- Tu dois représenter le plus de nombres à 3 chiffres possible.
- Tu dois utiliser seulement 3 pièces pour représenter chaque nombre.

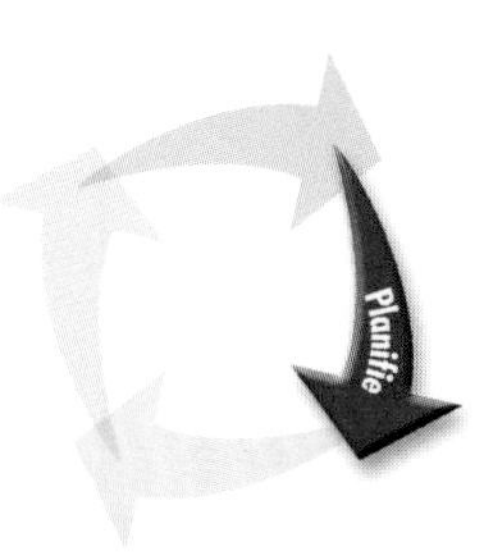

Pense à une stratégie qui peut t'aider à résoudre le problème.
- Tu peux **dresser une liste ordonnée**.
- Écris tous les nombres qui ont 3 centaines, puis 2 centaines, puis 1 centaine.

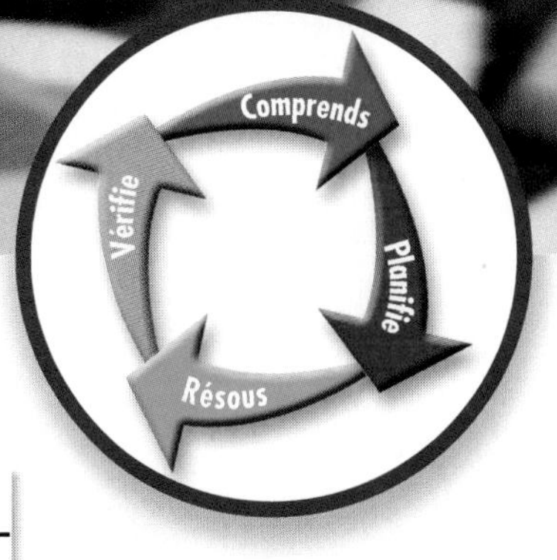

Écris ta liste dans un tableau.

Centaines	Dizaines	Unités	Nombre

- Pars de 3 centaines.
  Combien de nombres peux-tu représenter ?
  Note-le dans ton tableau.
- Fais la même chose avec 2 centaines, puis 1 centaine.

Comment sais-tu que tu as trouvé tous les nombres ?
De quelle autre façon peux-tu résoudre le problème ?

À ton tour

Choisis une **Stratégie**

1. Utilise n'importe quel nombre de pièces pour représenter le plus de nombres possible.

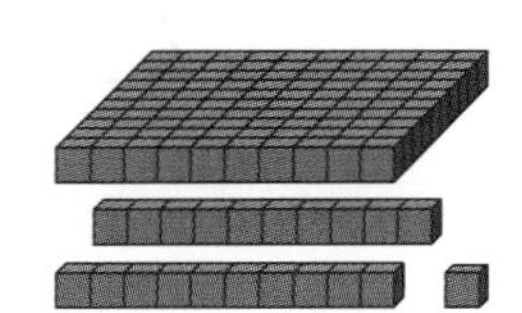

2. Lance 3 fois un dé numéroté.
   Utilise les nombres obtenus pour représenter le plus de nombres à 3 chiffres possible.
3. Les ballons sont vendus en paquets de 10, 25 et 50.
   Tu as besoin de 150 ballons.
   Trouve 5 façons d'acheter tes ballons.

Réfléchis

Choisis une question de la rubrique *À ton tour.*
Comment as-tu fait ta liste ordonnée pour résoudre le problème ?
Explique à l'aide de mots, de dessins ou de nombres.

Comparer et ordonner des nombres

Jeu

Qui a le plus grand nombre ?

Tu as besoin d'une feuille de jeu pour chaque élève et de 4 jeux de cartes numérotées de 0 à 9. Mêle toutes les cartes et place-les sur la table, face vers le bas.

➤ Chaque élève forme un nombre à 3 chiffres.
Voici comment :
- Retourne la carte du dessus du paquet.
Écris le chiffre inscrit sur la carte dans une case vide dans la rangée du haut de ta feuille de jeu.
- Retourne une deuxième et une troisième carte, et écris les chiffres.

➤ Les élèves lisent le nombre à 3 chiffres qu'ils ont formé.

➤ L'élève qui a le plus grand nombre marque 1 point. Si deux élèves ou plus ont le même nombre, ils marquent chacun un point.

➤ Utilise la rangée suivante de ta carte de jeu.

La partie continue jusqu'à ce qu'un élève marque 5 points.

Jouez une autre partie.
Cette fois, c'est le plus petit nombre qui marque 1 point.

Qu'as-tu trouvé ?

Montre comment tu as choisi l'espace où placer chaque nombre sur ta carte de jeu.
Comment ta stratégie t'a-t-elle aidé à former le plus grand nombre ?
Le plus petit nombre ?

 Objectif | Utiliser la valeur de position pour comparer et ordonner des nombres à 3 chiffres.

Découvre

➤ Tu peux utiliser la valeur de position pour **comparer** des nombres.

Pour comparer 472 et 476 :

1. Compare les chiffres des centaines.

   472

   476

   Les deux ont 4 centaines ou 400.

2. Compare les chiffres des dizaines.

   472

   476

   Les deux ont 7 dizaines ou 70.

3. Compare les chiffres des unités.

   472

   476

   2 unités, c'est moins que 6 unités.

Comme 2 est plus petit que 6,
alors 472 est *plus petit que* 476 et 476 est *plus grand que* 472.

Tu peux écrire :

$472 < 476$ et $476 > 472$

Ce symbole signifie « plus petit que ».

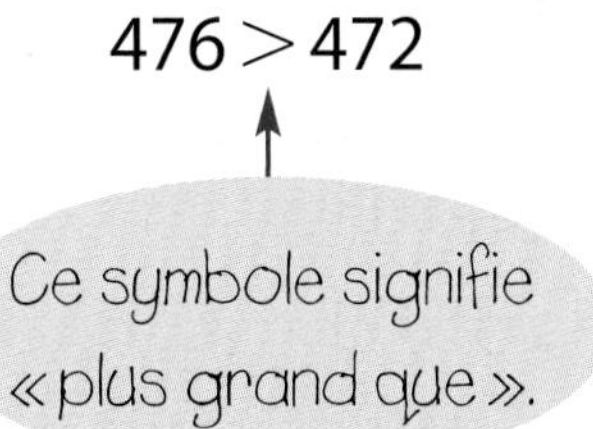

➤ Tu peux aussi utiliser la valeur de position pour **ordonner** des nombres.
Pour ordonner 574, 384 et 578, compare chaque chiffre.

Centaines	Dizaines	Unités
5	7	4
3	8	4
5	7	8

384 a le moins de centaines. Donc, c'est le plus petit nombre.
578 et 574 ont le même nombre de centaines et de dizaines.
574 a moins d'unités que 578.
Donc, $574 < 578$.

Du plus petit au plus grand : 384, 574, 578.
Du plus grand au plus petit : 578, 574, 384.

À ton tour

1. Quel album contient le plus grand nombre d'autocollants ? Comment le sais-tu ?

a)

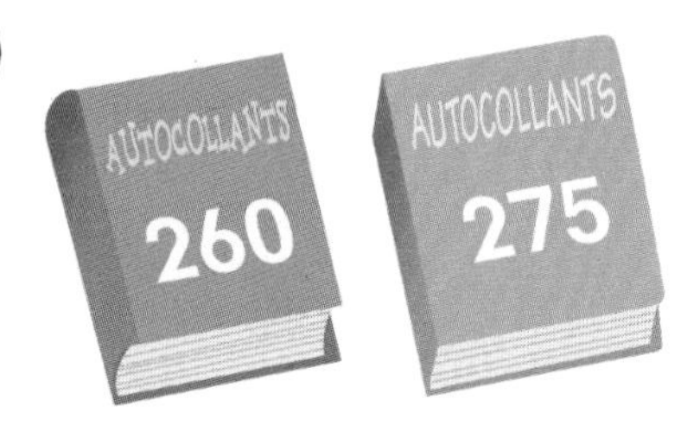

b)

2. Recopie chaque énoncé.
Utilise $>$ ou $<$.

a) $335 \square 281$ **b)** $435 \square 462$
c) $705 \square 709$ **d)** $162 \square 94$

3. Recopie chaque énoncé.
Écris un nombre pour rendre chaque énoncé vrai.

a) $710 > \square$ **b)** $984 < \square$
c) $630 > \square$ **d)** $\square < 720$
e) $\square < 391$ **f)** $\square > 99$

4. Le nombre de dinosaures dans chaque boîte est formé de 3 chiffres : 2, 5 et 6.
La boîte bleue contient moins de dinosaures que la boîte verte.
Combien de dinosaures peut-il y avoir dans chaque boîte ?
Comment le sais-tu ?
Montre ton travail.

5. Quel est le plus petit nombre ? Comment le sais-tu ?

a)	**b)**	**c)**	**d)**
968	215	158	528
79	296	96	514
841	207	91	404
324	233	382	671

6. Ces nombres devraient être ordonnés du plus petit au plus grand. Trouve les erreurs. Écris les nombres dans le bon ordre.

a) 43, 430, 417, 741 **b)** 296, 207, 215, 233
c) 404, 541, 514, 528 **d)** 96, 91, 158, 149

7. Ordonne les nombres suivants du plus petit au plus grand.

a) 625, 431, 662, 523
b) 121, 99, 496, 407

8. Ordonne les nombres suivants du plus grand au plus petit.

a) 510, 961, 847, 941
b) 865, 502, 969, 45

9. Écris un nombre entre 576 et 841.
Comment sais-tu que ton nombre convient ?

10. Combien de nombres à 3 chiffres peux-tu écrire avec les chiffres 3, 4 et 7 ?
Ordonne les nombres du plus grand au plus petit.
Comment sais-tu que tu as trouvé tous les nombres possibles ?

11. Examine les nombres 263 et 460.
Combien de chiffres dois-tu comparer pour trouver le plus grand nombre ? Explique ta réponse.

Histoire

Vers 1900 avant notre ère, les Babyloniens comptaient par 60, car il y a 60 minutes dans 1 heure.

Vers l'an 700 de notre ère, les habitants de l'Inde comptaient par 10 et utilisaient les mêmes nombres qu'aujourd'hui. Selon toi, pourquoi comptons-nous par 10 ?

Choisis 3 nombres entre 100 et 500.
Explique comment ordonner ces nombres.

Compter par sauts de 5, de 10, de 25 et de 100

Tu peux utiliser une **droite numérique** pour compter.

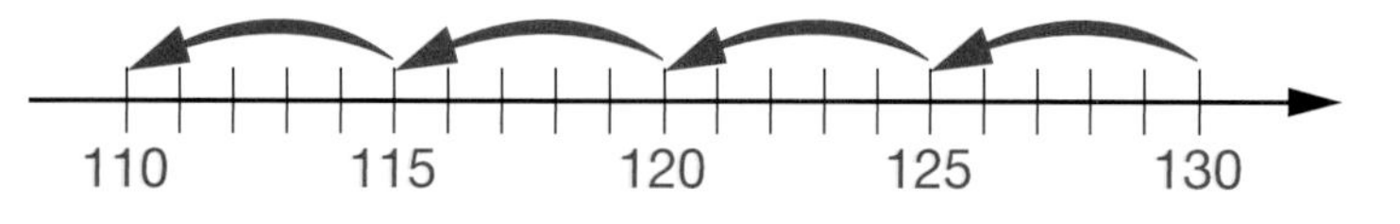

Pars de 130. Compte à rebours par sauts de 5.

Explore

Tu as besoin d'une copie de droites numériques vides.

- Choisis un nombre de départ. Écris-le sur une droite numérique.
- Compte par sauts de 5 ou de 10.
  Écris le résultat sur la droite numérique.
- Choisis un autre nombre de départ. Écris-le.
- Compte à rebours par sauts de 5 ou de 10. Écris le résultat.
- Essaie d'autres nombres de départ.

 Objectif | Compter par sauts de 5, de 10, de 25 et de 100.

Qu'as-tu trouvé ?

Échange tes droites numériques contre celles de deux autres camarades.
Vérifiez votre travail.
Décris les régularités que tu vois.

Découvre

➤ Pour compter par sauts de 10, tu peux utiliser n'importe quel point de départ.

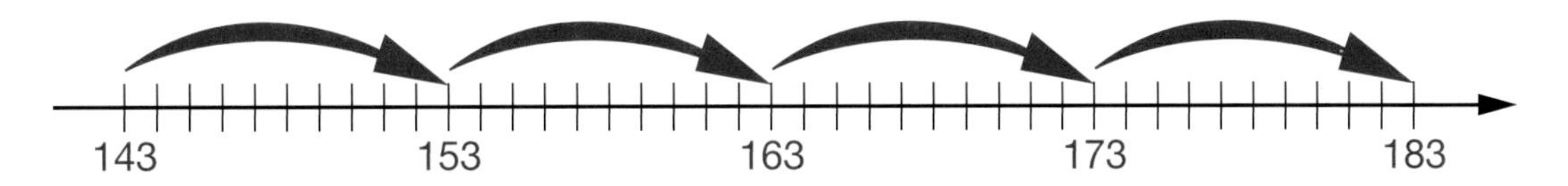

Observe la régularité dans les chiffres des unités : 3, 3, 3, 3, 3...
Imagine à quoi cela ressemblerait dans une grille de 100.

141	142	143	144	145	146	147	148	149	150
151	152	153	154	155	156	157	158	159	160
161	162	163	164	165	166	167	168	169	170
171	172	173	174	175	176	177	178	179	180
181	182	183	184	185	186	187	188	189	190

➤ Pour compter à rebours par sauts de 5, tu peux prendre n'importe quel point de départ.

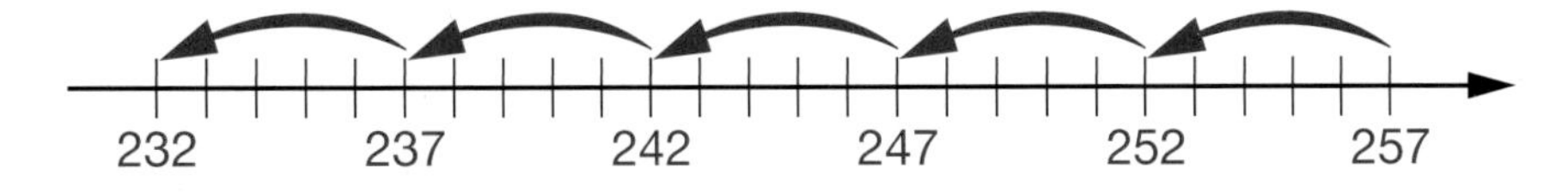

Observe la régularité dans les chiffres des unités : 7, 2, 7, 2, 7, 2...
Imagine à quoi cela ressemblerait dans une grille de 100.

231	232	233	234	235	236	237	238	239	240
241	242	243	244	245	246	247	248	249	250
251	252	253	254	255	256	257	258	259	260

➤ Pour compter (ou compter à rebours) par sauts de 100, tu peux utiliser n'importe quel point de départ.

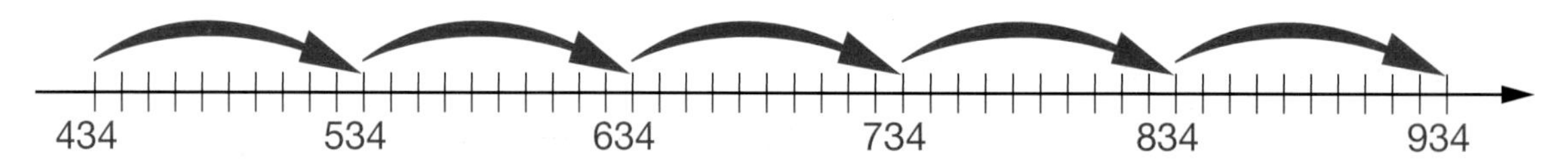

Il n'y a que le chiffre des centaines qui change.
Il augmente de 1 chaque fois : 4, 5, 6, 7, 8, 9.

➤ Tu peux aussi compter (ou compter à rebours) par sauts de 25.
Pars d'un nombre qui se termine par 25, 50, 75 ou 00.

801	802	803	804	805	806	807	808	809	810
811	812	813	814	815	816	817	818	819	820
821	822	823	824	825	826	827	828	829	830
831	832	833	834	835	836	837	838	839	840
841	842	843	844	845	846	847	848	849	850
851	852	853	854	855	856	857	858	859	860
861	862	863	864	865	866	867	868	869	870
871	872	873	874	875	876	877	878	879	880
881	882	883	884	885	886	887	888	889	890
891	892	893	894	895	896	897	898	899	900

901	902	903	904	905	906	907	908	909	910
911	912	913	914	915	916	917	918	919	920
921	922	923	924	925	926	927	928	929	930
931	932	933	934	935	936	937	938	939	940
941	942	943	944	945	946	947	948	949	950
951	952	953	954	955	956	957	958	959	960
961	962	963	964	965	966	967	968	969	970
971	972	973	974	975	976	977	978	979	980
981	982	983	984	985	986	987	988	989	990
991	992	993	994	995	996	997	998	999	1000

Pars de 825. Compte :

825, 850, 875, 900, 925, 950, 975, 1000

Observe la régularité des deux derniers chiffres :

25, 50, 75, 00, 25, 50, ...

Peux-tu continuer ma régularité ?
825, 725, 625...

Pars de 950. Compte à rebours :

950, 925, 900, 875, 850, 825, ...

Observe la régularité des deux derniers chiffres :

50, 25, 00, 75, 50, 25, ...

À ton tour

1. Utilise des droites numériques.
   a) Pars de 129. Compte par sauts de 5 jusqu'à 169.
   b) Pars de 421. Compte à rebours par sauts de 10 jusqu'à 321.
   c) Pars de 200. Compte par sauts de 25 jusqu'à 350.
   d) Pars de 887. Compte à rebours par sauts de 100 jusqu'à 287.

Pour les questions 2, 3 et 4, utilise des droites numériques ou des grilles de 100.

2. Pars de chaque nombre.
   Compte par sauts de 5, de 10 ou de 100.
   Décris ta régularité.
   a) 375 b) 812 c) 199

3. Recopie chaque régularité. Écris les nombres qui manquent.
   a) □, 261, 361, 461, □ b) □, 758, 748, 738, □
   c) □, 434, 429, 424, □ d) □, 525, 550, 575, □

4. Trouve les erreurs dans chaque régularité.
   Récris les régularités correctement.
   a) 369, 469, 669, 769 b) 876, 871, 866, 851
   c) 375, 350, 327, 300 d) 519, 509, 419, 409

5. Philippe compte sur une droite numérique à partir de 625. Il s'arrête à 725. Quelle peut être la régularité ? Trouve au moins 2 façons d'obtenir une régularité de cette manière. Montre ton travail.

Réfléchis

Crée une régularité et représente-la sur une droite numérique. Décris ta régularité.

LEÇON

Compter par sauts à l'aide de monnaie

Une pièce de 1 dollar vaut 100 cents.

Le dollar canadien est surnommé « huard » à cause de l'oiseau qui est représenté sur la pièce de monnaie.

Le huard vit dans plusieurs régions du Canada.
Le huard à bec blanc nage avec élégance. Il plonge pour attraper les poissons dans les terres humides de l'Arctique.

Explore

Choisis un sac de pièces de monnaie.
Compte l'argent que tu as.
Note ton travail.

De combien de façons peux-tu compter cet argent ?
Utilise des dessins, des nombres ou des mots pour montrer comment tu as compté.

 OBJECTIF | Compter par sauts pour trouver la valeur d'un ensemble de pièces de monnaie.

Qu'as-tu **trouvé ?**

Montre tes stratégies à deux autres camarades.
Montre-leur toutes les méthodes que tu as utilisées pour compter.

Découvre

Tu peux compter par sauts pour trouver la valeur d'un ensemble de pièces de monnaie.

➤ Chaque pièce vaut 25 ¢. Compte par sauts de 25.

Les pièces valent en tout
cent soixante-quinze cents.
Une centaine de cents vaut
un dollar.
Donc, nous disons un dollar et
soixante-quinze cents.

Quand il y a plus de 100 cents, tu peux donner le montant en dollars et en cents.

➤ Chaque pièce vaut 10 ¢. Compte par sauts de 10.

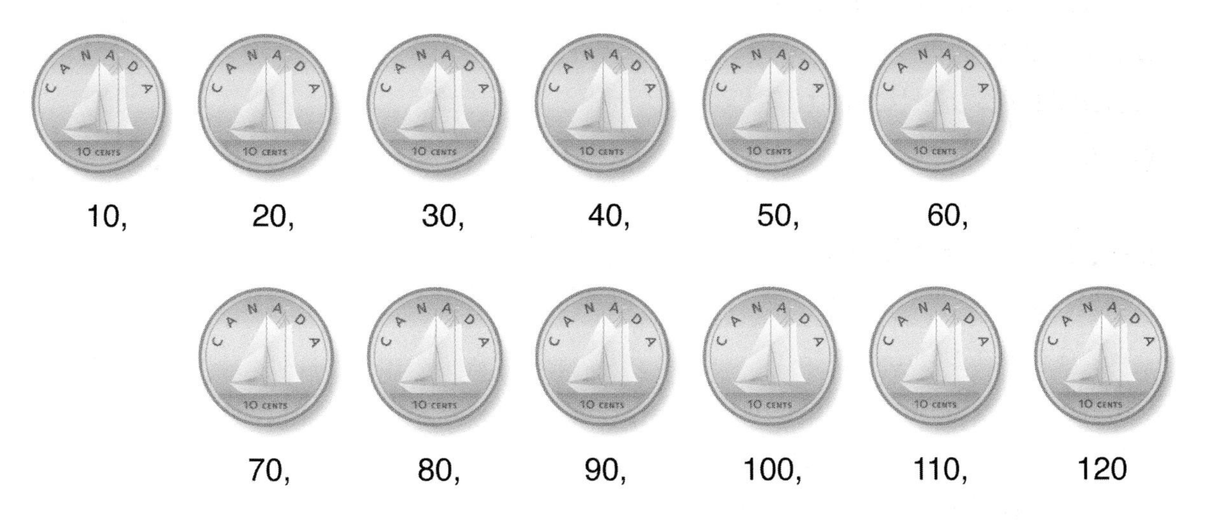

Les pièces valent en tout cent vingt cents.
Nous disons un dollar et vingt cents.

Dix pièces de 10 ¢ égalent un dollar. Donc, nous pouvons disposer les pièces comme ceci :

Un dollar

Lorsque l'on dit le mot « cent », il faut prononcer le « t ». Au pluriel, on prononce aussi le « t » mais le « s » est muet.

Un dollar et dix cents

Un dollar et vingt cents

Les pièces de 10 ¢ valent en tout un dollar et vingt cents.

À ton tour

1. Dessine des pièces de 5 ¢ pour représenter un dollar et cinq cents.

2. Compte l'argent. Écris chaque montant en mots.

a)

b)

c)

d)

3. Combien y a-t-il d'argent dans chaque image ?

a) 

b) 

c) 

4. Krista a compté les pièces de 5 ¢ dans sa tirelire. A-t-elle bien compté ? S'il y a une erreur, corrige-la.

5, 10, 15, 20, 25, 35, 40

5. David a un dollar dans sa poche.
Toutes les pièces sont identiques.
Quelles pièces peut-il avoir ?
Combien de solutions peux-tu trouver ?
Comment sais-tu que tu as trouvé toutes les solutions ?

Réfléchis

Quelle est la somme de vingt pièces de 5 ¢ ?
Montre ton travail. Utilise des dessins, des mots ou des nombres.

Représenter des nombres à l'aide de pièces de monnaie

Rajit a des pièces de 1 ¢, de 10 ¢ et de 1 $ à compter.

Combien d'argent a Rajit ?

Explore

Tu as besoin d'un pot qui contient des pièces de 1 $, de 10 ¢ et de 1 ¢.
Trouve au moins 3 façons de représenter deux dollars.
Utilise des dessins, des nombres ou des mots pour noter ton travail.

Qu'as-tu **trouvé ?**

Montre ton travail à deux autres camarades.
De quelles autres façons peux-tu représenter deux dollars ?

 OBJECTIF | Représenter des nombres de plusieurs façons à l'aide de pièces de monnaie.

Découvre

Il y a beaucoup de façons de représenter quatre dollars et cinquante-deux cents.

1. Combien d'argent est représenté dans chaque image ?

a)

b)

c)

d)

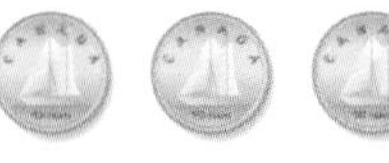 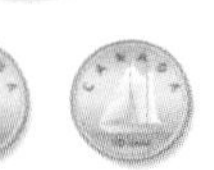 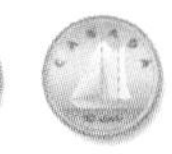

2. Justine a deux dollars et cinquante cents dans sa poche.
Elle a seulement des pièces de 1 ¢, de 10 ¢ et de 1 $.
Quelles pièces peut-elle avoir ?
Trouve au moins 3 solutions.

3. Utilise des pièces de 1 $, de 10 ¢ et de 1 ¢.
Représente trois dollars et quarante-deux cents.
Trouve autant de représentations différentes que possible.
Utilise des nombres, des mots ou des dessins pour chaque représentation.

4. **a)** Combien y a-t-il de pièces de 1 ¢ dans trois dollars ?
b) Combien y a-t-il de pièces de 10 ¢ dans trois dollars ?
c) Combien y a-t-il de pièces de 1 $ dans trois dollars ?
Explique ton raisonnement à l'aide de dessins, de nombres ou de mots.

Réfléchis

Quelles sont les ressemblances et les différences entre utiliser des pièces de monnaie et utiliser du matériel de base dix pour représenter des nombres ?

LEÇON 9

Compter par sauts de 3 et de 4

Certaines choses sont vendues en paquets de 3 ou de 4.

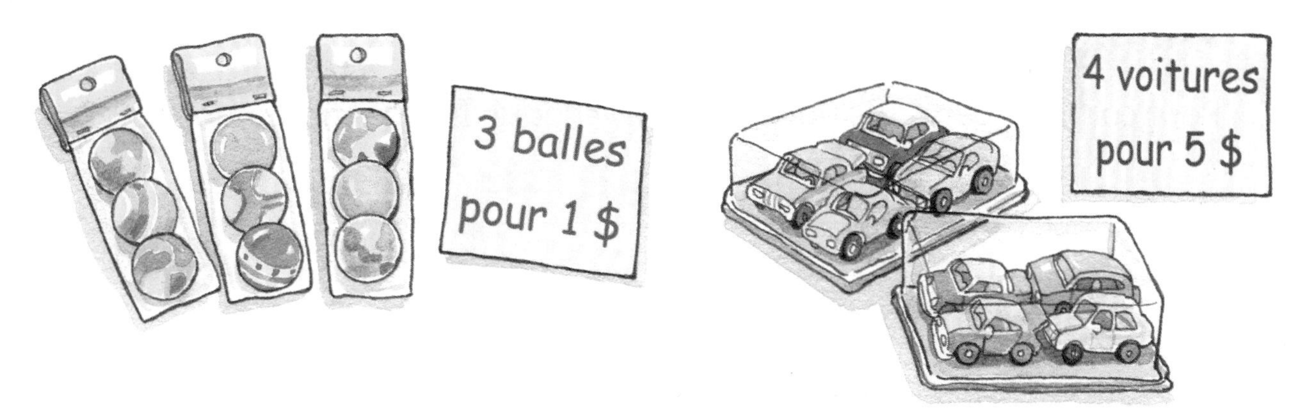

Combien y a-t-il de balles ? Combien y a-t-il de voitures ?

Tu as besoin de copies de ces grilles.

1	2	3	4	5	6	7	8	9	10
11	12	13	14	15	16	17	18	19	20
21	22	23	24	25	26	27	28	29	30
31	32	33	34	35	36	37	38	39	40
41	42	43	44	45	46	47	48	49	50
51	52	53	54	55	56	57	58	59	60
61	62	63	64	65	66	67	68	69	70
71	72	73	74	75	76	77	78	79	80
81	82	83	84	85	86	87	88	89	90
91	92	93	94	95	96	97	98	99	100

101	102	103	104	105	106	107	108	109	110
111	112	113	114	115	116	117	118	119	120
121	122	123	124	125	126	127	128	129	130
131	132	133	134	135	136	137	138	139	140
141	142	143	144	145	146	147	148	149	150
151	152	153	154	155	156	157	158	159	160
161	162	163	164	165	166	167	168	169	170
171	172	173	174	175	176	177	178	179	180
181	182	183	184	185	186	187	188	189	190
191	192	193	194	195	196	197	198	199	200

Continue à compter par sauts de 3. Colorie les cases au fur et à mesure.
Quelle régularité peux-tu trouver dans les grilles ?
Écris les nombres que tu nommes quand tu comptes par sauts de 3.

OBJECTIF | Compter par sauts de 3 et de 4.

Qu'as-tu **trouvé ?**

Montre tes grilles à une ou un camarade.
Quelles sont les ressemblances et les différences entre vos régularités ?
Prédis la régularité de 201 à 300.

Pour compter par sauts de 4, tu sautes chaque fois quatre nombres.

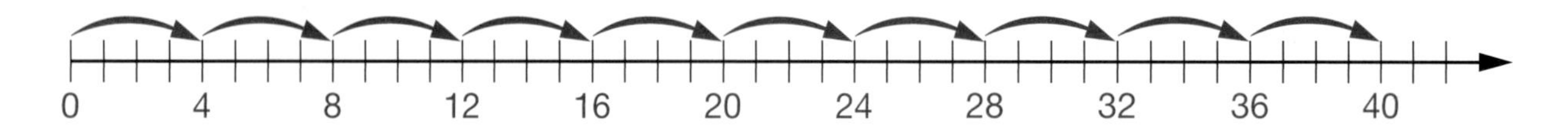

À partir de 4, compte par sauts de 4 :

4, 8, 12, 16, 20, 24, 28, ...

Observe la régularité dans les chiffres des unités :

4, 8, 2, 6, 0, 4, 8, ...

Pars maintenant de 328.

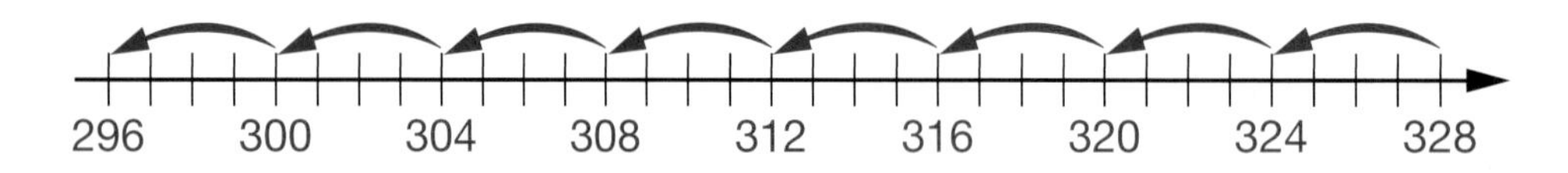

Compte à rebours par sauts de 4 :

328, 324, 320, 316, 312, 308, 304, 300, 296, ...

Note la régularité dans les chiffres des unités :

8, 4, 0, 6, 2, 8, 4, ...

À ton tour

1. Recopie chaque régularité et écris le nombre qui manque.
Décris les régularités.

a) 9, 12, □, 18

b) 44, 48, □, 56, □

c) 108, 104, □, □, 92

d) 387, □, 381, □, □

2. Utilise une droite numérique vide.
   a) À partir de 252, compte par sauts de 3 jusqu'à 270.
   b) À partir de 69, compte à rebours par sauts de 3 jusqu'à 48.
   c) À partir de 606, compte à rebours par sauts de 3 jusqu'à 582.

3. Utilise une droite numérique vide.
   a) À partir de 612, compte par sauts de 4 jusqu'à 640.
   b) À partir de 172, compte à rebours par sauts de 4 jusqu'à 140.
   c) À partir de 820, compte à rebours par sauts de 4 jusqu'à 792.

4. Trouve les erreurs dans chaque régularité.
   Récris les régularités correctement.
   Décris chaque régularité.
   a) 186, 189, 192, 194
   b) 306, 303, 299, 297
   c) 532, 536, 540, 543
   d) 400, 396, 390, 386

5. À partir de 300, compte (ou compte à rebours) par sauts de 3 ou 4.
   Montre ta régularité sur une droite numérique ou une grille de 100.
   Décris ta régularité.

6. Quatre rangées d'une grille de 100 sont représentées.
   Décris la régularité des cases colorées.
   Quels nombres devraient être colorés dans la quatrième rangée ?
   Comment le sais-tu ?

701	702	703	704	705	706	707	708	709	710
711	712	713	714	715	716	717	718	719	720
721	722	723	724	725	726	727	728	729	730
731	732	733	734	735	736	737	738	739	740

Réfléchis

Quelles sont les ressemblances et les différences entre compter par sauts de 3 et de 4 et compter par sauts de 2 et de 5 ?

Estimer jusqu'à 1 000

Danielle essaie de deviner le nombre de boutons dans le pot. Comment peut-elle s'y prendre ?

Explore

Choisis un sac d'objets.

Pense à une stratégie que tu peux utiliser pour **estimer** le nombre d'objets dans le sac.
Travaille avec une ou un camarade.
Entendez-vous sur une estimation.
Notez l'estimation.

Une estimation est une prédiction qui est proche du nombre que tu obtiendrais si tu comptais les objets.

Qu'as-tu trouvé ?

Montre ta stratégie et ton estimation à deux autres camarades.
Comptez les deux ensembles.
Quelle estimation était la plus proche ?
Quelle stratégie a fonctionné le mieux ?
Selon toi, pourquoi en est-il ainsi ?

OBJECTIF | Estimer une quantité à l'aide d'un référent.

Découvre

➤ Des boutons sont collés sur une feuille de papier.
Une partie de la feuille est cachée.
Estime le nombre total de boutons sur la feuille.

10 boutons sont visibles.
Ce nombre peut t'aider à estimer le nombre total de boutons sur la feuille.
Le nombre 10 sert alors de **référent**.

Il semble y avoir de la place pour 3 groupes de 10 sur la feuille.
$10 + 10 + 10 = 30$
30 boutons est une bonne estimation.

➤ Examine le tas de 100 graines.
Estime le nombre de graines dans le gros tas.

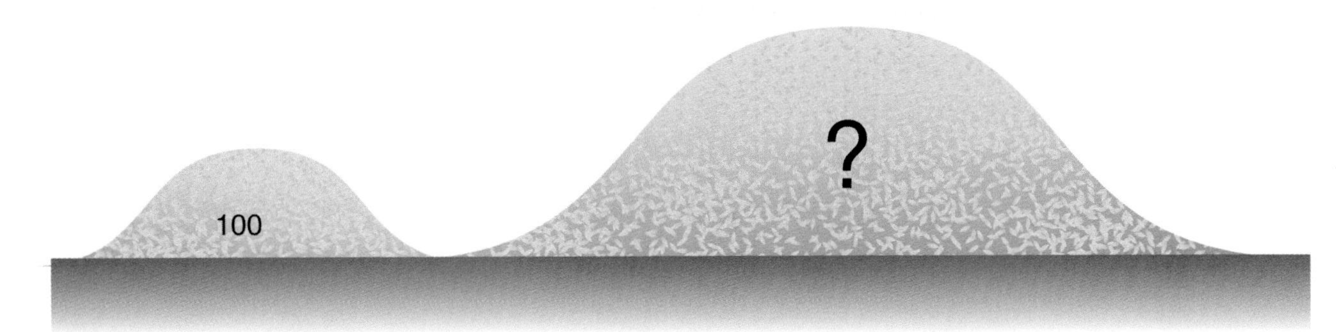

Il semble y avoir de la place pour 4 groupes de 100 graines.
$100 + 100 + 100 + 100 = 400$
400 graines est une bonne estimation.
Le nombre 100 a servi de référent pour faire l'estimation.

À ton tour

1. Estime le nombre de boutons dans la grosse pile.
   Comment as-tu fait ton estimation ?

10

2. Estime le nombre de perles dans le grand sac.
   Comment as-tu fait ton estimation ?

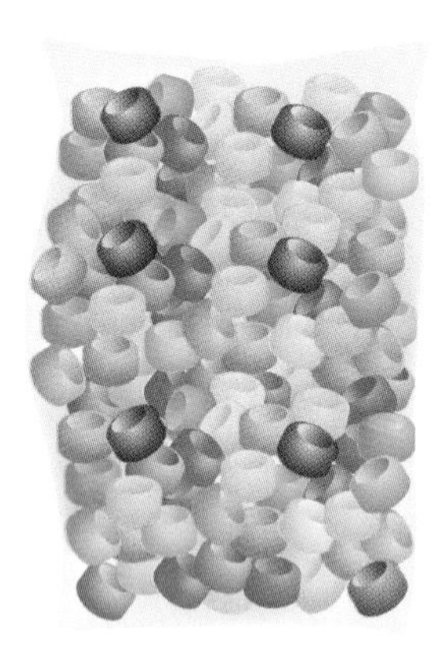

3. Choisis la meilleure estimation du nombre de cubes dans la grosse pile : 313, 125 ou 648.
   Explique ton choix.

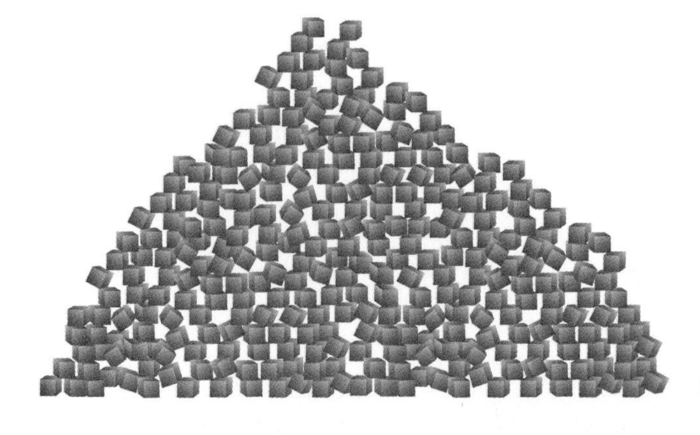

100

4. Es-tu d'accord ou pas avec l'estimation de Sari ? Explique pourquoi.

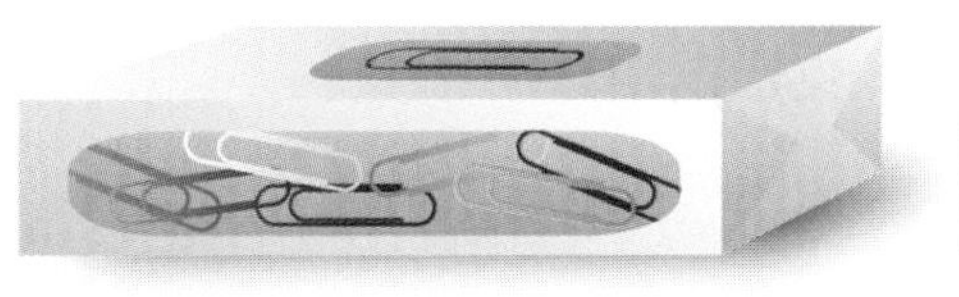

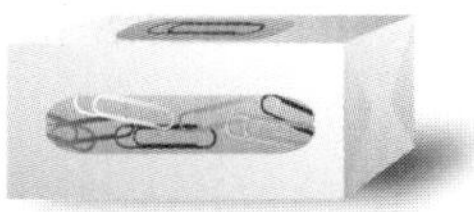

5. Quel sac devrais-tu utiliser comme référent pour estimer le nombre de pièces de 1 ¢ ? Explique ton choix.

6. René a besoin d'environ 400 perles pour terminer son signet. Comment peut-il prédire s'il a assez de perles sans avoir à les compter ?

Réfléchis

Décris une stratégie que tu peux utiliser pour t'aider à faire une bonne estimation.

À la maison

Trouve un grand ensemble d'objets. Compte 10 objets et fais une estimation du nombre total. Compte 100 objets et fais une autre estimation.

C'est combien, 1 000 ?

Les scientifiques croient que la fonte des banquises peut mettre en péril les ours polaires. Aujourd'hui, il ne reste plus qu'environ 1 000 ours polaires dans le nord-est du Manitoba.

Explore

Tu as besoin de grilles de 100 découpées et d'une grande feuille de papier.
Dispose les grilles de 100 pour que leurs côtés se touchent.
Compte par sauts de 100 à mesure que tu ajoutes des grilles à ton motif.
Arrête quand tu arrives à 1 000.
Colle les carrés découpés pour créer une grille de 1 000.

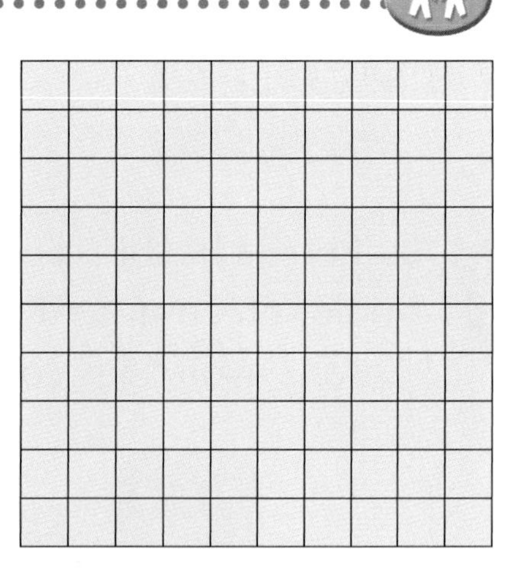

 OBJECTIF | Représenter 1 000 à l'aide de matériel de base dix.

Qu'as-tu **trouvé ?**

Montre ton travail à deux autres camarades.
Vérifiez si vous avez tous construit une grille de 1 000.
Explique les ressemblances ou les différences entre vos grilles de 1 000.
Combien d'autres formes une grille de 1 000 peut-elle avoir ?

Découvre

L'album de timbres de Janine a 10 pages.
Chaque page contient 100 timbres.

Combien y a-t-il de timbres dans l'album de Janine ?

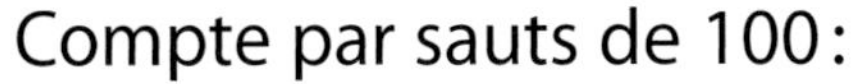

Compte par sauts de 100 :

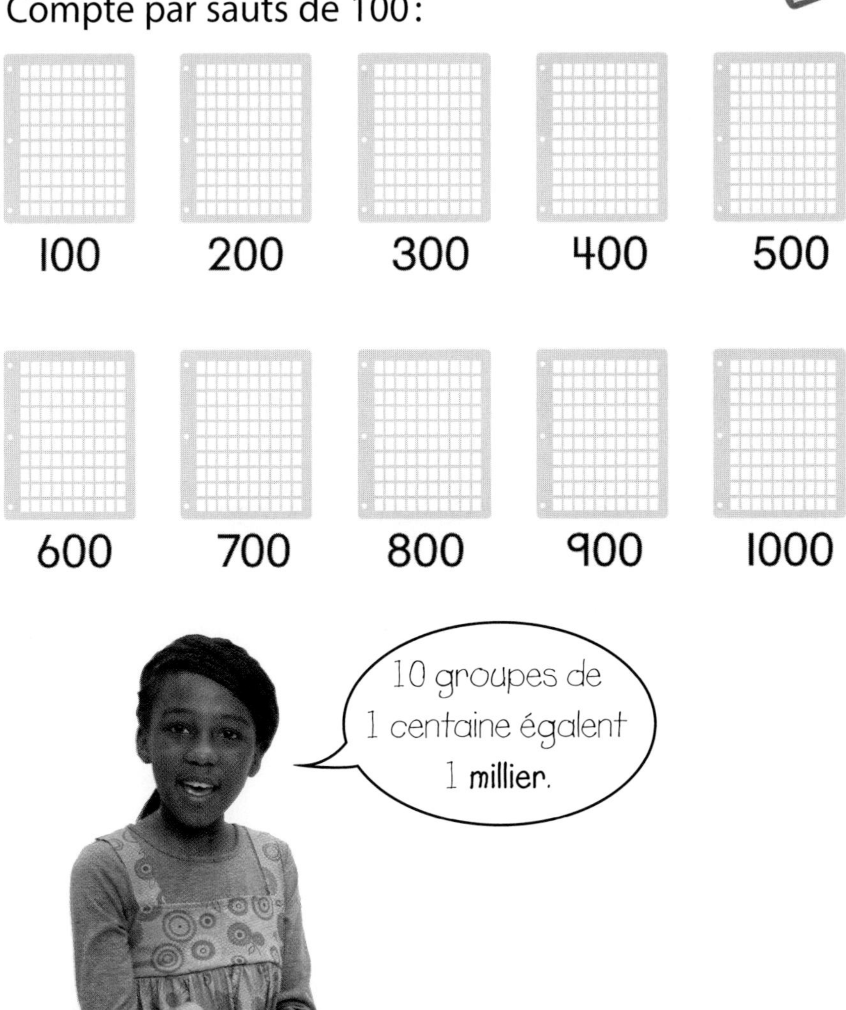

À ton tour

1. Y a-t-il plus de 1 000 ou moins de 1 000...
   a) étoiles dans le ciel par une nuit claire ?
   b) élèves dans ton école ?
   c) noms dans le bottin téléphonique ?
   d) noms dans une page du bottin téléphonique ?
   e) pas jusqu'au bureau de la directrice ou du directeur ?

2. Y a-t-il plus de 1 000 ou moins de 1 000 brins de gazon sur une pelouse ? Comment peux-tu le savoir ?

3. Quand 1 000 est-il un grand nombre ? Explique ta réponse.

4. Quand 1 000 est-il un petit nombre ? Explique ta réponse.

5. Comment peux-tu représenter 1 000 à l'aide de matériel de base dix ? Explique ta réponse.

Réfléchis

Qu'est-ce que tu aimerais avoir et ne pas avoir par milliers ? Note tes idées.

La course jusqu'à 1 000

Le jeu se joue à 2, 3 ou 4 élèves.
Tu as besoin de matériel de base dix et d'une roulette numérotée de 0 à 9.

- Place le matériel de base dix en pile, à portée de main de tous les joueurs.
- Décidez qui joue en premier.
- Les élèves font tourner la roulette à tour de rôle.
  Chaque élève prend dans la pile le nombre de dizaines indiqué par la roulette.
- Quand c'est possible, l'élève échange ses pièces contre une planchette (100) ou un gros cube (1000). Les échanges ne peuvent se faire qu'après avoir pris les dizaines dans la pile et avant que l'élève suivant fasse tourner la roulette.
- La première personne qui échange ses pièces contre un gros cube gagne la partie.

Module 2 Montre ce que tu sais

LEÇON

1

1. Montre comment tu comptes pour trouver le nombre.

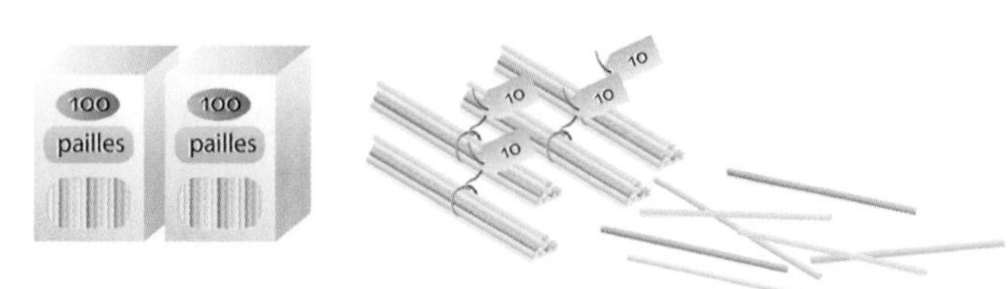

2. Trois rangées d'une grille de 100 sont représentées. Reproduis les rangées. Écris les nombres qui manquent.

491	492	493				497	498	499	
	502	503	504	505	506	507			
	512			515	516		518		520

2

3. Écris le nombre en centaines, dizaines et unités.

a) 142 **b)** 891 **c)** 306 **d)** 528 **e)** 290

4. Explique la valeur de chaque chiffre dans le nombre 444. Utilise des dessins, des nombres ou des mots.

3

5. Représente chaque nombre de 3 façons à l'aide de matériel de base dix. Dessine chacune des façons.

a) 154 **b)** 316 **c)** 605

5

6. Utilise les chiffres 3, 6 et 9.

a) Forme autant de nombres à 3 chiffres que possible.

b) Ordonne les nombres que tu as formés.

c) Quel est le plus grand nombre ? Quel est le plus petit nombre ?

6
9

7. Utilise une droite numérique.

a) À partir de 27, compte par sauts de 5 jusqu'à 62.

b) À partir de 899, compte à rebours par sauts de 10 jusqu'à 819.

c) À partir de 325, compte par sauts de 25 jusqu'à 475.

d) À partir de 220, compte par sauts de 4 jusqu'à 248.

e) À partir de 180, compte à rebours par sauts de 3 jusqu'à 150.

8. Recopie chaque régularité. Écris les nombres qui manquent.

a) □, 75, 100, 125, □ **b)** □, 388, 378, 368, □

c) □, 114, 119, 124, □ **d)** □, 609, 606, 603, □

EÇON

7

9. Combien y a-t-il d'argent dans chaque image ?
Note tes réponses en mots.

a)

b)

8

10. Tanya a trois dollars et cinquante-sept cents.
Elle a seulement des pièces de 1 ¢, de 10 ¢ et de 1 $.
Quelles pièces peut-elle avoir ?

10

11. Choisis la meilleure estimation du nombre de boutons dans le gros pot : 200, 415 ou 728. Explique ton choix.

11

12. Y a-t-il plus de 1 000 ou moins de 1 000...

a) fauteuils dans un cinéma ?

b) cheveux sur la tête d'une personne ?

c) seaux d'eau dans un lac ?

Explique ton raisonnement.

MODULE 2

Tes objectifs

- ☑ Modéliser, comparer et ordonner des nombres jusqu'à 1 000.
- ☑ Explorer la signification de la valeur de position dans les nombres jusqu'à 1 000.
- ☑ Compter par sauts de 3, 4, 5, 10, 25 et 100.
- ☑ Estimer une quantité à l'aide d'un référent.

Problème du module

Le marché

Il y a beaucoup de choses amusantes à faire au marché.
Dans bien des cas, les nombres y sont très utiles.

Partie 1

- Élisabeth a acheté 7 jouets en bois à quatre dollars chacun.
  Trouve le coût total.
- Aline a utilisé 100 perles comme référent pour deviner le nombre de perles dans le pot.
  Selon toi, quelle est son estimation ? 226, 487 ou 874 ? Pourquoi ?
- Patrick a acheté 265 épis de maïs à l'unité, en paniers et en sacs.
  Montre 3 combinaisons possibles pour son achat.
- Justin a acheté un pain à trois dollars.
  Montre 3 combinaisons de pièces qu'il a pu utiliser pour payer.

Liste de contrôle

Ton travail devrait montrer :

- ☑ comment tu as utilisé ce que tu sais sur les nombres pour répondre correctement à chaque question ;
- ☑ comment tu as créé et résolu ton problème ;
- ☑ le dessin de ton kiosque ;
- ☑ une explication claire de tes idées.

Partie 2

➤ Écris un problème à propos du marché.

➤ Résous ton problème.

➤ Échange ton problème contre celui d'une ou d'un camarade.
Quel problème a été le plus difficile à résoudre pour toi ? Pourquoi ?

Partie 3

➤ Supposons que tu tiens un kiosque au marché.
À quoi ressemblerait ton kiosque ?

➤ Quels nombres utiliserais-tu dans ton kiosque ?
Montre tes idées à l'aide de dessins, de mots et de nombres.

Retour sur le module

Écris 3 choses que tu as apprises sur les nombres dans ce module.
Explique-les à l'aide de dessins, de mots et de nombres.

MODULE 3

L'addition et

La végétation dans nos parcs nationaux

Les fleurs sauvages, les arbres et les arbustes peuplent les parcs nationaux du Canada depuis des centaines d'années.

Cette végétation a évolué au fil du temps en raison des interventions humaines ou des changements climatiques.

La végétation nourrit et abrite les oiseaux, les animaux et les insectes.

Tes objectifs

- Utiliser des stratégies pour se rappeler les additions et les soustractions jusqu'à 18.
- Résoudre des équations d'addition et de soustraction.
- Estimer des sommes et des différences de nombres à 2 chiffres.
- Additionner et soustraire mentalement des nombres à 2 chiffres.
- Utiliser des stratégies personnelles pour additionner et soustraire des nombres à 1, 2 ou 3 chiffres.
- Créer et résoudre des problèmes d'addition et de soustraction.

la soustraction

Mots clés

- une addition
- un double
- un nombre presque double
- la somme
- des opérations correspondantes
- une soustraction
- une équation
- une estimation
- estimer
- le calcul mental
- la différence

NOMBRE DE PLANTES ÉTUDIÉES

	TINA	MARCEL	SYLVIE	ALASIE
Semaine 1	8	5	6	5
Semaine 2	3	5	4	9
Semaine 3	5	7	0	1
Semaine 4	2	0	3	1
Total	18	17	13	16

- Qui a étudié le plus de plantes ?
- Quelles semaines y a-t-il eu quelqu'un qui n'a pas étudié de plantes ? Comment le sais-tu ?
- Que peux-tu trouver d'autre dans le tableau ?
- Formule une question en te servant du tableau. Réponds à ta question.

Des stratégies d'addition

Quels doubles la fourmi montre-t-elle ?

Comment peux-tu utiliser ces doubles pour trouver 3 + 4 et 3 + 5 ?

Cette table d'addition
est remplie en partie.
Quelles régularités vois-tu ?

Trouve différentes façons
d'utiliser des régularités
pour résoudre certaines
additions.

+	0	1	2	3	4	5	6	7	8	9
0	0	1								
1	1	2	3							10
2		3	4	5					10	
3			5	6	7			10		
4				7	8	9	10			
5					9	10	11			
6					10	11	12	13		
7				10			13	14	15	
8			10					15	16	17
9		10							17	18

Qu'as-tu **trouvé ?**

Discute avec ta ou ton camarade
des additions inscrites
dans la table.
Note les stratégies d'addition
dont vous avez discuté.

 OBJECTIF | Appliquer des stratégies et des propriétés pour résoudre des additions.

Découvre

➤ Dans la table d'addition, les **doubles** sont représentés par la diagonale bleue. Les diagonales vertes et roses représentent des **nombres presque doubles**.
Un nombre presque double a 1 unité de plus ou de moins ou 2 unités de plus ou de moins qu'un double.

Trouve : $5 + 7$

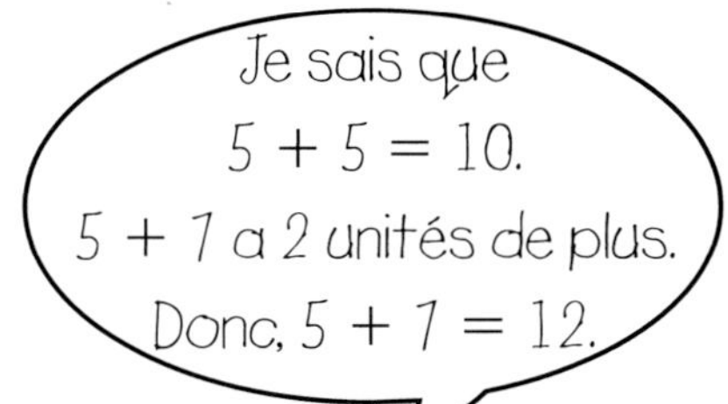

Je sais que
$7 + 7 = 14$.
$5 + 7$ a 2 unités de moins.
Donc, $5 + 7 = 12$.

J'ai enlevé 1 de 7,
puis je l'ai ajouté à 5.
J'ai maintenant $6 + 6$,
ce qui est égal à 12.

➤ Dans la table d'addition, la diagonale jaune représente les **sommes** égales à 10. Tu peux utiliser 10 ou obtenir 10 pour t'aider à résoudre d'autres additions.

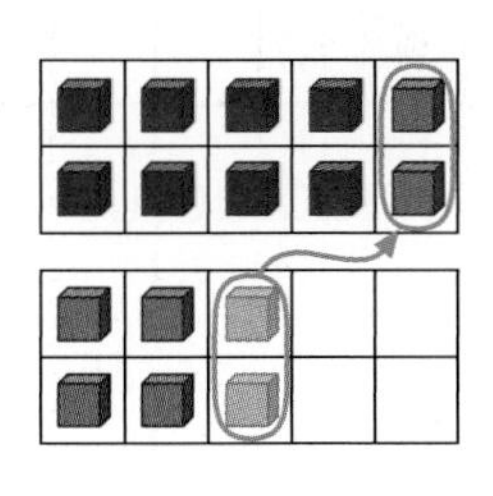

Je soustrais 2 de 6,
il reste 4. J'additionne 2 à 8,
j'obtiens 10. Ensuite,
j'additionne 4 et
j'obtiens 14.

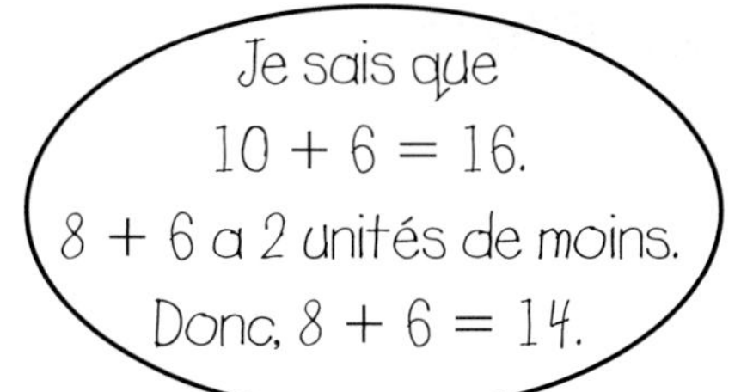

➤ Quand tu additionnes, l'ordre des nombres n'a pas d'importance.
Il est parfois plus facile d'additionner à partir du plus grand nombre.

Trouve : $3 + 6$

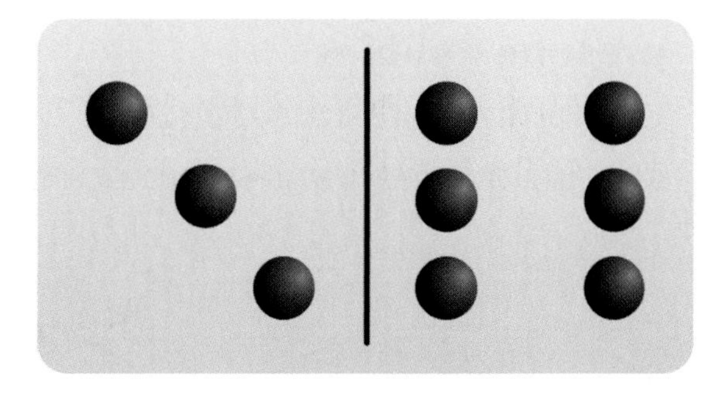

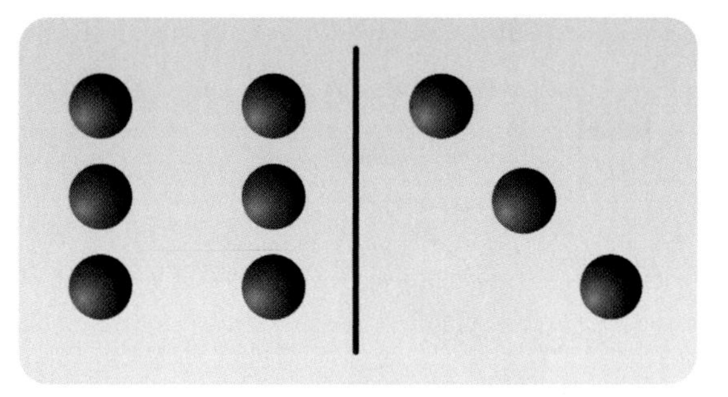

À ton tour

1. Trouve chaque somme. Pense au double $5 + 5 = 10$.

a) $5 + 6$ **b)** $5 + 4$

c) $5 + 7$ **d)** $5 + 3$

2. Effectue ces additions. Montre 2 stratégies pour chaque addition.

a) $7 + 8$ **b)** $6 + 4$

c) $9 + 8$ **d)** $6 + 7$

3. Effectue ces additions. Quelles régularités vois-tu ?

a) $6 + 2$
$6 + 3$
$6 + 4$
$6 + 5$

b) $3 + 4$
$2 + 5$
$1 + 6$
$0 + 7$

4. Additionne. Comment le fait d'utiliser 10 ou d'obtenir 10 peut-il t'aider ?

a) 8 + 5　　**b)** 3 + 9
c) 9 + 6　　**d)** 4 + 7

5. **a)** Effectue ces additions. Quelles régularités vois-tu dans tes réponses ?

1 + 0　　7 + 0
3 + 0　　9 + 0

b) Écris une règle pour additionner 0.

6. Effectue ces additions. Utilise la stratégie de ton choix.
Montre ta stratégie.

a) 7 + 9　　**b)** 0 + 9
c) 5 + 8　　**d)** 4 + 8
e) 1 + 5　　**f)** 8 + 7
g) 8 + 9　　**h)** 6 + 5

7. Il y a 9 enfants dans une piscine.
Huit enfants de plus sautent dans la piscine.
Combien d'enfants y a-t-il dans la piscine ?
Quelle stratégie as-tu utilisée pour trouver la réponse ?

8. Utilise chaque fois au moins 2 de ces nombres :

1, 2, 3, 4, 5, 6, 7, 8

Trouve différentes façons d'obtenir 10.
Comment sais-tu que tu as trouvé toutes les façons ?
Montre ton travail.

Réfléchis

Décris quelques stratégies d'addition que tu utilises. Donne quelques exemples. Utilise des mots, des dessins ou des nombres.

Le lien entre l'addition et la soustraction

Jeanne a 5 poissons.

Écris 2 additions au sujet des poissons de Jeanne.

Voici 2 **opérations correspondantes**.

$5 - 2 = 3$ } Ce sont des
$5 - 3 = 2$ } **soustractions**.

La soustraction est l'opposé de l'addition.

Jeu

Tu as besoin de 20 cartes triangulaires vides.

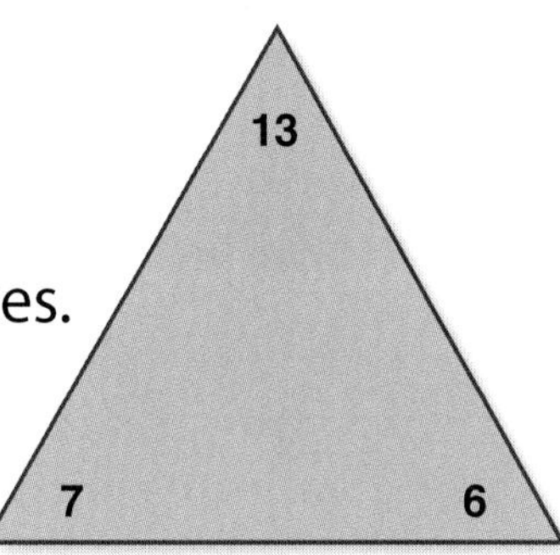

- Choisis 2 nombres entre 0 et 9. Additionne-les.
  - Écris les nombres dans les coins d'une carte.
  - Écris au verso toutes les opérations correspondantes.
- Continue à créer ta série de cartes.

Qu'as-tu trouvé ?

Mélange tes cartes avec celles d'une ou d'un camarade. Vous allez jouer à un jeu, à tour de rôle.

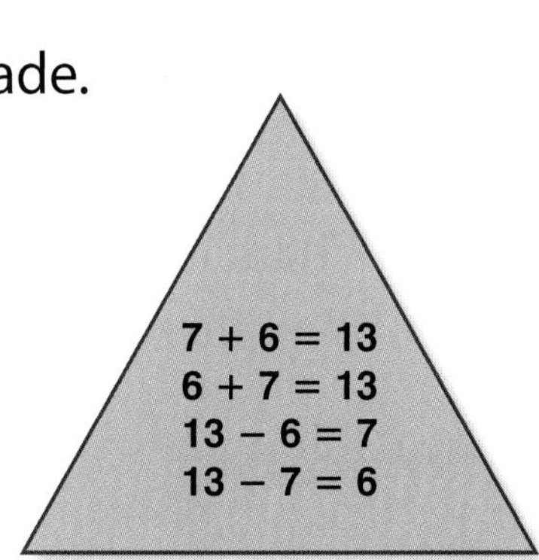

- L'élève 1 montre les 3 nombres à l'avant de la carte.
- L'élève 2 doit nommer les opérations inscrites au verso de la carte.
- Si l'élève nomme correctement toutes les opérations, il obtient la carte.

Le gagnant est l'élève qui a le plus de cartes à la fin du jeu.

Découvre

Pour chaque soustraction, il y a une addition correspondante.
Pour soustraire, tu peux penser à l'addition.

Lundi, 13 élèves se sont inscrits au jeu de la crosse.
Mardi, 6 autres élèves se sont inscrits.
Combien d'élèves en plus se sont inscrits le lundi ?

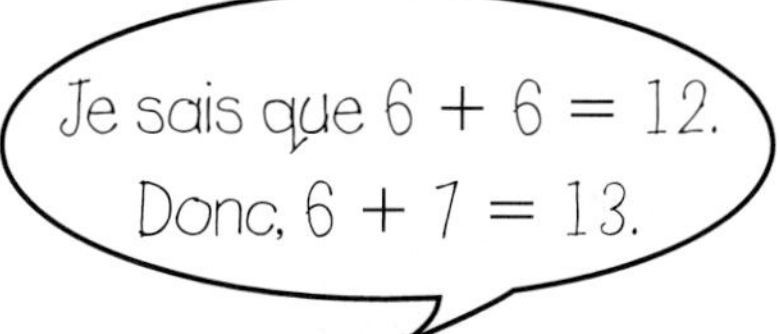

Trouve $13 - 6$.
Pense à l'addition.
$6 + ? = 13$
Qu'est-ce que j'additionne à 6 pour obtenir 13 ?

Comme $6 + 7 = 13$, alors $13 - 6 = 7$.

À ton tour

1. Écris les opérations correspondantes.
a) $5 + 9 = 14$ **b)** $6 + 7 = 13$ **c)** $12 - 4 = 8$ **d)** $14 - 7 = 7$

2. Écris les additions correspondantes de chaque soustraction.
a) $15 - 8 = 7$ **b)** $10 - 6 = 4$ **c)** $17 - 8 = 9$ **d)** $11 - 5 = 6$

3. Écris toutes les opérations correspondantes qui utilisent ces nombres.
a) 11, 4, 7 **b)** 6, 5, 11 **c)** 9, 9, 18 **d)** 3, 9, 12

4. Effectue les soustractions. Décris ta stratégie.
a) $10 - 7$ **b)** $14 - 6$ **c)** $18 - 9$
d) $15 - 8$ **e)** $12 - 7$ **f)** $14 - 5$

5. **a)** Effectue les soustractions. Quelle régularité vois-tu dans les réponses ?
$2 - 0$ $4 - 0$ $6 - 0$ $8 - 0$
b) Écris une règle pour les soustractions dont le deuxième nombre est 0.

6. Il y a 17 enfants en rang devant l'autobus scolaire. Huit enfants montent dans l'autobus. Combien d'enfants sont-ils encore en rang ?

7. Chintan a lu 16 livres en 4 semaines. Il a lu 7 livres pendant les 2 premières semaines. Combien de livres a-t-il lus pendant les 2 dernières semaines ?

8. Cinq est un des nombres d'une soustraction. Quels peuvent être les autres nombres ? Écris la soustraction et toutes les opérations correspondantes.

Réfléchis

Comment peux-tu utiliser l'addition pour t'aider à te rappeler la réponse d'une soustraction ?

Les équations d'addition et de soustraction

Combien manque-t-il ?

Tu as besoin de 18 jetons. Joue à tour de rôle avec une ou un camarade.

- Prends entre 10 et 18 jetons.
- Mets quelques jetons dans une main et le reste dans l'autre main.
- Dis à ta ou ton camarade le nombre total de jetons.
- Montre-lui combien de jetons tu as dans une main. Demande-lui combien tu as de jetons dans l'autre main.

Qu'as-tu trouvé ?

Quelles stratégies as-tu utilisées pour trouver le nombre qui manque ? Discute de tes idées avec deux autres camarades.

Découvre

Une égalité montre que 2 choses représentent la même quantité.
Une **équation** est une égalité qui a au moins un nombre inconnu représenté par un symbole.
Tous ces énoncés sont des égalités. Les deux derniers sont des équations.

$7 + 3 = 10$ $\qquad$ $8 - 3 = 5$

$10 = 7 + 3$ $\qquad$ $5 = 8 - 3$

$2 + 8 = 7 + 3$ $\qquad$ $10 - 5 = 8 - 3$

$7 + \square = 10$ $\qquad$ $8 - \square = 5$

La mère de Karine a acheté
15 petits gâteaux.
Elle a mis 6 petits gâteaux sur
un plat et laissé le reste dans la boîte.

Combien de gâteaux y a-t-il dans la boîte ?
Fais une équation pour le découvrir.

Tu peux utiliser un symbole pour représenter
le nombre de gâteaux dans la boîte.

Ce que tu sais :

 et  égale 15

Tu peux choisir n'importe quel symbole pour représenter le nombre qui manque. Nous utilisons $\triangle$.

Tu peux donc écrire cette équation : $6 + \triangle = 15$

Voici quelques stratégies utilisées par
des élèves pour résoudre cette équation.

Résoudre une équation signifie trouver le nombre qui manque.

- Lise a pris 15 jetons.
  Elle a formé un groupe de 6 jetons pour
  représenter le nombre de gâteaux sur le plat.
  Il est resté 9 jetons.

  Donc, le nombre qui manque est 9.

- Alain a fait du calcul mental.
  Il sait que $6 + 10 = 16$, donc $6 + 9 = 15$.
  Donc, le nombre qui manque est 9.

➤ Byron a utilisé la stratégie « prédis et vérifie » pour résoudre $6 + \triangle = 15$.
Il a remplacé $\triangle$ par 6 et additionné : $6 + 6 = 12$.
La somme est trop basse.
Il a remplacé $\triangle$ par 8 et additionné : $6 + 8 = 14$.
La somme est trop basse, mais proche de 15.
Il a remplacé $\triangle$ par 9 et additionné : $6 + 9 = 15$.
Donc, le nombre qui manque est 9.

➤ Avril a compté jusqu'à 15 à partir de 6.
Elle a utilisé une droite numérique.

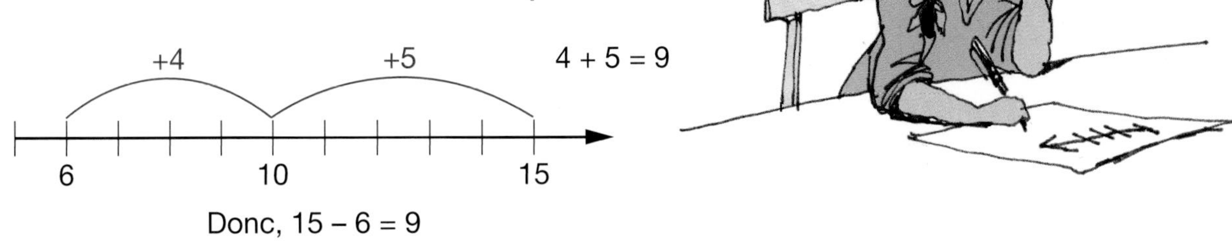

Le nombre qui manque est 9.
Il y a 9 petits gâteaux dans la boîte.

À ton tour

1. Vrai ou faux ?

a) $4 + 5 = 9$

b) $4 + 3 = 7 + 1$

c) $5 + 2 = 3 + 4$

d) $9 = 2 + 7$

e) $7 + 2 = 8 + 1$

f) $7 = 12 - 6$

g) $3 + 1 = 10 - 6$

h) $7 + 5 = 12 - 5$

2. Jacques a compté à partir de 7 pour résoudre l'équation $7 + \square = 13$.
Il a utilisé une droite numérique.
Résous l'équation.
Comment la droite numérique représente-t-elle la solution ?

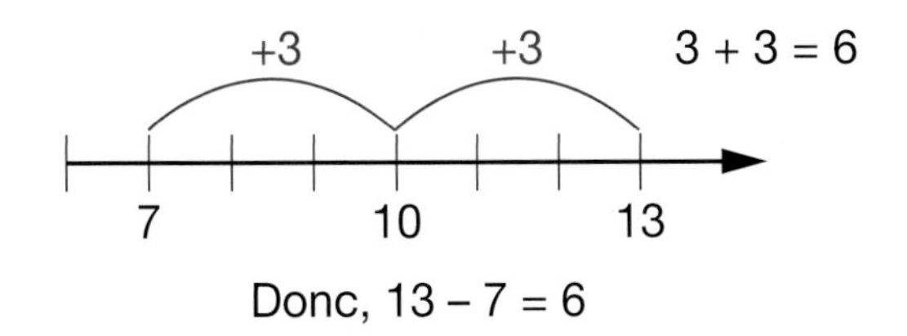

3. Recopie les équations. Utilise chaque fois un symbole différent. Résous chaque équation à l'aide de jetons. Dessine les jetons.

a) $5 + \bigcirc = 14$ **b)** $\bigcirc + 3 = 11$ **c)** $5 = 5 - \bigcirc$

4. Résous chaque équation. Utilise la stratégie « prédis et vérifie ».

a) $6 + \triangle = 11$ **b)** $\bigcirc - 6 = 7$ **c)** $14 - \bigcirc = 7$

5. Résous chaque équation. Utilise la stratégie de ton choix.

a) $12 - \square = 7$ **b)** $13 = 8 + \bigcirc$ **c)** $10 - \triangle = 8$

6. Utilise des nombres et les symboles suivants : $+$, $-$, $=$ et $\square$. Écris autant d'équations que possible pour ces deux images.

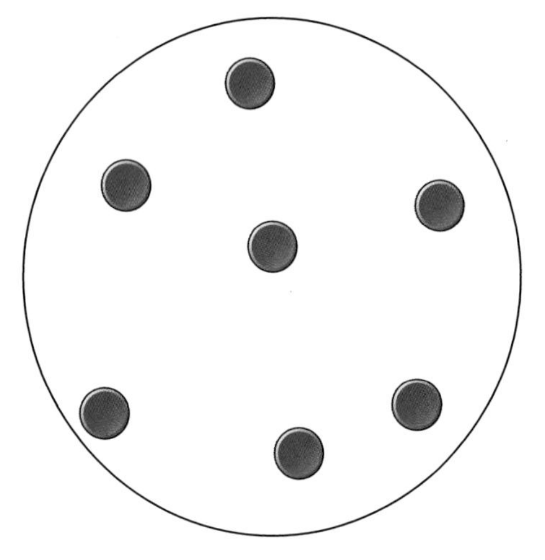

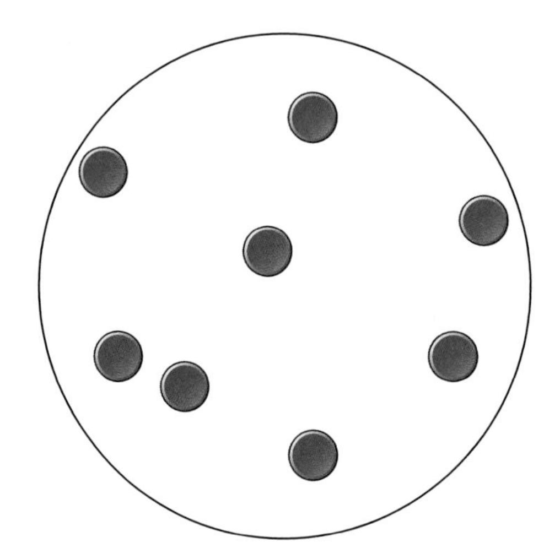

7. Sophie a vu 11 lémuriens au zoo. Il y avait 7 lémurs à col rouge. Les autres lémurs étaient des makis mococos. Combien de makis mococos Sophie a-t-elle vus ? Décris ta stratégie.

Réfléchis

Quelle est ta stratégie préférée pour résoudre une équation d'addition ? Peux-tu toujours utiliser cette stratégie ? Explique à l'aide de mots et de nombres.

LEÇON 4

Estimer des sommes

Quand tu n'as pas besoin d'une réponse exacte, tu peux faire une **estimation**. Pour **estimer** une somme, tu choisis un nombre qui est proche du résultat de l'addition.

Explore

Des élèves amassent de l'argent pour une œuvre de bienfaisance.
La vente de billets de cinéma a rapporté 46 $, et la vente d'artisanat, 38 $.
Environ combien d'argent ont-ils amassé ?

Explique comment tu as fait ton estimation.

Qu'as-tu trouvé ?

Montre ton estimation à deux autres camarades.
Quelles stratégies avez-vous utilisées ?
Avez-vous des réponses différentes ?
Explique pourquoi.

Découvre

Kaori et Blaise comptent l'argent recueilli par leur classe pour une œuvre de bienfaisance.
Kaori a compté 59 pièces de 5 ¢.
Blaise a compté 23 pièces de 5 ¢.
Environ combien de pièces de 5 ¢ ont-ils comptées ?

OBJECTIF | Appliquer des stratégies d'estimation pour prédire des sommes.

Fais une estimation de la somme : 59 + 23

➤ Kaori a additionné les chiffres des dizaines.
59 a 5 dizaines
23 a 2 dizaines.
Additionne les dizaines :
5 dizaines + 2 dizaines = 7 dizaines ou 70
Kaori estime qu'il y a environ 70 pièces de 5 ¢.

➤ Blaise arrondit chaque nombre à la dizaine la plus proche.
59 est plus proche de 60.
23 est plus proche de 20.
Additionne : 60 + 20 = 80
Blaise estime qu'il y a environ 80 pièces de 5 ¢.

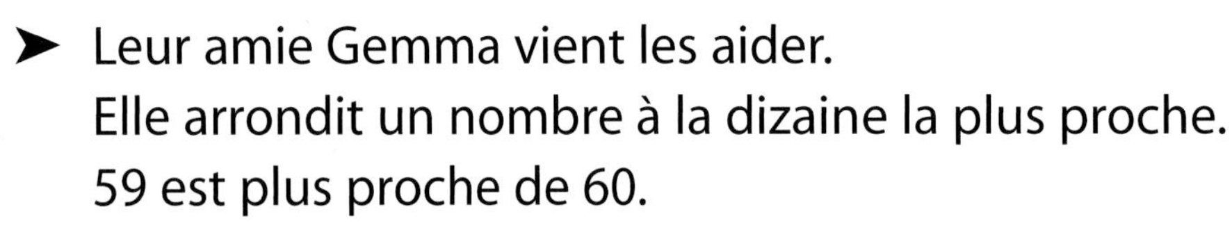

➤ Leur amie Gemma vient les aider.
Elle arrondit un nombre à la dizaine la plus proche.
59 est plus proche de 60.
Additionne : 60 + 23 = 83
Gemma estime qu'il y a environ 83 pièces de 5 ¢.

Il y a beaucoup de façons d'estimer une somme.

À ton tour

1. Quelle est la meilleure estimation de chaque somme ?
   a) 61 + 22 = environ 80 ou 90 ? **b)** 54 + 13 = environ 60 ou 70 ?

2. Estime chaque somme.
   a) 29 + 38 **b)** 71 + 12 **c)** 11 + 45 **d)** 44 + 44

3. Suzie a estimé ces sommes.
   Selon toi, chaque estimation est-elle plus grande ou plus petite que la somme ? Pourquoi ?

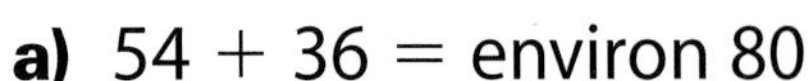

   a) 54 + 36 = environ 80
   b) 19 + 17 = environ 40
   c) 27 + 62 = environ 87
   d) 36 + 35 = environ 70

4. Les amis de Caroline ont donné 43 animaux en peluche et 26 voitures miniatures à une collecte de jouets.
Ils estiment qu'ils ont donné environ 70 jouets.
Comment ont-ils fait leur estimation ?

5. Diane a 52 autocollants dans son album.
Elle reçoit en cadeau un sac de 39 autocollants.
Environ combien d'autocollants a-t-elle ?

6. Des élèves ont choisi une ou un astronaute canadien et une navette spatiale comme sujet d'un projet.
Quarante-trois élèves ont choisi Julie Payette et la navette *Discovery*.
Trente-huit élèves ont choisi Dave Williams et la navette *Endeavour*.

a) Environ combien d'élèves ont travaillé à ce projet ?
Décris 2 stratégies que tu as utilisées pour faire ton estimation.

b) Quelle stratégie préfères-tu ? Pourquoi ?

7. Trente-deux garçons et 42 filles participent à une exposition.
Chaque élève doit recevoir un prix.
Tania et Greg veulent estimer le nombre de prix nécessaires.
Tania a estimé : $30 + 40 = 70$
Greg a estimé : $30 + 50 = 80$

a) Montre une autre façon d'estimer le nombre de prix.

b) Quelle estimation te semble la meilleure ? Pourquoi ?

Réfléchis

Explique la différence entre deviner et estimer.
Quand as-tu seulement besoin d'estimer ?
Montre ton raisonnement à l'aide d'exemples.

LEÇON

Additionner des nombres à 2 chiffres

Explore 

L'école de Jordi a organisé un marchethon afin de venir en aide à un refuge pour animaux.
Les enseignants ont distribué 46 bouteilles de jus et 18 bouteilles d'eau.
Combien de bouteilles ont été distribuées ?

➤ Fais une estimation de la réponse.

➤ Utilise le matériel ou les stratégies de ton choix pour résoudre le problème.

Qu'as-tu **trouvé ?**

Fais part de tes stratégies à deux autres camarades.
Quelle stratégie est la plus facile à comprendre ?

Découvre

Il y a 45 chiens dans le refuge.
Il y a 37 chats dans le refuge.
Combien d'animaux y a-t-il en tout ?

Trouve : 45 + 37

 OBJECTIF | Utiliser des stratégies personnelles pour additionner et pour estimer des nombres à 2 chiffres.

Voici différentes stratégies d'élèves pour résoudre le problème.

➤ Anne place du matériel de base dix dans un tableau de valeur de position pour additionner 45 + 37.

Représente 45 avec 4 dizaines et 5 unités.
Représente 37 avec 3 dizaines et 7 unités.

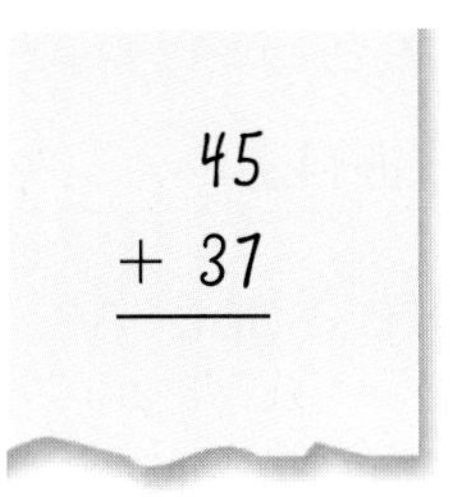

5 unités et 7 unités font 12 unités.
Réunis 10 unités pour obtenir 10.

Échange 10 unités contre 1 dizaine.

1
45
+ 37
2

Cela donne 8 dizaines et 2 unités.

1
45
+ 37
82

➤ Mélissa et Jérémie écrivent 45 et 37 sous forme de dizaines et d'unités.
45 = 40 + 5
37 = 30 + 7
Ils additionnent les dizaines et les unités séparément et combinent les résultats.

- Mélissa additionne de gauche à droite.
  Additionne les dizaines : 40 + 30
  Additionne les unités : 5 + 7
  Additionne les sommes : 70 + 12

40 + 30 = 70
5 + 7 = 12
70 + 12 = 82

- Jérémie additionne de droite à gauche.
  Additionne 7 + 5.
  Additionne 30 + 40.
  Additionne 12 + 70.

$$\begin{array}{r} 37 \\ +45 \\ \hline 12 \\ 70 \\ \hline 82 \end{array}$$

Tu peux additionner 37 + 45 ou 45 + 37.

Pense à d'autres façons de résoudre chaque problème.

Il y a 82 animaux dans le refuge.
La réponse est proche
des estimations 70 et 85.

1. Fais d'abord une estimation. Effectue ensuite l'addition.

a) 25 + 13 **b)** 11 + 67 **c)** 30 + 28 **d)** 44 + 34

2. Effectue les additions. Utilise les stratégies de ton choix.

a) 43 + 9 **b)** 56 + 6 **c)** 24 + 8 **d)** 67 + 27

3. Effectue les additions. Montre tes stratégies.

a) $\begin{array}{r} 57 \\ +\ 7 \\ \hline \end{array}$ **b)** $\begin{array}{r} 35 \\ +\ 19 \\ \hline \end{array}$ **c)** $\begin{array}{r} 16 \\ +\ 78 \\ \hline \end{array}$ **d)** $\begin{array}{r} 28 \\ +\ 6 \\ \hline \end{array}$

4. Effectue les additions. Note chaque phrase d'addition.

a) 50 + 35 **b)** 49 + 34 **c)** 48 + 33 **d)** 47 + 32

Quelles régularités vois-tu dans tes réponses ?

5. La somme de 2 nombres est 68.
Quels peuvent être ces nombres ?

6. Crée un problème pour chaque addition.

a) 63 + 28 **b)** 54 + 9

7. Des élèves ont ramassé des bouteilles à recycler.
Lundi, ils ont ramassé 47 bouteilles.
Mardi, ils ont ramassé 39 bouteilles.
Combien de bouteilles ont-ils ramassées en tout ?

8. Pour chaque nombre :
Crée un problème d'addition.
Estime la réponse.
Résous le problème à l'aide des stratégies de ton choix.
Base-toi sur ton estimation pour vérifier.

a) 35 **b)** 82

9. Écris chaque chiffre sur une carte :
5, 3, 7, 4.
Forme avec les cartes des additions de deux nombres à 2 chiffres.

a) Trouve autant de sommes que possible. Note chaque somme.

b) Quelle est la plus grande somme possible ?
Quelle est la plus petite somme possible ?
Comment le sais-tu ?

Réfléchis

Quelle stratégie préfères-tu utiliser pour additionner deux nombres à 2 chiffres ?
Explique ta réponse.

LEÇON

Additionner à l'aide du calcul mental

Quand tu additionnes dans ta tête, tu fais du **calcul mental**.

Explore

L'Expo-Jouets est ouverte depuis 36 jours.
Elle sera encore présentée pendant 48 jours.
Combien de jours cela fait-il en tout ?

Trouve la réponse à l'aide du calcul mental.

Qu'as-tu **trouvé ?**

Fais part de tes stratégies à une ou un camarade.

Découvre

Voici quelques façons d'additionner à l'aide du calcul mental.

- Mélanie additionne de gauche à droite pour trouver la somme de 63 + 15.

  Je sais que 63 = 60 + 3
  et que 15 = 10 + 5.
  60 + 10 = 70
  3 + 5 = 8
  70 + 8 = 78
  Donc, 63 + 15 = 78.

- Edmond se sert d'un nombre compatible pour additionner 58 + 29.

  60 est proche de 58.
  60 + 29 = 89
  58 + 29 a 2 unités de moins.
  Donc, 58 + 29 = 87.

 OBJECTIF | Additionner des nombres à 2 chiffres à l'aide de stratégies de calcul mental.

➤ Kumail utilise des doubles pour additionner 27 + 25.

Je sais que 25 + 25 = 50.
27 + 25 a 2 unités de plus.
Donc, 27 + 25 = 52.

À ton tour

Réponds aux questions suivantes à l'aide du calcul mental.

1. Effectue ces additions. Quelles régularités vois-tu ?

a) 32 + 10 **b)** 32 + 20 **c)** 32 + 30 **d)** 32 + 40

2. Effectue ces additions. Utilise la stratégie de ton choix.

a) 21 + 26 **b)** 36 + 48 **c)** 45 + 15 **d)** 39 + 27

3. Effectue ces additions.

a) 35 + 29 **b)** 48 + 18 **c)** 23 + 67 **d)** 16 + 55

4. De combien de façons différentes peux-tu faire du calcul mental pour additionner 29 + 55 ?
Montre chaque façon à l'aide de mots, de dessins ou de nombres.

5. Josiane et Carl comptent des plaques d'immatriculation.
Josiane a compté 49 plaques de l'Alberta.
Carl a compté 33 plaques du Manitoba.
Combien de plaques ont-ils comptées en tout ?
Décris ta stratégie à l'aide de mots, de dessins ou de nombres.

Réfléchis

Décris 2 stratégies que tu peux utiliser pour additionner mentalement 48 + 24.

ÉVALUATION | Question 4

Additionner des nombres à 3 chiffres

Explore

L'école Saint-Marc vend des t-shirts pour le cours de gymnastique.
236 élèves ont commandé un t-shirt bleu.
175 élèves ont commandé un t-shirt rouge.

Combien de t-shirts ont été commandés ?
Utilise le matériel ou les stratégies de ton choix pour résoudre ce problème.

Qu'as-tu trouvé ?

Montre comment tu as trouvé le nombre total de t-shirts.
Fais part de ta stratégie à deux autres camarades.
Essaie la stratégie d'un autre groupe pour additionner deux nombres à 3 chiffres.

Découvre

L'école Saint-Marc vend aussi des casquettes.
Elle a vendu 257 casquettes bleues et 165 casquettes blanches.
Combien de casquettes a-t-elle vendues en tout ?

Trouve : 257 + 165

 OBJECTIF | Additionner des nombres à 3 chiffres à l'aide de stratégies personnelles.

➤ Réjean place du matériel de base dix dans un tableau de valeur de position pour additionner 257 + 165.

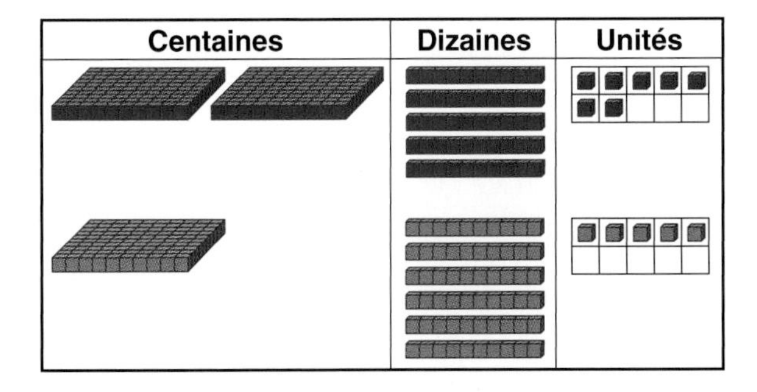

Représente 257 avec 2 centaines, 5 dizaines et 7 unités.
Représente 165 avec 1 centaine, 6 dizaines et 5 unités.

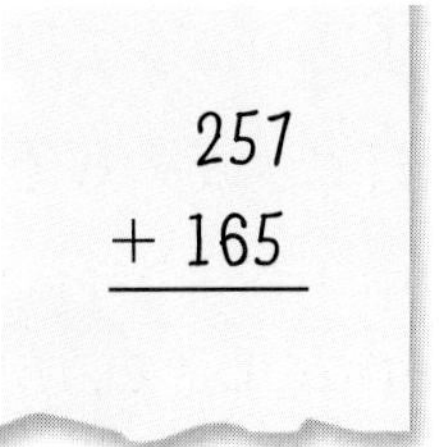

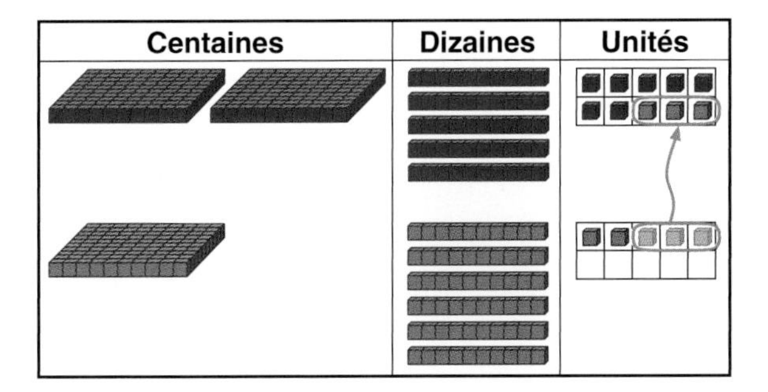

Additionne les unités:
7 unités + 5 unités = 12 unités.
Réunis 10 unités pour obtenir 10.

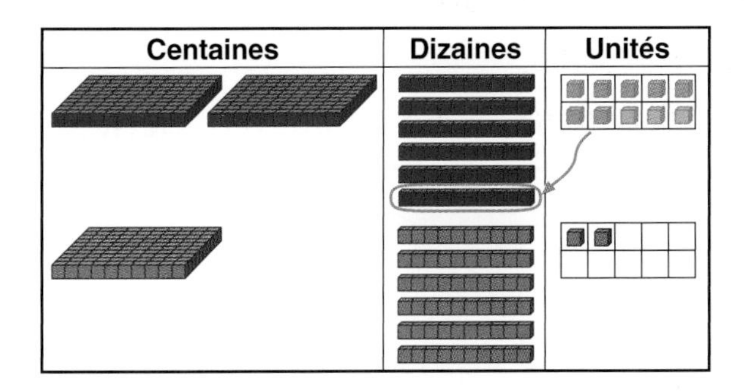

Échange 10 unités contre 1 dizaine.

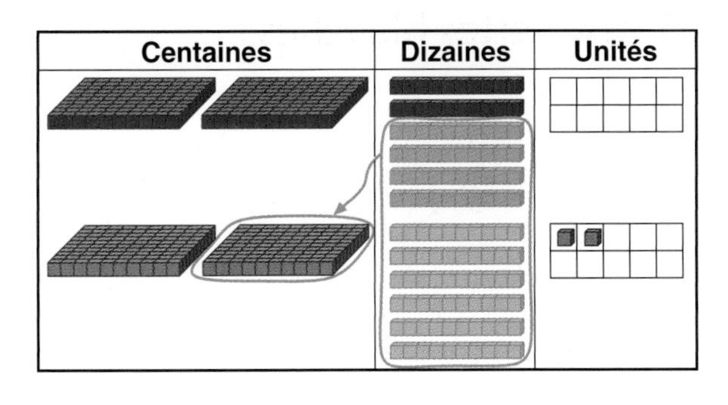

Additionne les dizaines.
1 dizaine + 5 dizaines + 6 dizaines = 12 dizaines
Échange 10 dizaines contre 1 centaine.
Cela donne 4 centaines, 2 dizaines et 2 unités.

$$\begin{array}{r} {}^{1\,1} \\ 257 \\ +\ 165 \\ \hline 422 \end{array}$$

➤ Jas et Nadia représentent 165 sous la forme 100 + 60 + 5.
Ils représentent 257 sous la forme 200 + 50 + 7.

- Jas choisit la forme 165 + 257 et additionne de gauche à droite.

100 + 200 = 300
60 + 50 = 110
5 + 7 = 12
300 + 110 = 410
410 + 12 = 422

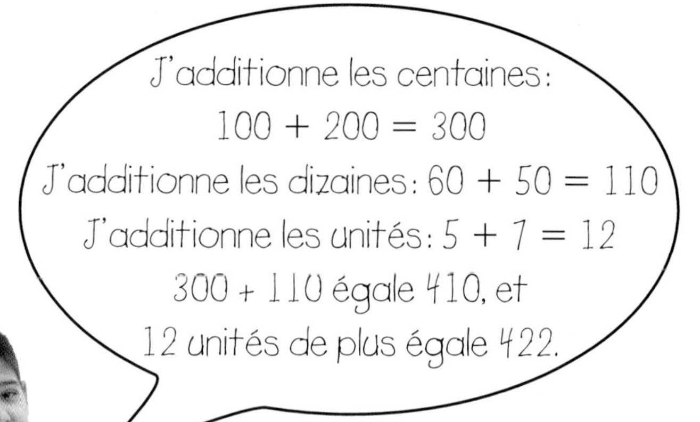

- Nadia choisit la forme 257 + 165 et additionne de droite à gauche.

7 + 5 = 12
50 + 60 = 110
12 + 110 = 122
200 + 100 = 300
300 + 122 = 422

J'additionne les unités :
7 + 5 = 12
J'additionne les dizaines :
50 + 60 = 110
12 + 110 = 122
J'additionne les centaines :
200 + 100 = 300
300 + 122 = 422

L'école a vendu 422 casquettes.

Pense à d'autres façons de résoudre le problème.

À ton tour

1. Effectue les additions.
   a) 290 + 61 **b)** 9 + 479 **c)** 502 + 349 **d)** 177 + 674

2. Détermine chaque somme à l'aide de la stratégie de ton choix.

a)	b)	c)	d)
340	71	382	293
+ 270	+ 459	+ 8	+ 237

3. Une fête familiale a lieu dans un parc.
   Il y a 137 enfants et 218 adultes.
   De combien de repas aura-t-on besoin ?

4. Crée un problème qu'on peut résoudre en additionnant deux nombres à 3 chiffres.
   Résous le problème.
   Explique ta solution.

5. La somme de deux nombres est 624.
   Quels peuvent être ces deux nombres dans chaque cas ?
   a) Un des nombres a 1 chiffre. L'autre nombre a 3 chiffres.
   b) Un des nombres a 2 chiffres. L'autre nombre a 3 chiffres.
   c) Les deux nombres ont 3 chiffres.

6. Effectue les additions. Quelles régularités vois-tu dans les réponses ?
   Décris les régularités.

   a)
   4 + 5
   40 + 50
   400 + 500

   b)
   400 + 213
   400 + 313
   400 + 413
   400 + 513

Réfléchis

Quelles sont les ressemblances entre additionner deux nombres à 3 chiffres et additionner deux nombres à 2 chiffres ?
Quelles sont les différences ? Explique.

Le défi de l'addition

Jeu

Tu as besoin d'une planchette de jeu, de 1 cube emboîtable rouge, de 1 cube emboîtable jaune, de 18 jetons rouges et de 18 jetons jaunes.

Le but du jeu est d'aligner 3 jetons rouges ou 3 jetons jaunes à la suite.

- L'élève A place le cube emboîtable rouge sur un nombre de sa rangée.
- L'élève B place le cube emboîtable jaune sur un nombre de sa rangée.
- L'élève B additionne les nombres sur lesquels les cubes sont placés.
  L'élève A additionne pour vérifier.
  L'élève B place un jeton jaune sur le nombre qui correspond à la somme dans les cases du haut.

Utilise la stratégie de ton choix.

- L'élève A place le cube rouge sur un autre nombre de sa rangée.
- L'élève A additionne les nombres sur lesquels les cubes sont placés.
  L'élève B additionne pour vérifier.
  L'élève A place un jeton rouge sur le nombre qui correspond à la somme dans les cases du haut.
- On ne peut placer qu'un seul jeton par case dans les cases du haut.
  Continuez jusqu'à ce qu'une ou un de vous place 3 jetons de la même couleur à la suite.

Estimer des différences

Quand tu estimes une **différence**, tu choisis un nombre qui est proche du résultat de la soustraction.

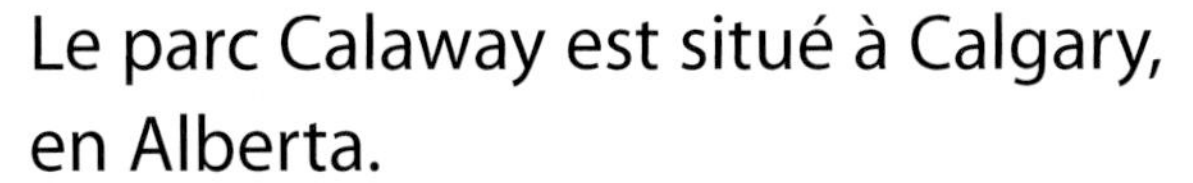

Explore

Le parc Calaway est situé à Calgary, en Alberta.
Cinquante-six personnes peuvent monter à bord du manège appelé *Dream Machine*.
Trente-trois personnes sont déjà à bord.

Combien de personnes peuvent encore monter dans le manège ?

Fais une estimation pour obtenir un nombre proche de la réponse.
Note comment tu as fait ton estimation.

Qu'as-tu trouvé ?

Fais part de ton estimation et de tes stratégies à deux autres camarades.
Les estimations diffèrent-elles selon la stratégie utilisée ?

Découvre

Maria a 87 ¢.
Elle dépense une partie de l'argent.
Il lui reste 34 ¢.
Combien d'argent Maria a-t-elle dépensé ?

Estime la différence : 87 − 34

Objectif | Appliquer des stratégies d'estimation pour prédire des différences.

Voici quelques stratégies d'estimation utilisées par des élèves.

➤ Julie arrondit chaque nombre à la dizaine la plus proche.
87 est plus proche de 90.
34 est plus proche de 30.
Elle a soustrait : $90 - 30 = 60$
Julie estime que Maria a dépensé environ 60¢.

➤ Robert soustrait seulement les chiffres des dizaines.
87 a 8 dizaines.
34 a 3 dizaines.
Il soustrait les dizaines : 8 dizaines − 3 dizaines = 5 dizaines ou 50
Robert estime que Maria a dépensé environ 50 ¢.

➤ Maxime prend le nombre de dizaines comme nombre à soustraire.
34 a 3 dizaines.
Il soustrait 3 dizaines : $87 - 30 = 57$
Maxime estime que Maria a dépensé environ 57 ¢.

Pense à d'autres stratégies d'estimation.

À ton tour

1. Estime chaque différence.

a) $64 - 35$ **b)** $87 - 68$
c) $34 - 15$ **d)** $75 - 55$
e) $53 - 40$ **f)** $91 - 29$

2. Explique comment Alain a estimé chaque différence.

a) $52 - 24 =$ environ 32 **b)** $84 - 58 =$ environ 30
c) $79 - 17 =$ environ 60 **d)** $63 - 36 =$ environ 20

3. Choisis une estimation faite à la question 2.
Montre une autre façon d'estimer la différence.

4. Les *Arctic Wolves* du Yukon ont remporté 3 de leurs 5 parties au championnat canadien de soccer en 2007.
Il y avait 92 spectateurs à leur match contre la Saskatchewan.
Cinquante-neuf personnes ont pris des photos.
Environ combien de personnes n'ont pas pris de photos ?

5. Jérôme avait un paquet de 85 ballons.
Il a gonflé 57 ballons pour une fête.
Il estime qu'il lui reste environ 30 ballons.

a) Comment Jérôme a-t-il pu faire son estimation ?

b) Utilise une stratégie différente pour estimer le nombre de ballons qui restent.
Compare ton estimation avec celle de Jérôme.

6. Faizal avait 136 billes. Il en a donné 25.
Faizal dit qu'il lui reste environ 80 billes.
Es-tu d'accord avec lui ? Pourquoi ?

7. Hélène est allée au parc Calaway.
Elle a compté les personnes qui faisaient la file devant le manège appelé *Flying Ace*.
Elle a compté les personnes qui faisaient la file devant le manège appelé *Ocean Motion*.
Elle a estimé que la différence était d'environ 10 personnes.
Combien de personnes pouvait-il y avoir dans chaque file ?
Explique ton raisonnement à l'aide de mots, de dessins ou de nombres.

Réfléchis

Les stratégies d'estimation peuvent donner différents résultats.
Parfois, les estimations sont les mêmes. Donne des exemples.

À la maison

La prochaine fois que tu iras magasiner, trouve un moyen d'estimer une somme ou une différence.

Soustraire des nombres à 2 chiffres

Explore

Les bébés saumons s'appellent des saumoneaux.
Il y avait 74 saumoneaux dans un ruisseau.
Quarante-sept saumoneaux ont nagé jusqu'à l'océan.
Combien de saumoneaux n'ont pas nagé jusqu'à l'océan ?

- Fais d'abord une estimation de la réponse.
- Utilise ensuite le matériel ou les stratégies de ton choix pour résoudre le problème.
- Base-toi sur ton estimation pour vérifier ta solution.

Qu'as-tu **trouvé ?**

Fais part de tes réponses et de tes stratégies à deux autres camarades.

Découvre

Des élèves devaient créer un problème de soustraction avec les nombres 45 et 16.
Ils ont créé le problème suivant.

Pour 45 − 16, j'estime que la différence est environ 40 − 10 ou 30.

Un éleveur a 45 chevaux.
Seize chevaux sont des poulains.
Combien de chevaux ne sont pas des poulains ?

 OBJECTIF | Utiliser des stratégies personnelles pour soustraire et estimer des nombres à 2 chiffres.

Voici différentes stratégies d'élèves pour soustraire 45 − 16.

➤ Claude place du matériel de base dix dans un tableau de valeur de position.

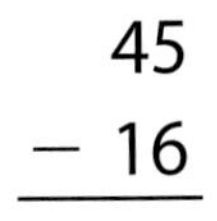

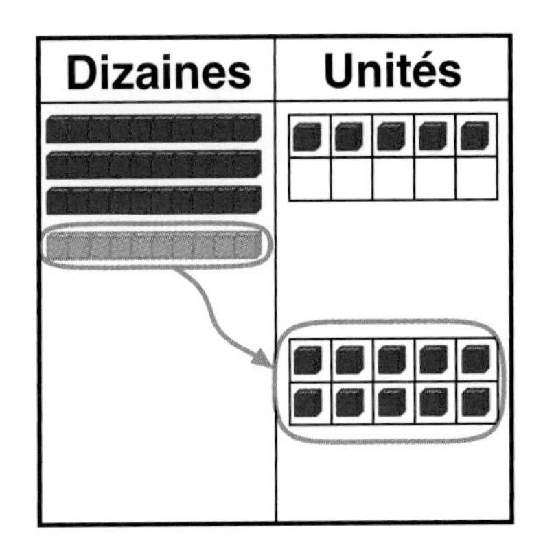

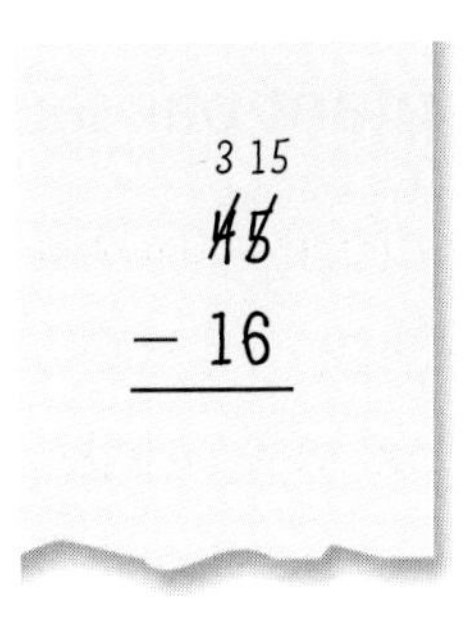

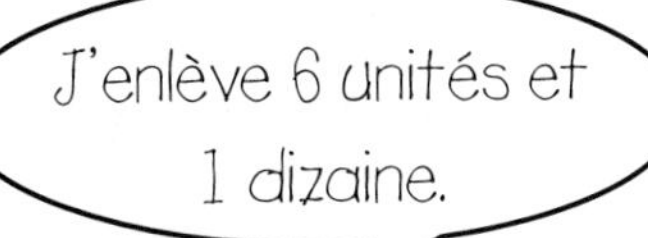

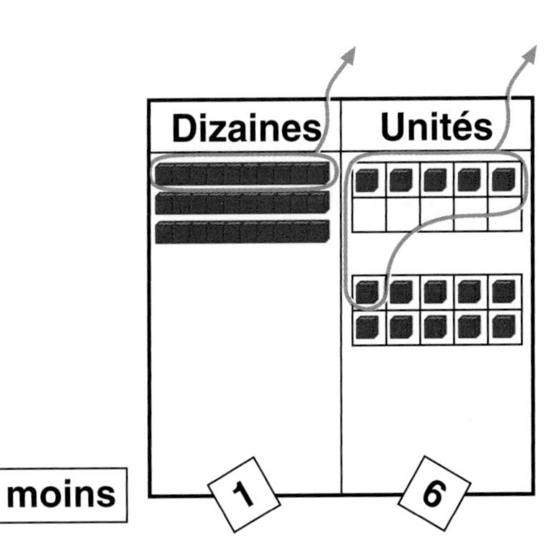

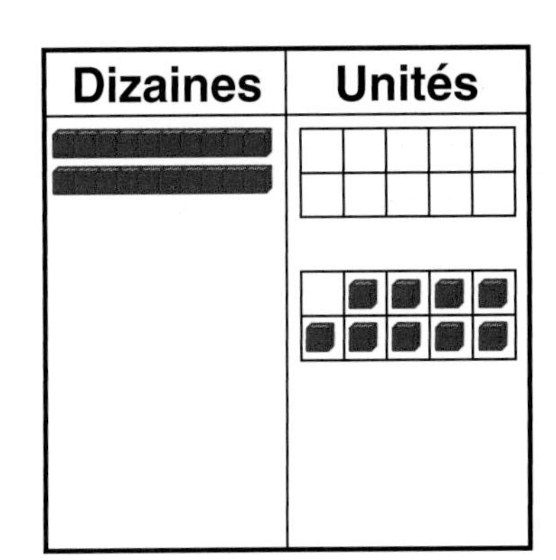

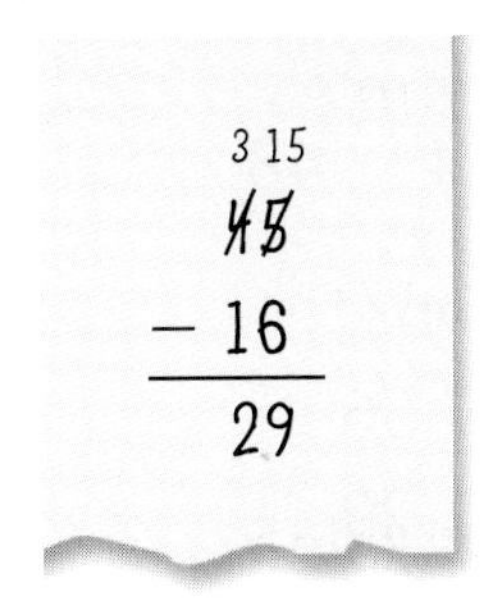

➤ Paul compte de 16 à 45 par sauts.

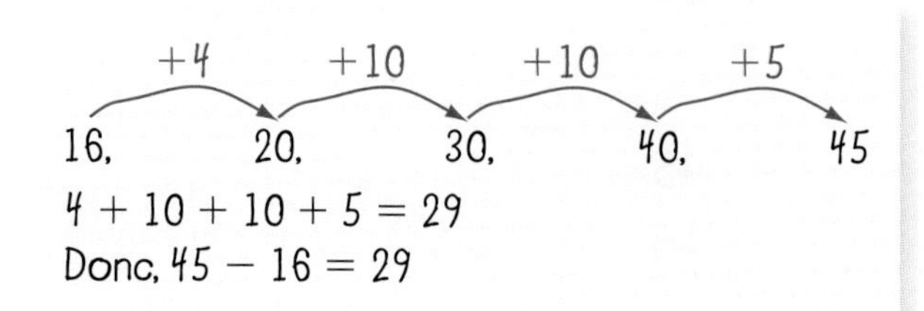

Je pense à l'addition.
Je compte par sauts.

➤ Petra soustrait en comptant par sauts à rebours.

Je représente 16 sous la forme 10 + 5 + 1.

Elle part de 45.
Elle soustrait 10, puis 5, puis 1.
45 ... 35 ... 30 ... 29

$45 - 10 = 35$
$35 - 5 = 30$
$30 - 1 = 29$
Donc, $45 - 16 = 29$

Vingt-neuf chevaux ne sont pas des poulains.
La réponse est proche de l'estimation de 30.

À ton tour

1. Fais une estimation. Quelles différences seront plus grandes que 20 ? Effectue la soustraction si l'estimation est plus petite que 20.

a) 58 − 24 **b)** 39 − 25 **c)** 57 − 23 **d)** 66 − 22

2. Trouve les différences. Utilise la stratégie de ton choix. Montre ta stratégie.

a) 35 − 9 **b)** 74 − 48 **c)** 43 − 7 **d)** 82 − 76

3. Effectue les soustractions.

a) $\begin{array}{r} 47 \\ -\ 20 \\ \hline \end{array}$ **b)** $\begin{array}{r} 56 \\ -\ 29 \\ \hline \end{array}$ **c)** $\begin{array}{r} 50 \\ -\ 9 \\ \hline \end{array}$ **d)** $\begin{array}{r} 89 \\ -\ 62 \\ \hline \end{array}$

4. Effectue les soustractions.
   91 − 56
   91 − 66
   91 − 76
   91 − 86
   Quelles régularités vois-tu dans tes réponses ?

5. Il y avait 16 filles au gymnase. Après l'arrivée des garçons, il y avait 25 élèves au gymnase.
   Combien de garçons sont entrés dans le gymnase ?

6. Une classe de 3e année a organisé une soirée de cinéma en famille.
   On a compté 73 élèves et 56 parents.
   Y avait-il plus d'élèves ou plus de parents ? Combien de plus ?
   Fais d'abord une estimation, puis calcule.
   Base-toi sur ton estimation pour vérifier ta réponse.

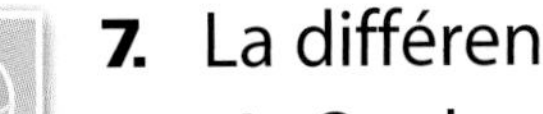

7. La différence de deux nombres à 2 chiffres est 35.
   a) Quels peuvent être ces nombres ?
   Trouve 4 réponses.
   Écris les quatre équations.
   Quelle stratégie as-tu utilisée pour trouver la réponse ?
   b) Choisis une soustraction de la partie a. Crée un problème à partir de cette soustraction.

Réfléchis

Supposons qu'une ou un camarade n'a pas pu venir à l'école aujourd'hui.
Explique-lui à l'aide de mots, de dessins ou de nombres comment soustraire deux nombres à 2 chiffres.

Soustraire à l'aide du calcul mental

Il y avait 43 personnes sur la patinoire.
Vingt-sept personnes sont parties.
Combien de personnes patinent encore ?

Trouve la réponse à l'aide du calcul mental.

Fais part de tes stratégies à deux autres camarades.

Découvre

Voici quelques façons de soustraire à l'aide du calcul mental.

- Rami utilise des nombres compatibles pour soustraire 73 − 49.
- Bonnie soustrait 85 − 56 en comptant par sauts de 56 à 85.

50 est proche de 49.
73 − 50 = 23.
Donc, 73 − 49 = 24.

56 + 4 = 60, plus 20 égale 80, plus 5 égale 85. J'ai additionné 4 + 20 + 5 ou 29.
Donc, 85 − 56 = 29.

 OBJECTIF | Soustraire des nombres à 2 chiffres à l'aide de stratégies de calcul mental.

➤ Olivia pense à l'addition et utilise des doubles pour soustraire 22 − 11.

Je sais que
11 + 11 = 22.
Donc, 22 − 11 = 11.

➤ Louis utilise les mêmes unités pour soustraire 64 − 38.

Je peux ajouter 4
à 64 pour obtenir 68.
68 − 38 = 30
J'enlève ensuite les
4 unités ajoutées.
30 − 4 = 26.
Donc, 64 − 38 = 26.

Réponds aux questions suivantes à l'aide du calcul mental.

1. Effectue ces soustractions. Quelles régularités vois-tu ?

a) 63 − 41 **b)** 73 − 31 **c)** 83 − 21 **d)** 93 − 11

2. Effectue ces soustractions. Montre tes stratégies.

a) 87 − 78 **b)** 53 − 49 **c)** 35 − 27 **d)** 72 − 69

3. Effectue ces soustractions.

a) 74 − 56 **b)** 92 − 18 **c)** 67 − 35 **d)** 85 − 47

4. De combien de façons différentes peux-tu faire du calcul mental pour trouver 81 − 58 ? Montre chaque façon à l'aide de mots, de dessins ou de nombres.

5. Il y a 32 oies sur la plage. D'autres oies arrivent. Il y a alors 61 oies. Combien d'oies sont arrivées ?

6. La réponse à un problème de soustraction est 43. Quel peut être le problème ?

Réfléchis

Décris 2 stratégies que tu peux utiliser pour soustraire mentalement.

ÉVALUATION | Question 4

Soustraire des nombres à 3 chiffres

Il y a 282 perles dans le pot.
Robert estime qu'il y a 300 perles
Brigitte estime qu'il y a 269 perles.

Quelle estimation est la plus proche ? Par combien ?

Qu'as-tu trouvé ?

Fais part de ta solution à deux autres camarades.
Quelles stratégies as-tu utilisées ?

Découvre

Stanislas et Bonita ont participé à une compétition de rebonds de ballon.
Stanislas a fait rebondir le ballon 402 fois.
Bonita a fait rebondir le ballon 128 fois.
Combien de fois de plus Stanislas a-t-il fait rebondir le ballon ?

Trouve : 402 − 128

➤ Tasia a compté de 128 à 402 par sauts.

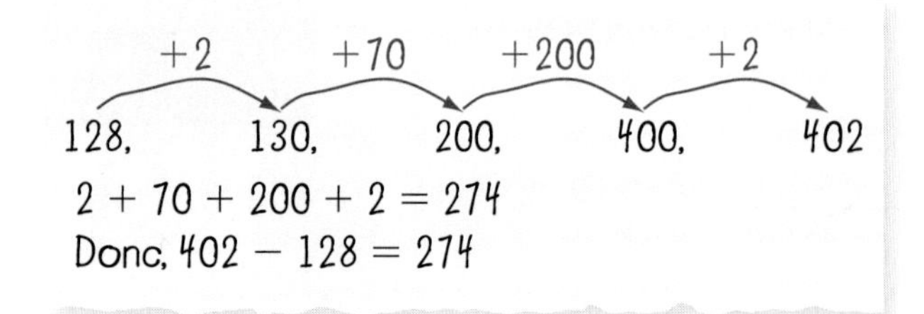

➤ Pour soustraire, Jacques place du matériel de base dix dans un tableau de valeur de position.

$$\begin{array}{r} 402 \\ -\ 128 \\ \hline \end{array}$$

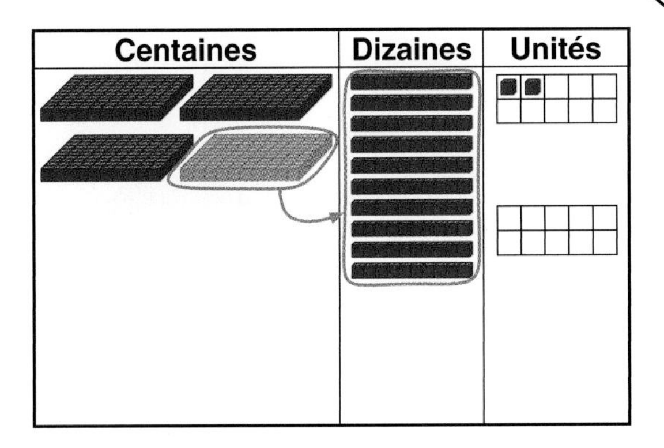

Je peux représenter 402 sous la forme 300 + 100 + 2, ou 3 centaines, 10 dizaines et 2 unités.

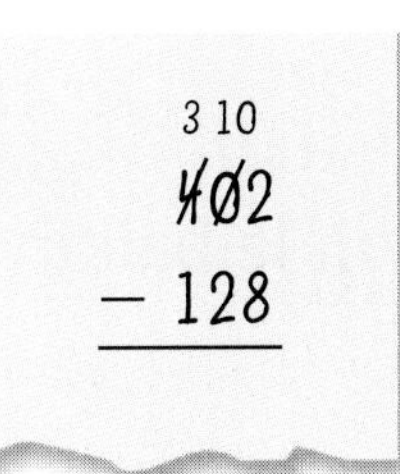

J'ai besoin de plus d'unités. J'échange 1 dizaine contre 10 unités. J'ai donc 3 centaines, 9 dizaines et 12 unités.

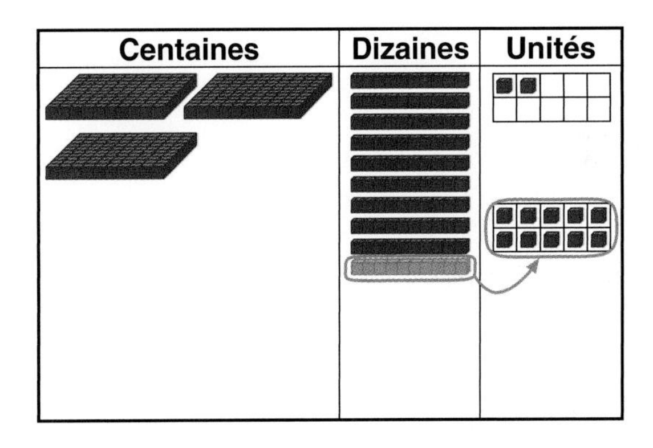

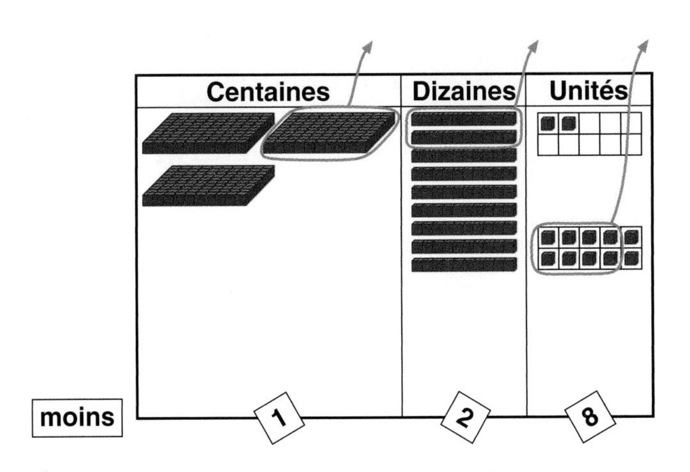

J'enlève 1 centaine, 2 dizaines et 8 unités. Il reste 2 centaines, 7 dizaines et 4 unités, ou 274.

9
3 ~~10~~ 12
~~4~~~~0~~~~2~~
– 128
274

➤ Thomas compte à rebours pour soustraire 402 − 128.

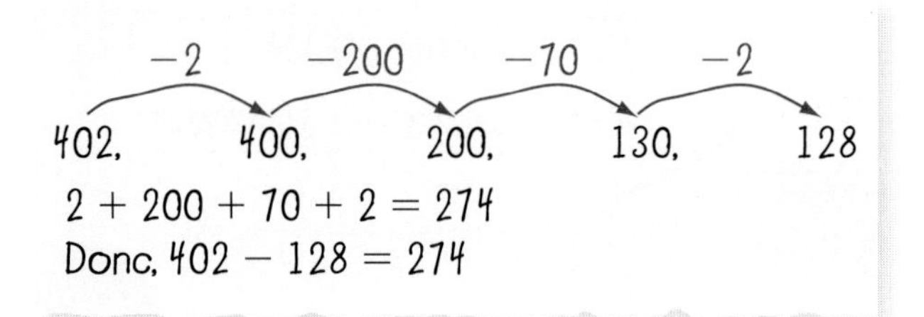

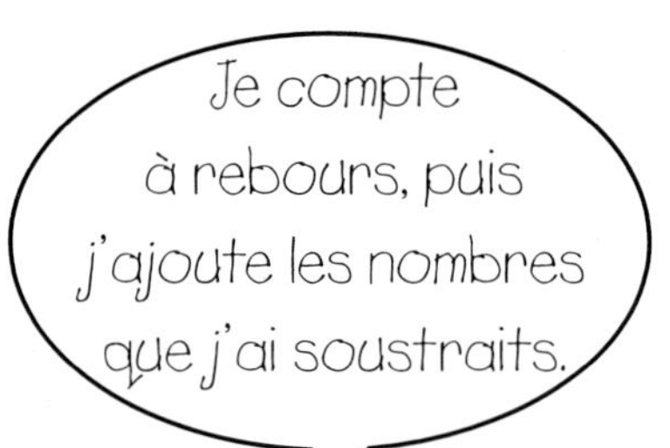

Stanislas a fait rebondir le ballon 274 fois de plus que Bonita.

À ton tour

1. Effectue les soustractions.

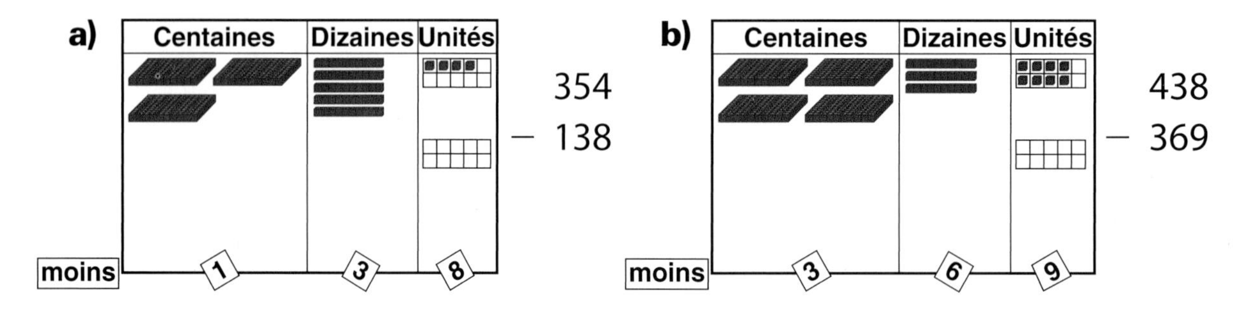

2. Effectue les soustractions. Explique tes stratégies.

a) 876 − 9 **b)** 923 − 10 **c)** 635 − 22 **d)** 599 − 86

3. Effectue les soustractions.

a) 756 − 49 **b)** 830 − 7 **c)** 687 − 39 **d)** 940 − 35

4. Effectue les soustractions.

a) 483 − 156 **b)** 557 − 230 **c)** 654 − 327 **d)** 701 − 374

5. Effectue les soustractions.

a) $200 - 82$ **b)** $300 - 183$ **c)** $400 - 284$ **d)** $500 - 285$

6. Josiane a soustrait $785 - 575$ comme ceci.

$700 - 500 = 200$
$80 - 70 = 10$
$5 - 5 = 0$

a) Termine la soustraction de Josiane. Décris sa stratégie.

b) Utilise une stratégie différente pour soustraire les mêmes nombres.

c) Compare les stratégies des parties a et b. Quelle stratégie préfères-tu ? Pourquoi ?

7. Les Kapur vont camper à 475 km de chez eux. Avant le dîner, ils parcourent 238 km. Quelle distance leur reste-t-il à parcourir ? Montre comment tu as résolu le problème.

8. Lundi, les Kim ont parcouru 458 km entre Castlegar et Kamloops. Mardi, ils ont roulé de Kamloops à Merritt. En tout, ils ont parcouru 544 km en deux jours. Combien de kilomètres ont-ils parcourus le mardi ? Écris une équation pour résoudre le problème. Résous l'équation. Réponds à la question posée.

9. Crée un problème qui peut être résolu en soustrayant $652 - 328$. Résous le problème. Décris ta stratégie.

Réfléchis

Quelle stratégie utiliserais-tu pour soustraire $300 - 157$? Explique à l'aide de dessins, de nombres ou de mots.

LEÇON 12

Résoudre des problèmes d'addition et de soustraction

Explore

Anne et François ont participé au nettoyage du gymnase.
Anne a ramassé 243 sacs de sable.
François a ramassé 206 sacs de sable.

➤ Crée un problème d'addition et un problème de soustraction sur les sacs de sable ramassés.

➤ Résous tes problèmes.

Qu'as-tu trouvé ?

Montre tes problèmes et tes solutions à deux autres camarades.
Comment savais-tu qu'il fallait additionner ou soustraire ?

Découvre

Tu dois parfois choisir entre additionner et soustraire quand tu résous un problème.

Une année, il a plu 148 jours à Victoria, en Colombie-Britannique.
L'année suivante, il a plu 163 jours à Victoria.

 OBJECTIF | Appliquer des stratégies personnelles pour additionner et soustraire.

➤ Combien de jours a-t-il plu ces deux années-là ?

Jason a additionné pour résoudre le problème.
Il a représenté 148 sous la forme $100 + 40 + 8$,
et 163 sous la forme $100 + 60 + 3$.
Il a ensuite additionné de gauche à droite.

$148 = 100 + 40 + 8$
$163 = 100 + 60 + 3$
$100 + 100 = 200$
$40 + 60 = 100$
$8 + 3 = 11$
$200 + 100 + 11 = 311$

Il y a beaucoup de stratégies que Jason peut utiliser.

Il a plu 311 jours pendant les deux années.

➤ Combien de jours de plus a-t-il plu la deuxième année ?

Judith a soustrait pour résoudre le problème.
Elle a représenté 163 sous la forme $150 + 13$.
Pour trouver $163 - 148$, elle a soustrait 148
de $150 + 13$.

$163 = 150 + 13$
$150 - 148 = 2$
$2 + 13 = 15$

Donc, $163 - 148 = 15$.

Il a plu 15 jours de plus
la deuxième année.

À ton tour

1. Trouve le nombre qui manque. Quelles régularités vois-tu ?

a) $174 = 169 + \square$
$174 = 164 + \square$
$174 = 159 + \square$

b) $658 = 600 + \square$
$658 = 590 + \square$
$658 = 580 + \square$

c) $809 = 810 - \square$
$809 = 820 - \square$
$809 = 830 - \square$

2. **a)** La différence entre deux nombres à 3 chiffres est 246.
Quels peuvent être ces nombres ? Donne 3 réponses possibles.

b) La somme de deux nombres à 3 chiffres est 246.
Quels peuvent être ces nombres ? Donne 3 réponses possibles.

3. Chaque phrase est la solution d'un problème. Crée un problème d'addition ou un problème de soustraction pour chaque phrase.

a) Il y a 840 habitants à Boyle, en Alberta.

b) Il y a 194 grues blanches dans la colonie du parc Wood Buffalo, dans les Territoires du Nord-Ouest.

c) Il y a 365 jours dans une année.

4. Des élèves de 3e année de Saskatoon ont planté des tulipes.
Ils ont planté 256 tulipes rouges et 371 tulipes jaunes.

a) Combien de tulipes jaunes de plus ont-ils plantées ?

b) Combien de tulipes ont-ils plantées en tout ?

Explique comment tu as résolu ces problèmes.

5. Des élèves de 2e et de 3e années sont allés au musée en autobus.
Il y avait 19 élèves de 2e année.
Il y avait 25 élèves de 3e année.
Combien d'élèves y avait-il à bord de l'autobus ?

6. Paule et Jacinthe ont récolté des dons pour la course Terry Fox.
Paule a récolté 82 $.
Jacinthe a récolté 129 $.
   a) Qui a récolté le plus d'argent ? Combien d'argent de plus ?
   b) As-tu additionné ou soustrait ? Explique ta réponse.

7. Une école de Whitehorse récolte des objets à recycler. Les élèves ont apporté 277 canettes et 95 bouteilles. Combien d'objets ont-ils apportés ?

8. Zoé, Sylvain et Michelle jouent à des jeux vidéo.
Zoé a 406 points. Sylvain a 285 points.
Michelle a 369 points.
   a) Combien de points faut-il à Sylvain pour égaler Michelle ?
   b) Combien de points faut-il à Michelle et à Sylvain pour chacun égaler Zoé ?
   c) Crée un problème au sujet de ces résultats. Résous ton problème.

9. Crée un problème qui peut être résolu en additionnant ou en soustrayant deux nombres à 3 chiffres. Résous le problème.

Certains endroits ont de la neige au sol presque toute l'année. Combien de jours par année chacun de ces endroits n'a pas de neige au sol ?

Lieu	Nombre de jours
Alert, Nunavut	306
High Level, Alberta	212
Whitehorse, Yukon	165

Réfléchis

Décris une stratégie pour additionner ou soustraire des nombres à 3 chiffres. Explique ta stratégie à une ou un camarade.

La boîte à outils

Explore

Sandrine, Ken et Avril fabriquent des bracelets de l'amitié.

Sandrine a utilisé 3 perles de moins que Ken.
Ken a utilisé 2 perles de plus qu'Avril.
Avril a utilisé 22 perles. Il reste 5 perles.
Combien de perles y avait-il en tout dans le sac ?

Qu'as-tu **trouvé ?**

Explique comment tu as résolu le problème.

Découvre

Stratégies

- Fais un tableau.
- Utilise un modèle.
- Fais un dessin.
- Résous un problème plus simple.
- Travaille à rebours.
- Prédis et vérifie.
- Dresse une liste ordonnée.
- Cherche une régularité.

Des élèves ont sauté à la corde pour la journée « Sautons en cœur ! ».

Isabelle a effectué 9 sauts de moins que Francis.
Francis a effectué 12 sauts de plus qu'Henri.
Henri a effectué 52 sauts.
Combien de sauts ont-ils effectués en tout ?
Voici une façon de résoudre ce problème.

Que sais-tu ?
- Henri a effectué 52 sauts.
- Francis a effectué 12 sauts de plus qu'Henri.
- Isabelle a effectué 9 sauts de moins que Francis.

Planifie

Pense à une stratégie qui peut t'aider à résoudre le problème.
- Tu peux **travailler à rebours.**
  Écris le nombre de sauts effectués par Henri.

 OBJECTIF | Interpréter un problème et choisir une stratégie appropriée.

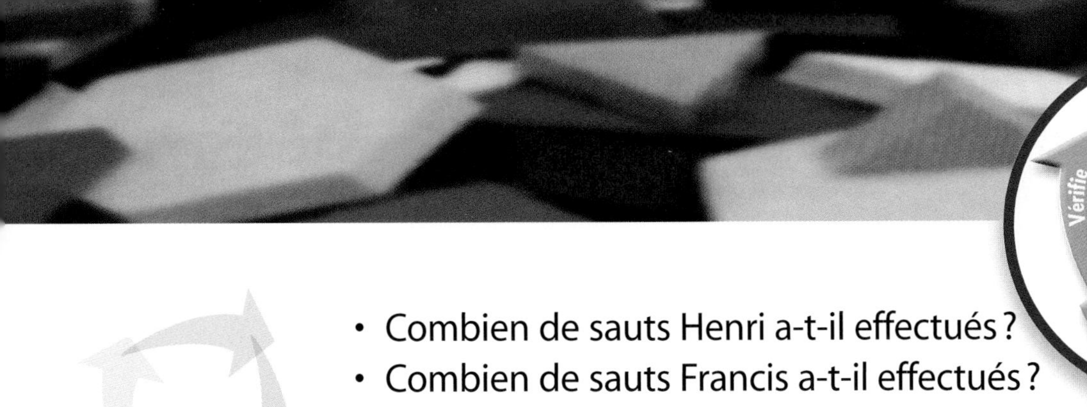

- Combien de sauts Henri a-t-il effectués ?
- Combien de sauts Francis a-t-il effectués ?
- Combien de sauts Isabelle a-t-elle effectués ?
- Combien de sauts ont-ils effectués en tout ?

Vérifie

Comment sais-tu que ta réponse est la bonne ?
De quelle autre façon peux-tu résoudre le problème ?

À ton tour

Choisis une **Stratégie**

1. Kumail et Émilie jouent à un jeu.
Kumail a remporté 7 cartes.
Émilie a remporté 6 cartes de plus que Kumail.
Il reste 24 cartes.
Combien de cartes y a-t-il en tout ?

2. Marjo paie un signet avec des pièces de 5 ¢ et de 10 ¢.
Le signet coûte 65 ¢. Marjo paie avec 8 pièces.
Combien de pièces de chaque sorte utilise-t-elle ?

3. Dans une vente, il y a des bicyclettes et des tricycles. Il y a 18 roues en tout.
Combien y a-t-il de bicyclettes et de tricycles ?

Réfléchis

Réfléchis à un des problèmes que tu as résolus. Explique à l'aide de mots, de dessins ou de nombres comment tu l'as résolu.

Module 3 Montre ce que tu sais

LEÇON

1. Effectue l'addition ou la soustraction. Montre tes stratégies.

a) $5 + 9$ **b)** $17 - 8$ **c)** $6 + 8$ **d)** $18 - 9$

2. Mia a 2 dés numérotés.
Chaque dé porte les nombres 0, 4, 5, 6, 7 et 8.

a) Mia lance les deux dés et additionne les nombres.
Quelles sommes peut-elle obtenir?

b) Quelles différences Mia peut-elle obtenir si elle soustrait les nombres obtenus?

3. Une équipe de crosse est formée de 16 joueurs.
Il y a 9 filles dans l'équipe.
Combien de garçons y a-t-il?

3

4. Trouve le nombre qui manque.

a) $6 + \square = 15$ **b)** $\square + 7 = 14$

c) $17 - \square = 9$ **d)** $\square - 8 = 7$

5. La bibliothèque possède 12 livres sur la Lune.
Penny en emprunte quelques-uns.
Il reste 4 livres.
Écris et résous une équation pour trouver le nombre de livres empruntés par Penny.

4 8

6. Fais une estimation de la somme ou de la différence.
Décris tes stratégies.

a) $42 + 29$ **b)** $53 - 17$ **c)** $23 + 28$ **d)** $85 - 49$

4 5 8 9

7. Fais une estimation, puis effectue l'addition ou la soustraction.

a) $67 + 18$ **b)** $72 - 69$ **c)** $14 + 79$ **d)** $53 - 28$

5 7

8. Effectue les additions.

a) $\begin{array}{r} 25 \\ +\ 36 \\ \hline \end{array}$ **b)** $\begin{array}{r} 247 \\ +\ 19 \\ \hline \end{array}$ **c)** $\begin{array}{r} 156 \\ +\ 232 \\ \hline \end{array}$ **d)** $\begin{array}{r} 349 \\ +\ 267 \\ \hline \end{array}$

LEÇON

6 10

9. Effectue chaque addition ou soustraction à l'aide du calcul mental.

a) 31 + 32 **b)** 97 − 35 **c)** 64 − 26 **d)** 75 + 19

10. Explique comment effectuer l'addition ou la soustraction à l'aide du calcul mental.

a) 38 + 45 **b)** 50 − 18

7

11. Pour refaire le plancher de la classe, on a besoin de 476 carreaux rouges et de 385 carreaux jaunes. Combien de carreaux faut-il en tout ?

9 11

12. Effectue les soustractions.

a) $\begin{array}{r} 78 \\ -\ 23 \end{array}$ **b)** $\begin{array}{r} 690 \\ -\ 52 \end{array}$ **c)** $\begin{array}{r} 385 \\ -\ 256 \end{array}$ **d)** $\begin{array}{r} 500 \\ -\ 187 \end{array}$

11

13. Un camp d'été accueille 750 enfants. Après 1 semaine, 252 enfants rentrent à la maison.
Combien d'enfants reste-t-il au camp ?

12

14. Jenny a effectué 124 sauts de trampoline. Charles a effectué 73 sauts.

a) Combien de sauts ont-ils effectués en tout ?

b) Combien de sauts Jenny a-t-elle effectués de plus que Charles ?

15. Écris une addition et une soustraction à partir de chacune des réponses suivantes. Utilise des nombres à 1, 2 ou 3 chiffres.

a) 326 **b)** 307

c) 608 **d)** 281

16. Utilise des nombres à 3 chiffres. Crée un problème dont la réponse est 376.

Tes objectifs

- ☑ Utiliser des stratégies pour se rappeler les additions et les soustractions jusqu'à 18.
- ☑ Résoudre des équations d'addition et de soustraction.
- ☑ Estimer des sommes et des différences de nombres à 2 chiffres.
- ☑ Additionner et soustraire mentalement des nombres à 2 chiffres.
- ☑ Utiliser des stratégies personnelles pour additionner et soustraire des nombres à 1, 2 ou 3 chiffres.
- ☑ Créer et résoudre des problèmes d'addition et de soustraction.

Problème du module

La végétation dans nos parcs nationaux

Les plantes indigènes poussent dans les parcs nationaux depuis des centaines d'années.

PLANTES INDIGÈNES DANS LES PARCS NATIONAUX

PARC NATIONAL	ESPÈCES DE PLANTES
Yoho, Colombie-Britannique	587
Ivvavik, Yukon	242
Banff, Alberta	846
Aulavik, Territoires du Nord-Ouest	154
Quttinirpaaq, Nunavut	134
Prince Albert, Saskatchewan	564
Riding Mountain, Manitoba	623

Source : Parcs Canada, 2005

Dans les parcs nationaux, il y a aussi des plantes qui ne sont pas indigènes.

PLANTES NON INDIGÈNES DANS LES PARCS NATIONAUX

PARC NATIONAL	ESPÈCES DE PLANTES
Yoho, Colombie-Britannique	58
Banff, Alberta	77
Aulavik, Territoires du Nord-Ouest	3
Prince Albert, Saskatchewan	88

Source : Parcs Canada, 2005

Utilise l'information des tableaux.
Montre ton raisonnement à l'aide de mots, de nombres et d'équations.

Liste de contrôle

Ton travail devrait montrer :

- ☑ comment tu estimes, additionnes et soustrais pour trouver des sommes et des différences ;
- ☑ que tu sais quand il faut additionner ou soustraire ;
- ☑ comment tu as créé et résolu ton problème ;
- ☑ une explication claire de ton travail et de tes idées.

Partie 1

Aulavik signifie « l'endroit où les gens voyagent ».

- ➤ Combien d'espèces de plantes différentes les gens qui voyagent à Aulavik peuvent-ils voir ?
- ➤ Quel parc a le plus d'espèces de plantes indigènes ? Riding Mountain ou Yoho ? Combien de plus ?

Partie 2

Les botanistes sont des scientifiques qui étudient les plantes.

- ➤ Supposons que des botanistes découvrent 35 autres espèces de plantes indigènes dans chaque parc. Combien d'espèces de plantes indigènes y aura-t-il alors dans chaque parc ? Présente tes réponses dans un tableau.

Partie 3

- ➤ Choisis un parc dans le second tableau. Utilise toute l'information que tu peux trouver sur ce parc. Crée un problème d'addition ou de soustraction. Résous ton problème.

Retour sur le module

Que sais-tu d'important au sujet de l'addition et de la soustraction ?
Donne au moins 2 exemples dans ton explication.

Modules 1 à 3 — Révision cumulative

MODULE

1

1. Quelle image prolonge cette régularité ?
Justifie ta réponse.

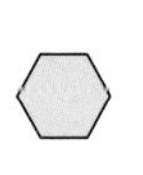 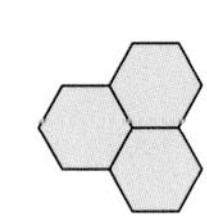 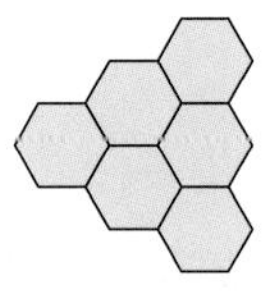

a) 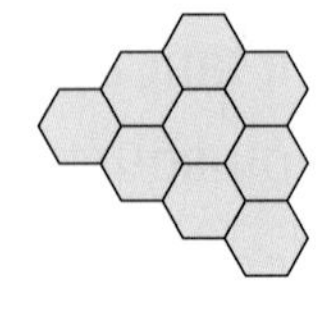

b) 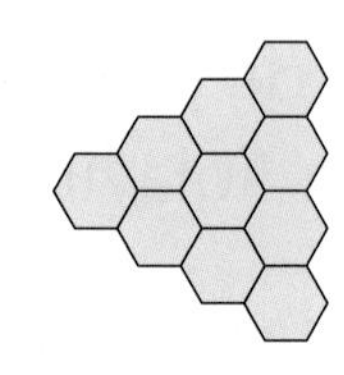

2. Utilise du papier quadrillé.

a) Crée une régularité : à partir de 2 ■, ajoute 2 ■ chaque fois.

b) Crée une autre régularité : à partir de 2 ■, ajoute 4 ■ chaque fois.

c) Quelles sont les ressemblances et les différences entre tes régularités ?

3. Quelle est la règle de la régularité ?
Recopie la régularité et écris les nombres qui manquent.

a) 36, 38, ___, ___, 44, 46, ___ **b)** 22, 32, ___, 52, ___, ___, 82

4. Utilise du papier quadrillé.

a) Crée une régularité décroissante.
Montre les 4 premières figures.

b) Écris la règle de ta régularité.

2

5. Représente chaque nombre à l'aide d'un dessin.
Écris ensuite le nombre dans un tableau de valeur de position.

a) 75 **b)** 249 **c)** 503 **d)** 230

6. Reproduis et complète. Utilise > ou <.

a) 73 □ 730 **b)** 874 □ 851

c) 934 □ 936 **d)** 208 □ 199

7. Thomas, Pierre et Caroline collectionnent les cartes de hockey.
Thomas a 124 cartes. Pierre a 205 cartes.
Caroline a plus de cartes que Thomas, mais moins que Pierre.
Combien de cartes peut-elle avoir ?

8. Note chaque fois comment tu as compté.
a) À partir de 137, compte par sauts de 5 jusqu'à 172.
b) À partir de 972, compte à rebours par sauts de 10 jusqu'à 852.
c) À partir de 234, compte par sauts de 4 jusqu'à 254.

9. À partir de 738, Jamie compte à rebours par sauts de 5.
Va-t-elle nommer 635 ? Explique pourquoi.

10. Marie a des pièces de 1 ¢, de 10 ¢ et de 1 $.
Elle a en tout quatre dollars et trente-sept cents.
Montre 3 combinaisons possibles de pièces pour ce montant.

3

11. Trouve le nombre qui manque. Décris ta stratégie.
a) $9 + \square = 12$ **b)** $18 - \square = 9$ **c)** $\square + 5 = 13$

12. Effectue l'addition ou la soustraction.
a) $368 + 292$ **b)** $409 + 567$ **c)** $734 - 576$
d) $801 - 699$ **e)** $310 + 259$ **f)** $499 - 218$

13. Une marchande avait 738 ballons. Elle en a vendu 579.
Combien lui reste-t-il de ballons ? Décris ta stratégie.

14. Des élèves ont planté des arbres dans un parc.
Ils ont planté 183 pins et 231 cèdres.
a) Combien de cèdres ont-ils plantés de plus ?
b) Combien d'arbres ont-ils plantés en tout ?

15. La réponse à un problème est 427.
Quelle peut être le problème ?
Crée un problème qui a comme réponse le nombre 427.

La mesure

Tes objectifs

- Utiliser des unités de mesure non standards et standards pour mesurer le passage du temps.
- Utiliser un calendrier.
- Déterminer la longueur, la largeur et la hauteur en centimètres et en mètres.
- Mesurer le périmètre en centimètres et en mètres.
- Déterminer la masse d'un objet en grammes et en kilogrammes.

Mots clés

- une unité
- une heure (h)
- une minute (min)
- une seconde (s)
- un calendrier
- la longueur
- la largeur
- la hauteur
- le centimètre (cm)
- le mètre (m)
- un référent
- le périmètre
- la masse
- le kilogramme (kg)
- le gramme (g)

Marie et Simon aiment cultiver des légumes. Tout l'été, ils s'occupent de leur potager.

Comment peuvent-ils mesurer la longueur d'une carotte ? Comment peuvent-ils mesurer la hauteur d'une tige de maïs ? Comment peuvent-ils mesurer la distance autour du potager ?

Peux-tu suggérer d'autres façons de mesurer ?

Mesurer le passage du temps

Qu'est-ce qui te prend le plus de temps :
- lacer tes chaussures

ou
- t'habiller pour aller jouer dans la neige ?

Qu'est-ce qui te prend le moins de temps :
- faire un pain

ou
- manger un morceau de pain ?

Comment peux-tu le savoir ?

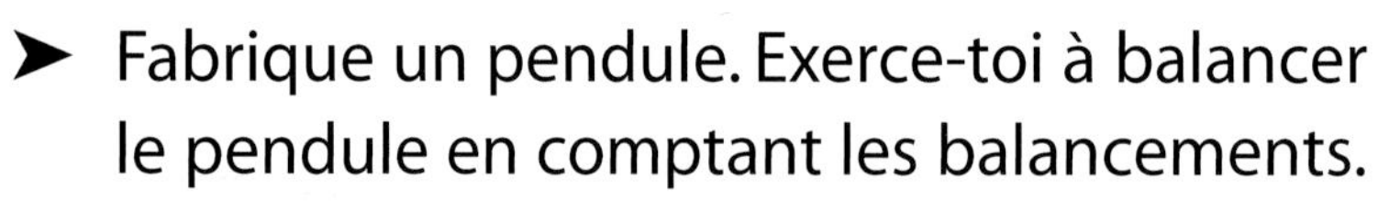

Tu as besoin d'une ficelle et d'une rondelle.

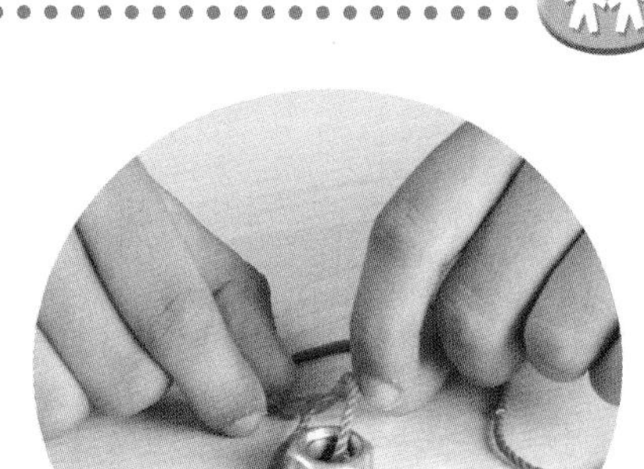

➤ Fabrique un pendule. Exerce-toi à balancer le pendule en comptant les balancements.

➤ Utilise ton pendule. Mesure le temps qu'il faut à ta ou à ton camarade pour :
- nommer les lettres de l'alphabet ;
- dessiner 10 bonshommes sourire ;
- écrire 5 fois son nom ;
- faire une activité de son choix.

Note ton travail.

Activité	Nombre de balancements
nommer les lettres de l'alphabet	
dessiner 10 bonshommes sourire	

 OBJECTIF | Utiliser une unité non standard pour mesurer le passage du temps.

Qu'as-tu **trouvé?**

Quelle activité a pris le plus de temps ?
Quelle activité a pris le moins de temps ?
Comment le sais-tu ?
Compare tes résultats avec ceux de deux autres camarades.
Pourquoi vos résultats peuvent-ils être différents ?

Découvre

Nous pouvons mesurer la durée d'une activité en utilisant des unités différentes.

Samuel attache ses mukluks en 15 balancements de pendule.

Annie se rend au magasin en 1 chanson qui joue à la radio.

Hannah brosse son chien en 1 émission de télévision.

Les élèves réussissent à construire un fort de neige en 2 récréations.

À ton tour

Travaille avec une ou un camarade pour répondre aux questions 1 à 3. Utilise ton pendule.

1. Mesure la durée de chaque activité.
- **a)** Compter par sauts de 5, de 0 jusqu'à 50.
- **b)** Dessiner un bonhomme de neige.
- **c)** Enlever et remettre tes chaussures.
- **d)** Écrire les nombres de 1 à 30.

2. Trouve une activité qui prend environ 25 balancements de pendule. Présente cette activité à l'aide de dessins ou de mots.

3. Quelle activité prend le plus de temps :
   a) taper des mains 6 fois ou compter jusqu'à 20 ?
   b) dessiner le visage d'un clown ou sauter 10 fois ?
   c) trouver la page 237 dans ton manuel de mathématiques ou nommer les lettres de l'alphabet ?

4. Quelle unité utiliserais-tu pour mesurer le temps nécessaire pour faire les activités suivantes ? Explique tes choix.
   a) Aller à la bibliothèque
   - Des balancements de pendule ou des émissions de télévision ?

   b) Te brosser les cheveux
   - Des messages publicitaires télévisés ou des émissions de télévision ?

   c) Chanter le « Ô Canada »
   - Des balancements de pendule ou des récréations ?

   d) Mettre tes bottes
   - Des émissions de télévision ou des balancements de pendule ?

5. Choisis la meilleure estimation.
   a) Faire tes devoirs
   - 1 ou 5 émissions de télévision ?

   b) Jouer à un jeu de société
   - 1 ou 3 récréations ?

   c) Faire ton lit
   - 1 ou 4 messages publicitaires télévisés ?

6. Nomme 2 façons de mesurer la durée d'une activité.

Réfléchis

Explique comment tu choisis une unité pour mesurer la durée d'une activité.

À la maison

Choisis une activité que tu fais à la maison. Quelle unité de temps pourrais-tu utiliser pour mesurer la durée de cette activité ? Estime la durée de cette activité, puis vérifie-la.

LEÇON 2

Explorer les unités de mesure du temps

À quoi une minute correspond-elle ? L'aiguille des secondes fait un tour d'horloge en une **minute.** Elle se déplace d'une marque à l'autre en une **seconde.**

Explore

Tu as besoin d'une horloge ou d'une montre qui a une aiguille des secondes. Fais une activité pendant que ta ou ton camarade mesure le temps, puis inversez les rôles.

➤ Que peux-tu faire en une minute ?
- Jusqu'à combien peux-tu compter ?
- Combien de coeurs peux-tu dessiner ?
- Combien de fois peux-tu lacer une chaussure ?

Activité	Kim	Tim
Compter	123	108
Dessiner des coeurs	59	
Lacer une chaussure		

➤ Que peux-tu faire en une seconde ?
- Peux-tu écrire ton nom ?
- Peux-tu cligner des yeux 2 fois ?
- Peux-tu toucher tes orteils 5 fois ?

Objectif | Établir un lien entre le passage du temps et certaines activités courantes en utilisant les minutes et les heures.

Qu'as-tu trouvé?

Montre tes résultats à deux autres camarades.
Vos résultats sont-ils semblables ou différents ?
Pourquoi, selon toi ?

Découvre

Tu peux mesurer le temps en différentes unités.

La **minute** (min) est une courte unité de temps.
Il faut une minute (1 min) pour que l'**aiguille des minutes** se déplace d'une marque à l'autre sur l'horloge.

Il faut environ 1 min pour se brosser les dents.

Il faut environ 5 min pour remplir une baignoire.

Il faut environ 15 min pour manger un repas.

L'**heure** (h) est une unité de temps plus longue. Il faut une heure (1 h) pour que l'**aiguille des heures** se déplace d'un nombre à l'autre sur l'horloge.

La **seconde** (s) est une très courte unité de temps.
Il faut une seconde (1 s) pour que l'**aiguille des secondes** se déplace d'une marque à l'autre sur l'horloge.

L'aiguille des secondes est aussi appelée la trotteuse.

Voici des liens entre les unités de temps.
Une minute = soixante secondes (1 min = 60 s)
Une heure = soixante minutes (1 h = 60 min)

À ton tour

1. Utilises-tu les minutes ou les heures pour mesurer le temps qu'il te faut pour :
   - **a)** te faire un sandwich ?
   - **b)** lire un chapitre d'un livre ?
   - **c)** construire une cabane d'oiseaux ?
   - **d)** prendre une douche ?

2. Choisis la meilleure estimation.
   - **a)** Boire un verre de lait
     - 5 min ou 45 min ?
   - **b)** Compter jusqu'à 100
     - 1 min ou 50 min ?
   - **c)** Faire ton lit
     - 2 min ou 45 min ?

3. **a)** Nomme 2 activités qui peuvent se faire en 1 min.
   b) Nomme 2 activités qui peuvent se faire en 1 h.

4. **a)** Nomme 2 activités que tu ne mesures pas en minutes.
   b) Nomme 2 activités que tu ne mesures pas en heures.

5. Imagine que tu n'as pas d'horloge ni d'autre moyen pour lire l'heure. Utilise des dessins, des mots ou des nombres pour expliquer ton raisonnement.
   a) Comment peux-tu dire qu'environ 5 min ont passé ?
   b) Comment peux-tu dire qu'environ 1 h a passé ?

6. Nathan est allé 1 h chez son grand-père.
   Ils ont pêché sur la glace pendant 40 min.
   Le reste du temps, ils ont fait de la raquette.
   Pendant combien de temps Nathan et son grand-père ont-ils fait de la raquette ?

7. Aki a dessiné un morse en 46 s.
   Olivier a dessiné un morse en 1 min.
   Qui a pris le plus de temps pour dessiner le morse ?
   Combien de temps de plus a-t-il pris ?

Math +

Autour de toi

Raymond Saunders est un Canadien qui fabrique des horloges. Il a fabriqué la célèbre horloge de Vancouver qui fonctionne à la vapeur d'eau, la Gastown Steam Clock. Il a aussi fabriqué d'autres horloges à vapeur à Whistler et à Port Coquitlam.

Tu peux voir l'intérieur de l'horloge grâce aux panneaux vitrés. L'horloge siffle toutes les 15 min et tu peux voir la vapeur s'échapper.

Réfléchis

Comment peux-tu expliquer à une ou un élève de 1re année ce que 10 minutes représentent ?

Explorer le calendrier

Qu'indique cette page de **calendrier** ?

Explore

Vous avez besoin d'une page blanche de calendrier et de 4 fiches.

➤ En équipe de deux, choisissez un mois.
- Créez le calendrier de ce mois.
- Planifiez les activités de ce mois. Notez les activités sur le calendrier.
- Créez 4 questions sur des fiches à propos des activités notées sur votre calendrier.

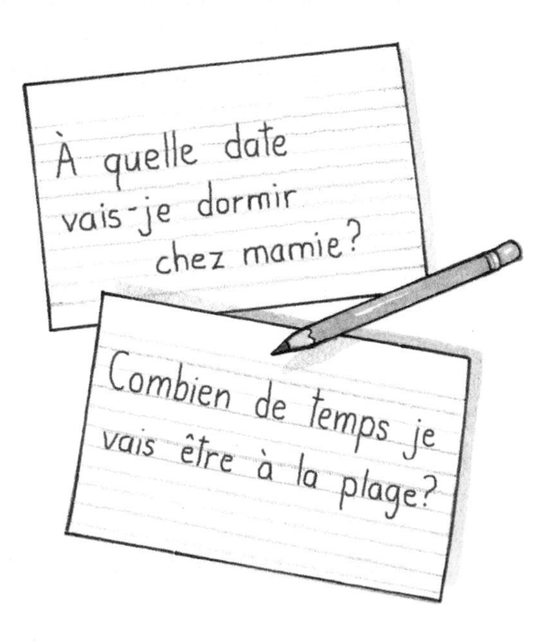

Qu'as-tu **trouvé?**

Échangez votre calendrier contre celui d'une autre équipe.
Répondez aux questions de vos camarades à l'aide de leur calendrier.

Découvre

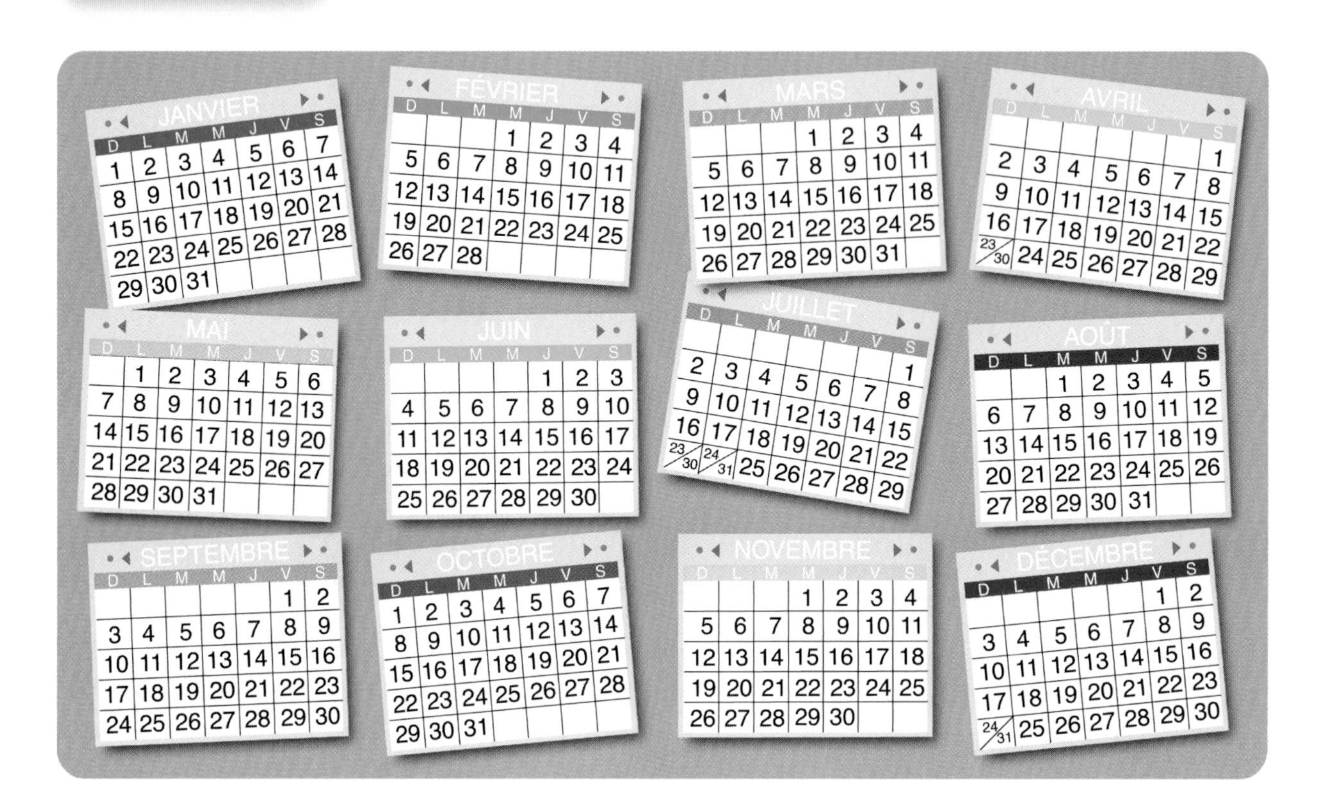

Chaque page du calendrier montre les jours et les semaines de 1 mois de l'année.

Les jours, les semaines, les mois et les années sont des unités de temps.

Les pages du calendrier montrent que :

- 7 mois ont 31 jours ;
- 4 mois ont 30 jours ;
- le mois de février a 28 jours.

Tous les 4 ans, le mois de février a 29 jours. Ces années se nomment des années *bissextiles*.

À ton tour

1. Nomme une chose que tu peux faire en :
   a) 1 jour **b)** 1 semaine **c)** 1 mois **d)** 1 an
2. Quelle unité utilises-tu pour mesurer les durées suivantes ? Choisis des jours, des semaines, des mois ou des années.
   a) Le temps qu'il faut à un pépin de pomme pour devenir un pommier aussi grand que toi.
   b) Le temps qu'il faut pour apprendre à faire de la bicyclette.
   c) Le temps qu'on te prête un livre à la bibliothèque.
   d) La durée d'une fin de semaine.
   e) La durée de chaque saison.
   f) Le temps qui sépare ton septième anniversaire de ton huitième anniversaire.
3. Quelle est la plus longue période ? Comment le sais-tu ?
   a) 1 mois ou 2 semaines ? **b)** 1 semaine ou 5 jours ?
   c) Octobre ou juin ? **d)** 16 jours ou 2 semaines ?
4. Aliy Zirkle a été la première femme à remporter la *Yukon Quest*, une course de traîneaux à chiens. Elle a réussi en 10 jours, 22 heures et 57 minutes. A-t-elle réussi en plus ou moins de 2 semaines ? Explique ta réponse.

Utilise un calendrier pour répondre aux questions 5 à 8.

5. Supposons que la *Yukon Quest* commence le 9 février. La gagnante ou le gagnant franchit la ligne d'arrivée 12 jours plus tard.
   a) Quel jour de la semaine la course commence-t-elle ?
   b) À quelle date la course se termine-t-elle?

Il existe plusieurs moyens de se souvenir du nombre de jours de chaque mois. De gauche à droite, compte sur tes jointures. Chaque bosse correspond à un mois de 31 jours et chaque creux , à un mois de 30 jours ou à février. Ce poème ancien peut aussi t'aider...

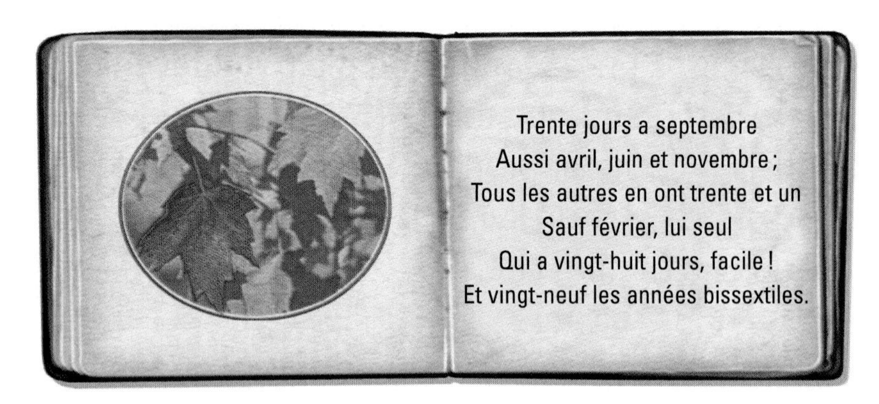

6. **a)** Nomme les mois qui ont 31 jours.
b) Nomme les mois qui ont 30 jours.
c) Combien de lundis y a-t-il au mois de juillet cette année ?
d) Si tu aimes les samedis, quels sont tes mois préférés ? Explique ta réponse.

7. Hassan a promis de laver la vaisselle tous les jours du mois de mars. Aujourd'hui, nous sommes le 22 mars et il vient de laver la vaisselle. Pendant combien de jours Hassan doit-il encore laver la vaisselle ?

8. Le Canada célèbre la Journée nationale des Autochtones le 21 juin. Combien de temps reste-t-il avant la prochaine Journée nationale des Autochtones ?

9. Thomas et sa famille iront en camping tous les jours des mois de juillet et août. Pendant combien de jours seront-ils partis ? Montre ton raisonnement à l'aide de dessins, de nombres ou de mots.

Réfléchis

Comment peux-tu savoir combien de temps a passé depuis le jour de ton anniversaire ? Nomme les unités de mesure que tu as choisies et explique pourquoi tu as choisi ces unités.

Utiliser une règle

Pourquoi Louis et Angela ont-ils des mesures différentes ?
Que peuvent-ils faire pour obtenir la même mesure ?

Tu as besoin d'une longue bande de carton rigide, de bandes de papier vert et jaune et de colle.

➤ Fabrique une règle de carton rigide. Colle les bandes de couleur le long du haut du carton. Utilise la régularité vert, jaune, vert, jaune, … Les bandes doivent se toucher sans se recouvrir.

➤ Utilise ta règle de carton rigide pour mesurer la longueur :
- d'un crayon ;
- du dessus de ton pupitre ;
- de ta main ;
- de l'une de tes chaussures ;
- d'un objet de ton choix.

Objets mesurés	Longueur
un crayon	presque 3 unités
le dessus de ton pupitre	

Objectif | Mesurer la longueur à l'aide d'une règle.

Qu'as-tu **trouvé?**

Montre tes résultats à deux autres camarades.

Pourquoi est-il important que tout le monde utilise les mêmes unités pour mesurer les longueurs ?
De quelle façon préfères-tu mesurer ? Explique ta réponse.

- avec des objets

ou

- avec une règle de carton rigide ?

Une règle est un outil qui sert à mesurer la longueur.

➤ La règle de carton rigide utilise des unités de bandes de papier.

Le porte-crayon mesure 4 unités de long.

➤ Cette règle est graduée en **centimètres** (cm).

La gomme à effacer mesure 6 cm de long.

Les centimètres sont des unités standards qui servent à mesurer la longueur.
Ils nous aident à comprendre les résultats que les personnes ont obtenus.

Tu peux utiliser une règle pour tracer une ligne d'une longueur donnée.

Commence à 0 cm.
Trace une ligne droite le long de la règle jusqu'à la longueur voulue.

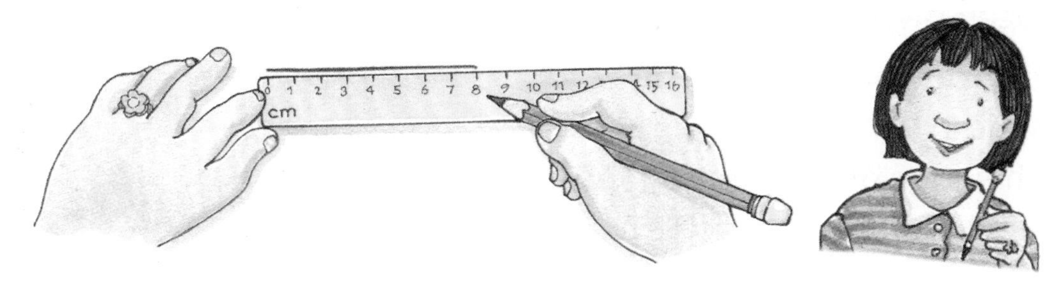

À ton tour

Utilise une règle graduée en centimètres pour répondre aux questions 1 à 4.

1. Trouve 2 objets dont la longueur se situe entre 10 cm et 20 cm.
Mesure chaque objet.
Note tes résultats.

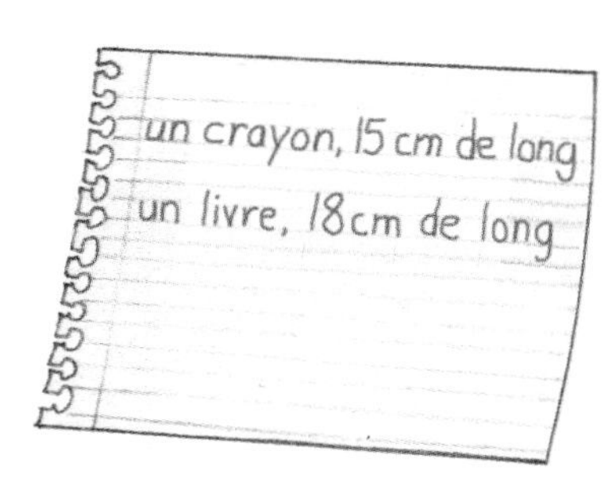

2. Trouve 3 objets dans la classe :
- 1 objet qui mesure moins de 25 cm de long ;
- 1 objet qui mesure plus de 25 cm de long ;
- 1 objet qui mesure environ 25 cm de long.

Note tes résultats.

3. Mesure la longueur de chaque figure.

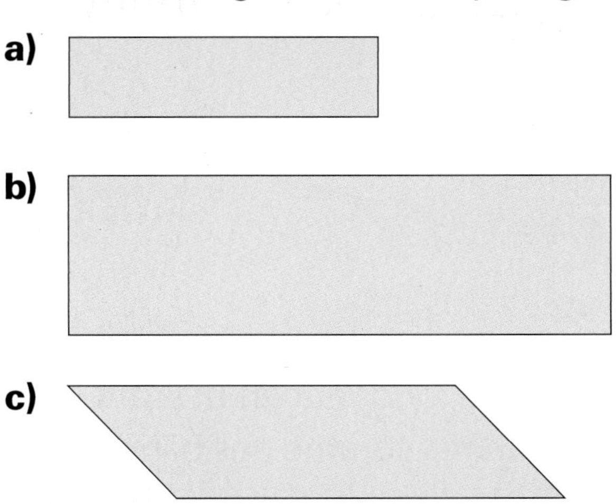

4. Trace une ligne pour chaque énoncé afin de montrer la longueur ou la hauteur. Nomme chaque ligne.

a) Une sauterelle mesure environ 6 cm de long.
b) Elle peut sauter environ 25 cm de haut.
c) Au Canada, les scarabées mesurent environ 3 cm de long.
d) Ils peuvent faire des sauts de presque 11 cm de haut.
e) En Amérique du Sud, les scarabées peuvent mesurer plus de 13 cm de long.

5. Sans utiliser de règle, trace une ligne qui mesure environ :

a) 11 cm **b)** 3 cm **c)** 10 cm

Ensuite, mesure chaque ligne pour vérifier ce que tu as fait.

6. Adam dit que cette ligne droite mesure 12 cm de long. Es-tu d'accord avec Adam ? Explique ta réponse.

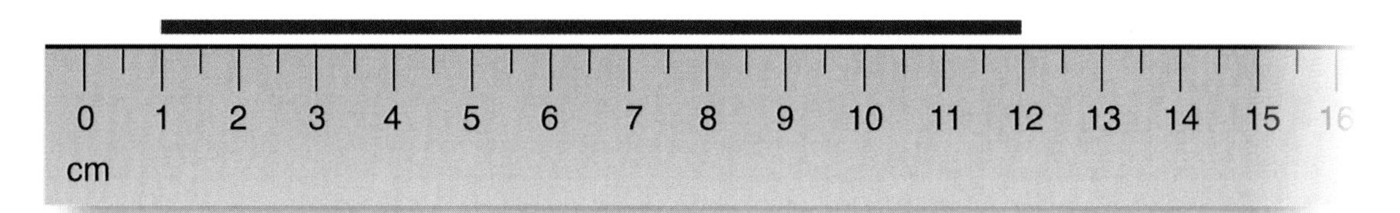

7. Marcella dit que ce crayon mesure 8 cm de long. A-t-elle raison ? Comment le sais-tu ?

Réfléchis

Pourquoi est-il préférable de mesurer la longueur en utilisant les centimètres plutôt que d'autres unités comme des bandes de papier ? Explique tes raisons à l'aide de dessins ou de mots.

Estimer et mesurer en centimètres

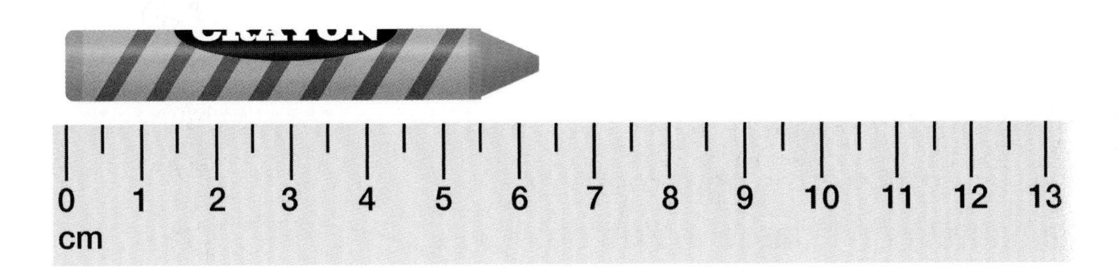

Ce crayon de cire est plus **long** que 6 cm, mais plus **court** que 7 cm.
Le crayon mesure environ 6 cm de long.

Explore

Tu as besoin d'une règle de 30 cm ou d'un mètre à ruban.

➤ Estime et note la longueur de :
- ta main ;
- ton pouce ;
- ton bras ;
- ton pied.

➤ Mesure et note la longueur de chaque partie du corps.
Tes estimations étaient-elles bonnes ?

Voici 2 façons de noter ton travail :
- fais un dessin et écris la mesure dessus

ou
- fais une liste.

Le bras de Tania est plus long que la règle. Je mesure 30 cm, j'indique où je suis rendu, puis j'ajoute la prochaine mesure.

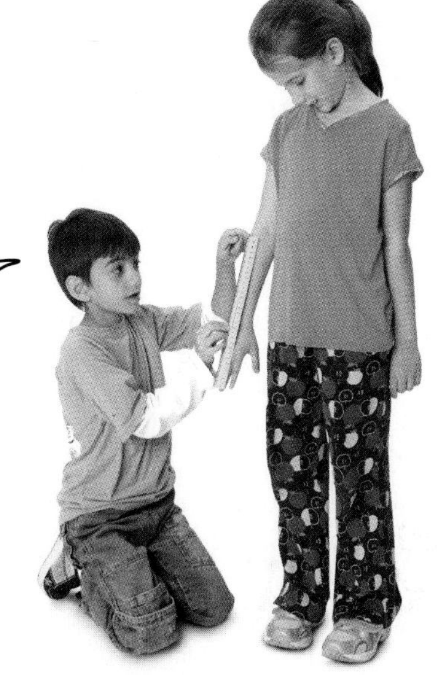

Objectif | Choisir des référents pour le centimètre afin d'estimer et de mesurer la longueur, la largeur et la hauteur.

Qu'as-tu trouvé?

Discute avec ta ou ton camarade.

Imagine que tu as perdu ta règle. Comment pourrais-tu déterminer la largeur de ton manuel de mathématiques ?

Découvre

Tu peux utiliser les centimètres pour mesurer la longueur, la hauteur ou la largeur d'un objet. Voici quelques référents qui t'aideront à imaginer les centimètres.

Ton doigt mesure environ 1 cm de large. Sa **largeur** est de 1 cm.

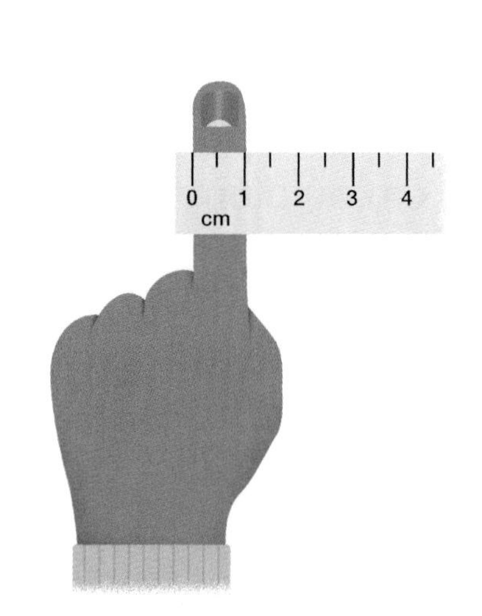

Le comptoir mesure environ 100 cm de haut. Sa **hauteur** est de 100 cm.

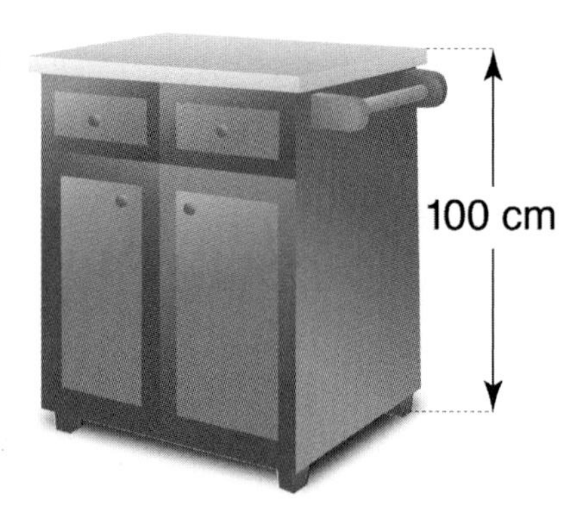

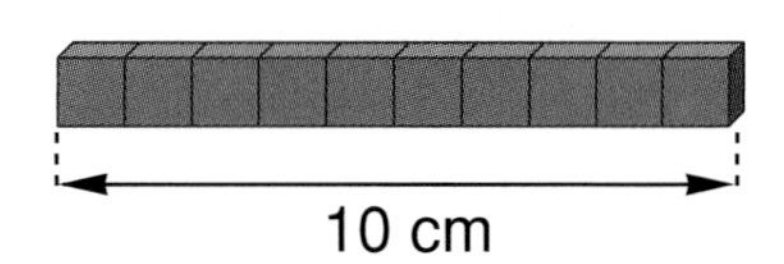

Une réglette mesure 10 cm de long. Sa **longueur** est de 10 cm.

Un référent t'aide à estimer les mesures d'un objet même si tu ne peux pas l'atteindre.

À ton tour

1. Choisis un référent que tu peux utiliser pour 1 cm.
   Explique ton choix.

2. Utilise ton référent de la question 1.
   Trouve chaque objet présenté ci-dessous.
   Estime la longueur ou la largeur de l'objet.
   Explique comment ton référent t'aide à faire une estimation.
   a) la chaussure d'une ou d'un camarade
   b) un tableau d'affichage
   c) un marqueur

3. Trouve chaque objet.
   Mesure la longueur et la largeur ou la hauteur de l'objet.
   Note chaque mesure.
   a) un trombone
   b) des ciseaux
   c) le dessus d'une table

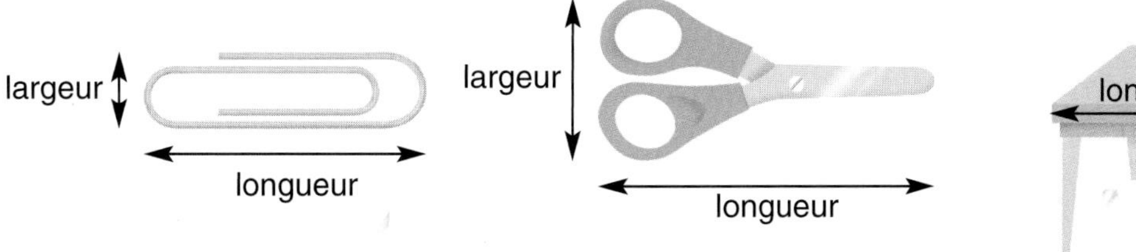

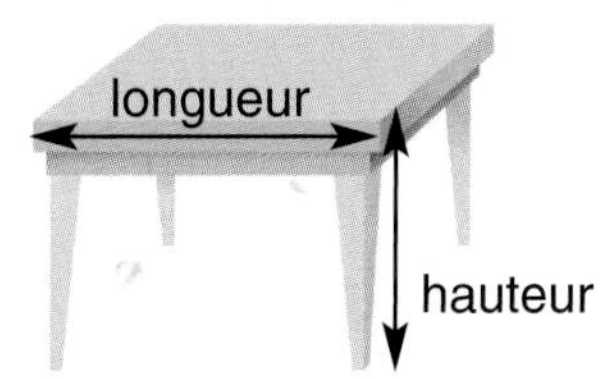

4. Choisis un objet.
   Mesure la hauteur, la longueur et la largeur de l'objet.
   Note tes résultats.

Objet	Hauteur	Longueur	Largeur
bibliothèque			

5. **a)** Nomme un objet qui mesure environ 10 cm de long.
   b) Nomme un objet qui mesure environ 50 cm de haut.
   Comment sais-tu que tes estimations sont près des mesures réelles ?

6. Quelle est la longueur de chaque bande de papier ?
Comment le sais-tu ?

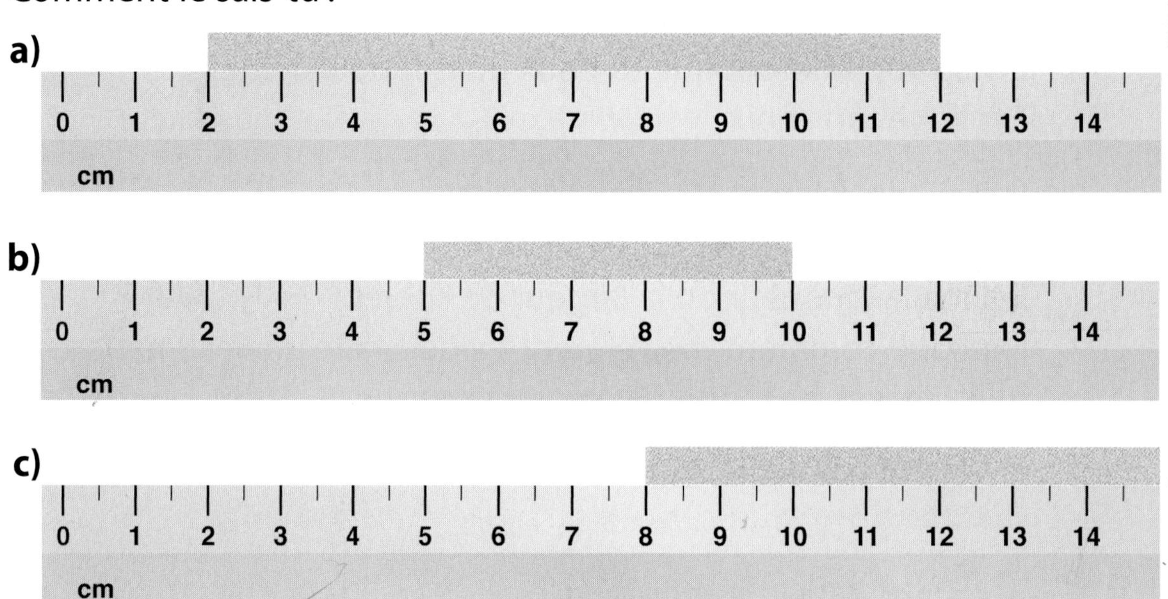

7. Daniel a brisé sa règle.

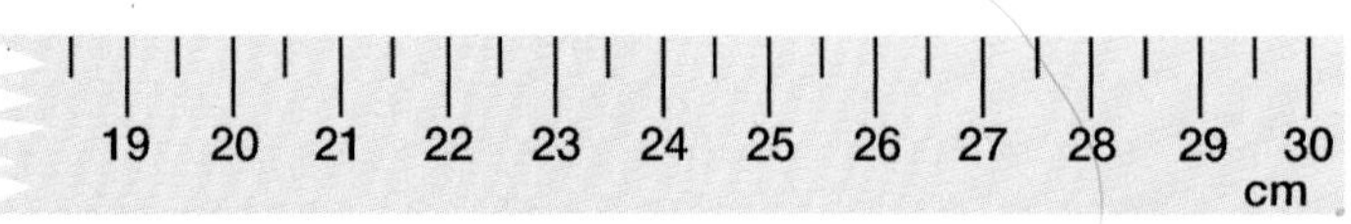

Comment Daniel peut-il utiliser sa règle brisée pour mesurer la longueur et la largeur de son pupitre ?

8. Un petit trombone mesure environ 3 cm de long.
Un grand trombone mesure environ 5 cm de long.
Combien peux-tu placer de trombones de chaque sorte le long d'une règle de 30 cm ?
Comment le sais-tu ?

Réfléchis

Imagine que tu n'as pas de règle.
Comment peux-tu savoir si un crayon est plus long ou plus court que 10 cm ? Explique ta réponse à l'aide de mots, de dessins ou de nombres.

À la maison

Ton doigt mesure environ 1 cm de large. Utilise tes doigts pour mesurer des objets à la maison. Fais des dessins pour montrer ce que tu as mesuré.

Entre deux boutons

Jeu

Tu as besoin de 2 boutons et d'une règle ou d'un mètre à ruban.

Le but du jeu est d'estimer le plus précisément possible la distance entre 2 boutons.

- Place les boutons à la distance de ton choix sur la table.
- Estime le nombre de centimètres entre les boutons. Ta ou ton camarade fera aussi une estimation.
- Ensemble, mesurez la distance entre les boutons.
- L'élève qui a la réponse la plus proche de la mesure réelle, mais sans la dépasser, marque un point.
- Inversez les rôles. Il faut 5 points pour gagner la partie. Tu peux jouer de nouveau si tu le désires.

Estimer et mesurer en mètres

Sarah et Caroline voulaient mesurer des objets plus longs. Elles ont trouvé une longue règle de bois dans la classe.

Cette règle mesure un **mètre**. Nous l'appelons un mètre rigide. Sarah et Caroline ont découvert que la bibliothèque mesure environ deux mètres de long.

Explore

En équipe de deux, utilisez un mètre rigide ou un mètre à ruban et des réglettes. Trouvez un lien entre les centimètres et les mètres.

Qu'as-tu trouvé?

Discutez avec une autre équipe.
Dites-lui ce que vous avez découvert au sujet des centimètres et des mètres.

Comment pouvez-vous utiliser le mètre rigide pour mesurer la porte de la classe?
Comment pouvez-vous l'utiliser pour mesurer un pupitre?

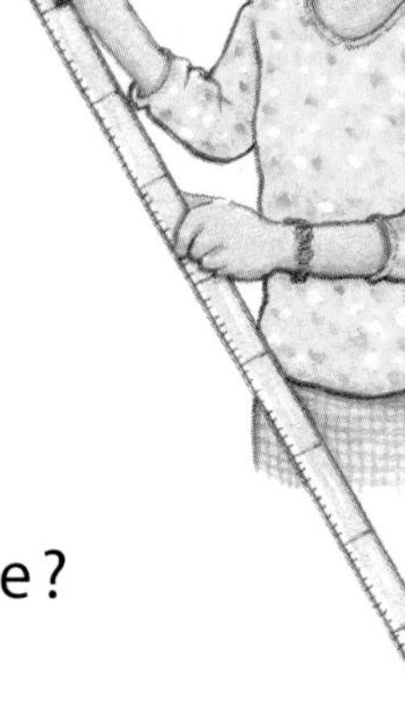

 OBJECTIF | Utiliser les mètres pour mesurer la longueur, la largeur et la hauteur.

Découvre

Un **mètre** (m) a une longueur de 100 cm.

1 m = 100 cm

Voici quelques référents pour le mètre :
Un bâton de baseball mesure environ
1 m de long.

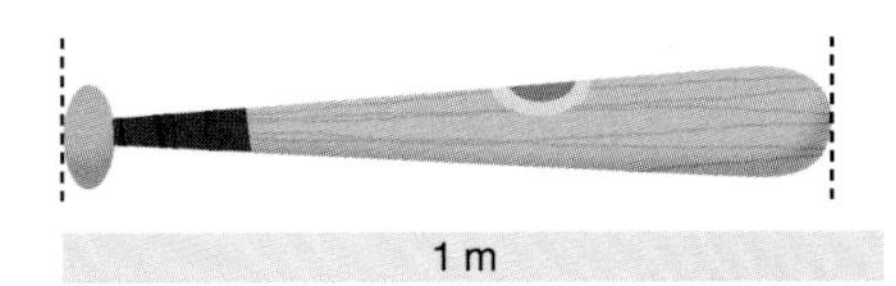

Lola a 3 ans.
Elle mesure environ
1 m de haut.

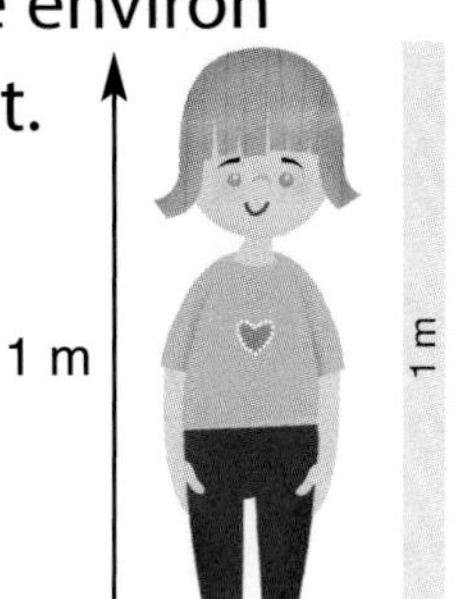

Un **référent** peut t'aider à estimer la longueur d'un objet que tu ne peux pas atteindre.

Un réfrigérateur mesure environ 150 cm de haut.
Tu peux aussi écrire 1 m 50 cm.

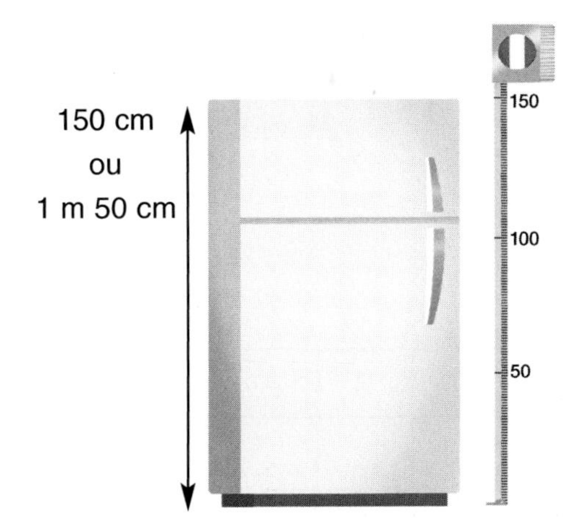

Une camionnette mesure environ 180 cm ou 1 m 80 cm de large.

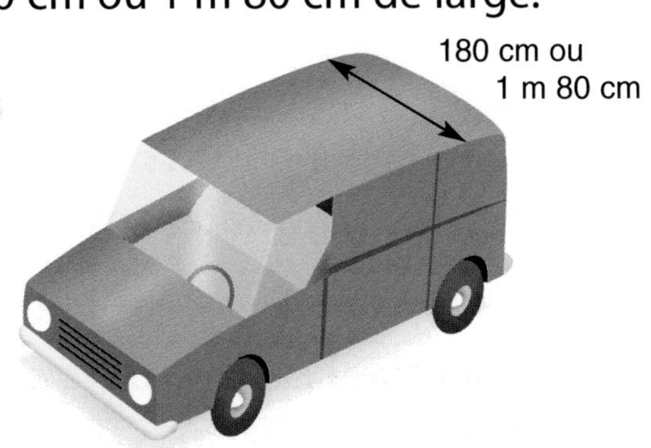

À ton tour

1. Nomme 2 objets présents dans ta classe qui sont plus hauts que 1 m, mais plus petits que 2 m.

2. Nomme un objet que tu peux utiliser comme référent pour 1 m.
   Explique ton choix.

3. Choisis les centimètres ou les mètres pour déterminer chaque mesure. Note tes résultats.
   a) la hauteur de ton pupitre
   b) la longueur du corridor
   c) la largeur du corridor
   d) la longueur de ta chaussure

4. Utilise un mètre à ruban ou un mètre rigide.
   Trouve chaque objet dans ta classe.
   Détermine les mesures et note tes résultats.

   a) la longueur du bureau de ton enseignante ou de ton enseignant

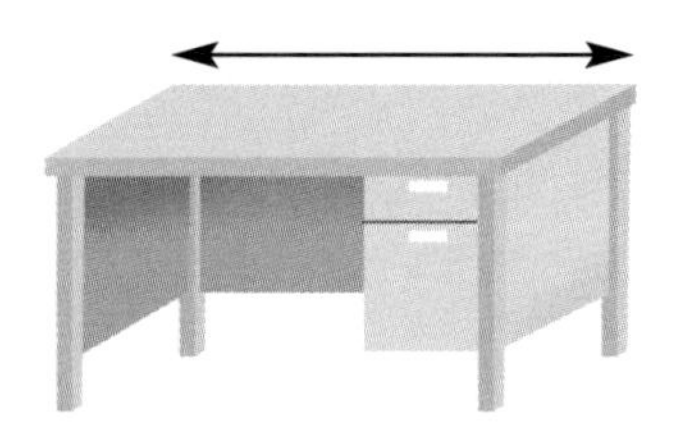

   b) la hauteur de la porte de ta classe

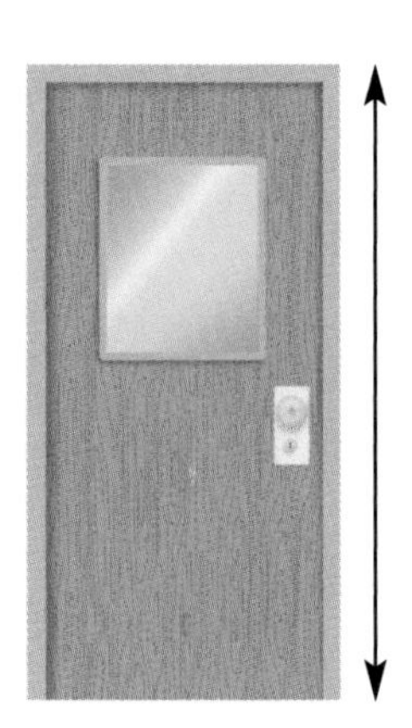

   c) la largeur d'une fenêtre

5. Copie et remplis ce tableau.
   Comment peux-tu compter par sauts ?
   Quelles régularités vois-tu ?

Mètres	1	2	3	4	5	6	7	8	9	10
Centimètres	100									

6. Chaque objet est-il un bon référent pour 1 cm ou pour 1 m ?

a) la hauteur d'un but de hockey

b) la largeur d'un bâtonnet de bois

c) la largeur d'une agrafe

d) la largeur d'une porte

7. Supposons que tu trouves un bâton de 178 cm de long. Sa longueur est-elle plus proche de 1 m ou de 2 m ? Comment le sais-tu ?

8. Sur le trottoir, des enfants ont dessiné à la craie une ligne plus longue que 1 m, mais plus courte que 2 m. Quelle peut être la longueur de cette ligne ? Comment le sais-tu ?

9. Supposons que tu n'as pas de mètre rigide ni de mètre à ruban. Comment peux-tu dire si un objet a environ 1 m de long ?

10. Un crayon a 18 cm de long. Combien de crayons peux-tu placer bout à bout le long d'un mètre rigide ? Explique ton raisonnement.

Réfléchis

Quand n'utilises-tu pas les mètres pour mesurer ? Explique à l'aide de mots, de dessins ou de nombres.

Coupe un bout de ficelle de 1 m de long. Apporte ta ficelle à la maison et trouve 3 objets à mesurer.

LEÇON

La boîte à outils

Explore

Une fourmi a parcouru 6 m entre sa fourmilière et un tas de miettes. Elle a ramassé une miette et l'a emportée dans la fourmilière. Elle est retournée chercher une autre miette et l'a rapportée à la fourmilière. Quelle distance a-t-elle parcourue en tout ?

Résous ce problème avec une ou un camarade.

Qu'as-tu trouvé ?

Décrivez la stratégie utilisée pour résoudre le problème.

Découvre

Annie, Bob, Chloé et Dany habitent le même étage.
Il y a 20 m de distance entre chez Annie et chez Dany.
Les appartements de Bob et de Chloé se trouvent entre ceux d'Annie et de Dany.
Il y a 8 m de distance entre chez Annie et chez Bob.
Il y a 4 m de distance entre chez Chloé et chez Dany.
Quelle distance y a-t-il entre chez Bob et chez Chloé ?

Que sais-tu ? Il y a :
- 20 m entre chez Annie et chez Dany ;
- 8 m entre chez Annie et chez Bob ;
- 4 m entre chez Chloé et chez Dany.

Pense à une stratégie.
- Tu peux **faire un dessin.**
- Montre la porte de chaque appartement sur l'étage.

Stratégies
- Fais un tableau.
- Utilise un modèle.
- Fais un dessin.
- Résous un problème plus simple.
- Travaille à rebours.
- Prédis et vérifie.
- Dresse une liste ordonnée.
- Cherche une régularité.

 OBJECTIF | Interpréter un problème et choisir une stratégie appropriée.

Note sur le dessin les distances que tu connais.
Trouve la distance entre chez Bob et chez Chloé.

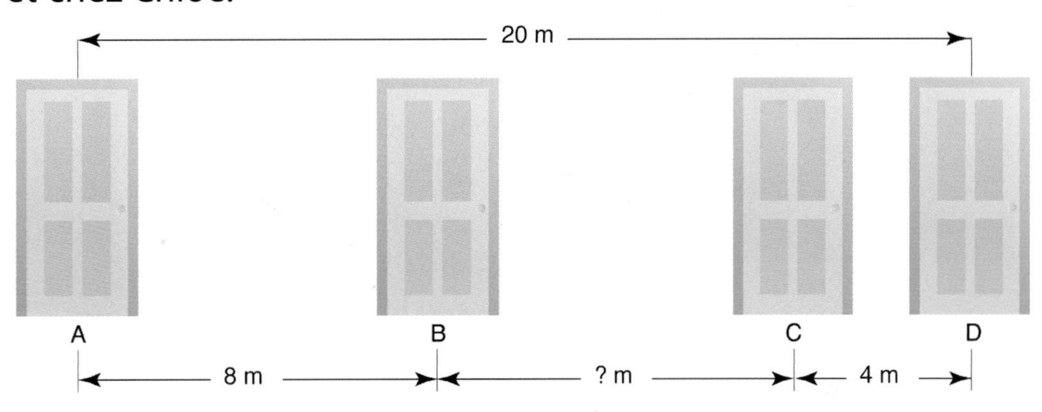

La somme des distances entre A et B, B et C, et C et D est-elle égale à 20 m ?

De quelle autre façon peux-tu résoudre le problème ?

À ton tour

Choisis une **Stratégie**

1. Winnie mesure 6 cm de plus que Xavier.
   Xavier mesure 10 cm de plus que Zoé.
   Winnie mesure 132 cm.
   Combien mesure Zoé ?

2. Le jardin de Mona a 3 côtés. Les côtés mesurent 5 m, 7 m et 5 m.
   Mona a planté des zinnias à 1 m d'écart autour de son jardin.
   Combien de zinnias a-t-elle plantés ?

Réfléchis

Explique comment un dessin peut t'aider à résoudre un problème.

Mesurer le périmètre en centimètres

Hélène colle de la laine autour de ce cadre.

De quelle longueur de laine a-t-elle besoin pour faire le tour du cadre ?

La distance autour du cadre s'appelle le **périmètre**.

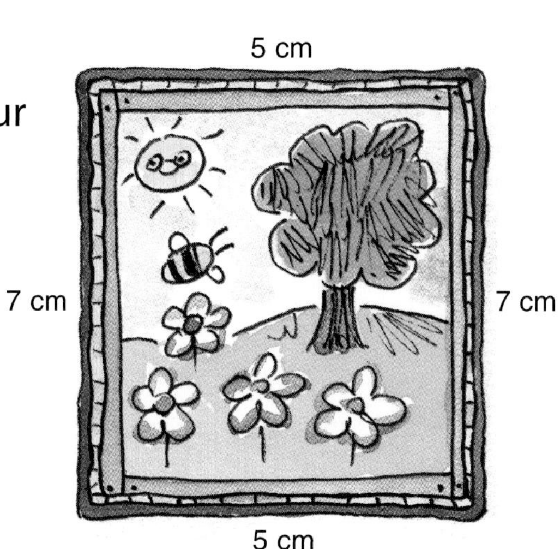

Explore

Tu as besoin d'une règle.

➤ Regarde 12 cm sur la règle.
Trouve un objet qui a, selon toi, un périmètre de 12 cm.
Mesure l'objet pour vérifier ton estimation.

➤ Trouve un autre objet qui a un périmètre de 12 cm.

➤ Cherche des objets qui ont un périmètre de :
- 20 cm ;
- 50 cm.

Note ton travail.

Qu'as-tu trouvé ?

Montre ton travail à d'autres camarades.
Montre comment tu as mesuré le périmètre.

 OBJECTIF | Estimer et mesurer le périmètre en centimètres.

Découvre

➤ Le groupe de Caroline a trouvé le périmètre d'une carte de hockey. Chaque membre du groupe a utilisé une façon différente de mesurer.

J'ai mesuré chaque côté et j'ai additionné. $9 + 5 + 9 + 5 = 28$. Le périmètre est 28 cm.

À partir d'un coin, j'ai fait pivoter ma règle à chaque coin jusqu'à ce que je revienne au point de départ. J'ai mesuré 28 cm.

J'ai déroulé mon mètre à ruban le long des côtés de la carte. J'ai mesuré 28 cm.

➤ Le groupe de Geoffrey a trouvé le périmètre d'un carré.

À ton tour

Utilise une règle au besoin.

1. Fais une estimation du périmètre de chaque figure.

a) 

b) 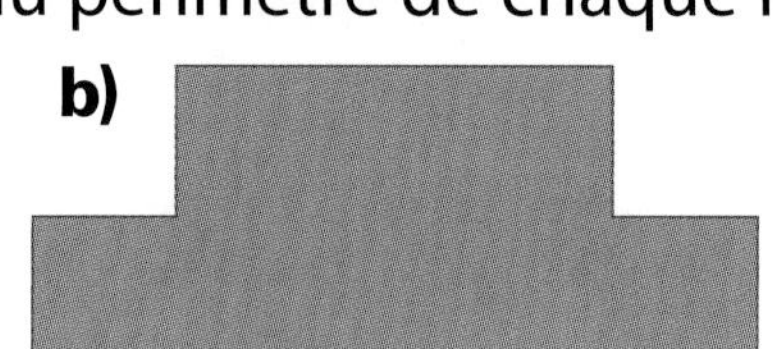

c) 

Mesure pour vérifier ton estimation.

2. Utilise du papier quadrillé à 1 cm. Dessine une figure pour chaque périmètre.

a) 8 cm **b)** 12 cm **c)** 10 cm **d)** 14 cm

3. Mesure et note le périmètre de chaque figure.
Décris la stratégie que tu as utilisée.

a) 

b) 

c) 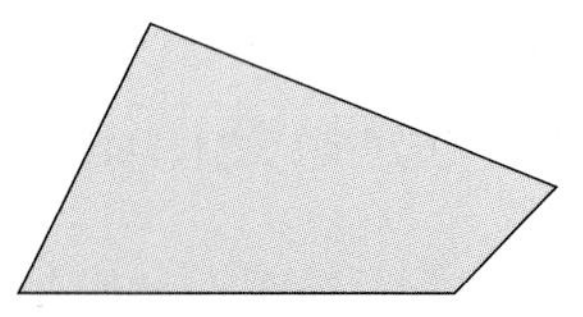

d) 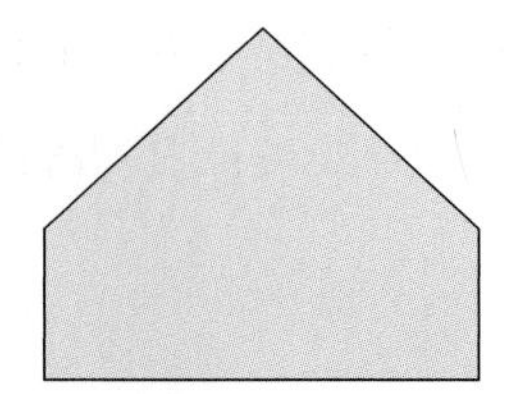

4. Un carré a un périmètre de 24 cm.
   Quelle est la longueur de chaque côté ?
   Comment le sais-tu ?

5. Choisis 3 livres de différentes tailles.
   Estime, puis mesure le périmètre de chaque couverture.
   Écris les périmètres par ordre croissant.

6. Trouve 2 objets. Le périmètre d'un objet doit avoir environ 10 cm de moins que le périmètre de l'autre objet.
   Note le nom de chaque objet.
   Note les périmètres.

7. Trace le contour de ta chaussure sur une feuille.
   Trouve un moyen de mesurer le périmètre de l'empreinte.
   Décris ta méthode.

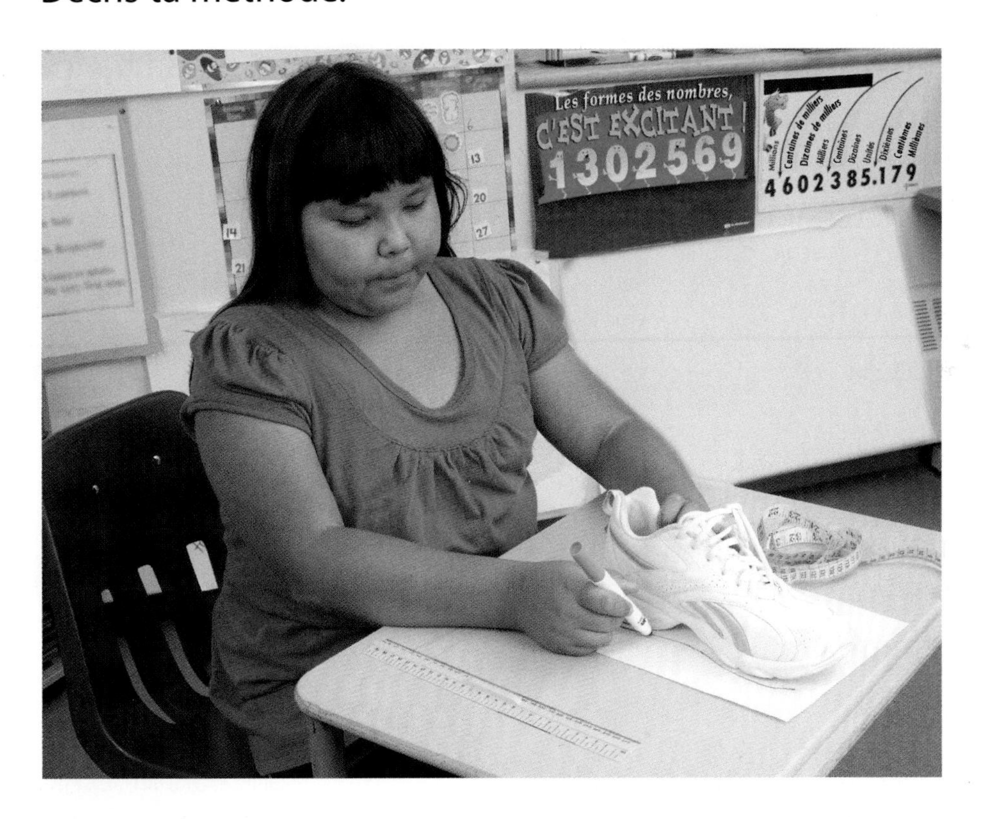

Réfléchis

Supposons qu'une fourmi parcourt le périmètre de ton étui à crayons. Explique à l'aide de mots, de dessins ou de nombres comment tu peux trouver la distance parcourue par la fourmi.

LEÇON 9

Mesurer le périmètre en mètres

Cherche dans la classe quelque chose qui a, selon toi, un périmètre plus grand que 1 m.

- Pense aux portes et aux fenêtres.
- Pense au plancher et au plafond.

Qu'as-tu trouvé ?

Explore

Vous avez besoin de mètres rigides ou de mètres à ruban ou de bandes de papier de 1 m. En petits groupes, choisissez un périmètre à mesurer dans l'école.

Vous pouvez rechercher dans :

- la classe ;
- le gymnase ;
- la bibliothèque ;
- un corridor.

Estimez le périmètre en mètres.
Imaginez un moyen de mesurer le périmètre.
Trouvez le périmètre.
Notez vos résultats.

Qu'as-tu trouvé ?

Présentez votre travail à un autre groupe.
Montrez au groupe comment vous avez trouvé le périmètre.
Décrivez les stratégies d'estimation que vous avez utilisées.

Après avoir mesuré un côté, je peux faire une estimation du côté suivant.

Découvre

➤ Un groupe a trouvé le périmètre de ce plancher.

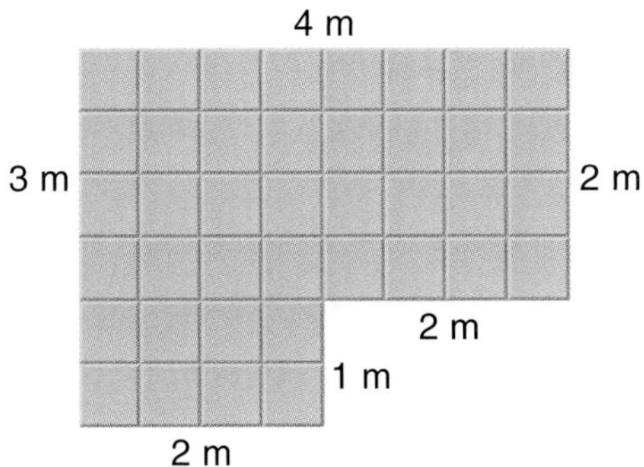

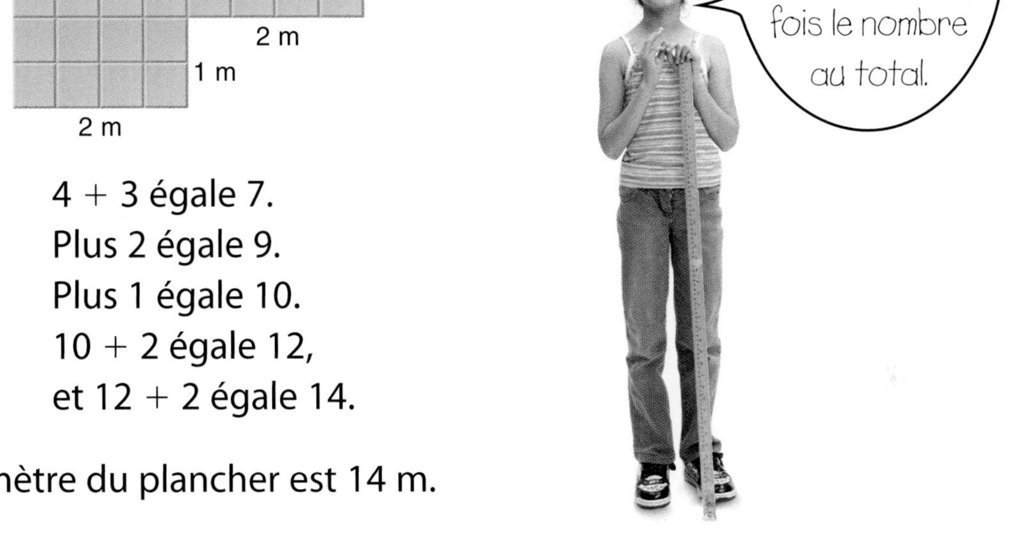

4 + 3 égale 7.
Plus 2 égale 9.
Plus 1 égale 10.
10 + 2 égale 12,
et 12 + 2 égale 14.

Le périmètre du plancher est 14 m.

➤ Un autre groupe a trouvé cette figure dans le plancher de la classe de maternelle. Les élèves ont mesuré cette figure pour en trouver le périmètre.

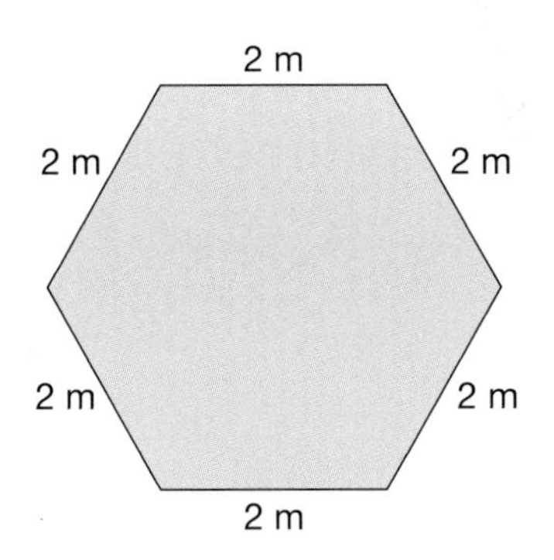

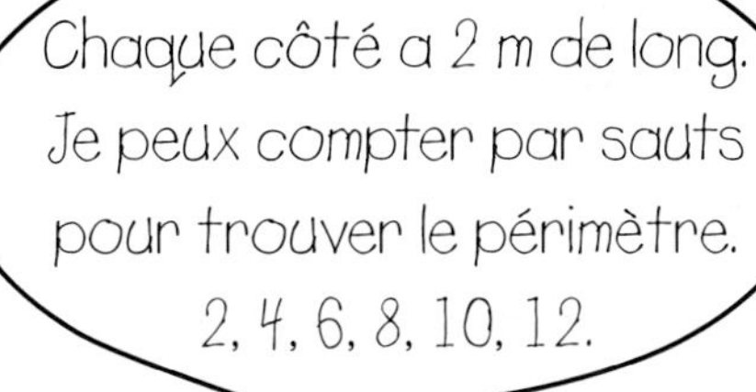

Le périmètre de la figure est 12 m.

À ton tour

1. Travaille avec ton groupe de la rubrique *Explore*.
   Utilise des mètres rigides ou des mètres à ruban.
   Construis une figure qui a un périmètre de 6 m.
   Fais un dessin de la figure et inscris les mesures.

2. Pense à un référent pour 1 m.
   Utilise ton référent pour estimer le périmètre de chaque élément.
   a) le plancher de ta classe
   b) un babillard
   c) le dessus d'un pupitre
   d) la porte de la classe

3. Choisis un élément de la question 2.
   Trouve le périmètre à 1 m près.
   Ton estimation était-elle trop élevée ou trop basse ?

4. Louis a acheté 20 m de clôture pour son jardin rectangulaire.
   Quelles peuvent être la longueur et la largeur du jardin ?
   Trouve au moins 2 réponses.
   Représente tes réponses à l'aide de dessins.

5. Utiliserais-tu des mètres pour trouver le périmètre de chaque élément ? Pourquoi ?
   a) une carte à jouer
   b) ta chambre
   c) un terrain de jeu
   d) ton manuel de mathématiques

Réfléchis

Comment sais-tu si tu dois utiliser des centimètres ou des mètres pour mesurer le périmètre ?
Explique à l'aide de mots, de dessins ou de nombres.

LEÇON 10

Explorer les figures de même périmètre

Explore

Tu as besoin de carreaux et de papier quadrillé.
Construis autant de figures différentes que possible qui ont un périmètre de 12 unités.
Colorie des carrés sur le papier quadrillé pour représenter tes figures.

Qu'as-tu trouvé ?

Montre tes figures à d'autres camarades. Quel est le périmètre de chaque figure ? Comment sais-tu que chaque figure est différente ?

Découvre

Des figures différentes peuvent avoir des périmètres égaux.
Chacune de ces figures a un périmètre de 16 unités.

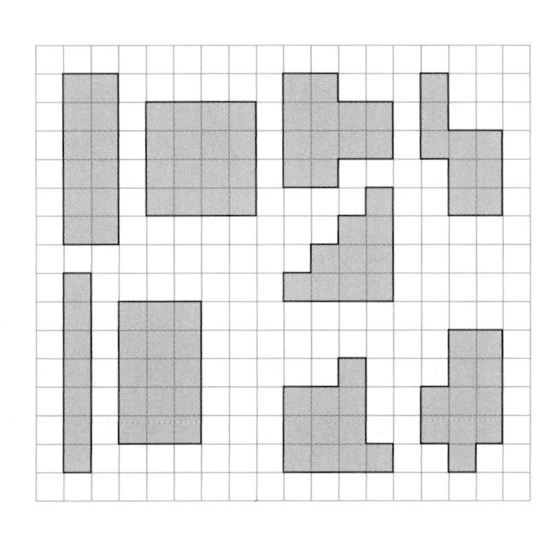

OBJECTIF | Construire des figures différentes à partir d'un périmètre donné.

Utilise du papier quadrillé à 1 cm.

1. **a)** Dessine différentes figures qui ont un périmètre de 18 cm.
b) Dessine différentes figures qui ont un périmètre de 8 cm.
c) Dessine différentes figures qui ont un périmètre de 14 cm.

2. Reproduis cette figure sur du papier quadrillé.
Trouve son périmètre.
Dessine une figure différente qui a le même périmètre.

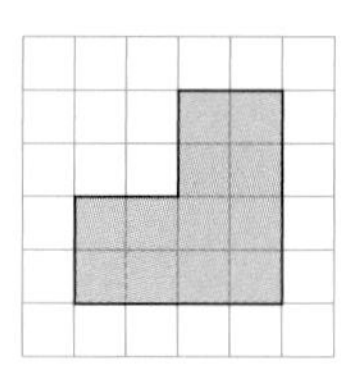

3. Le jardin de Laila a une forme inhabituelle, mais tous les coins sont carrés. Laila a 24 m de clôture à installer autour du jardin.
Utilise du papier quadrillé.
Dessine 3 formes différentes que le jardin de Laila peut avoir.

4. Utilise du papier quadrillé à 1 cm.
Dessine une figure qui a un périmètre de 20 cm.
Dessine 2 figures différentes qui ont aussi un périmètre de 20 cm.

5. Travaille en petit groupe.
Vous avez besoin de carreaux.
Construisez autant de figures possibles qui ont un périmètre de 10 unités.
Dessinez chaque figure.

Réfléchis

Montre à l'aide de mots, de dessins ou de nombres que beaucoup de figures différentes peuvent avoir le même périmètre.

Explorer la masse en kilogrammes

Certains aliments sont vendus au **kilogramme**.
Ce sac de riz pèse un kilogramme (1 kg).

Crois-tu que tu pourrais soulever ce sac de riz ?
Pourrais-tu soulever 10 sacs de riz comme celui-ci ?

Explore

Tu as besoin d'une balance à plateaux et d'objets comme sur la photo.

- Choisis un objet. Fais une estimation. Crois-tu qu'il est :
  - plus léger que 1 kg ?
  - plus lourd que 1 kg ?
  - à peu près égal à 1 kg ?

  Vérifie ton estimation à l'aide de la balance.
- Recommence avec d'autres objets.
- Note ton travail.

Plus léger que 1 kg	Environ 1 kg	Plus lourd que 1 kg
balle chaussure	livre	

Qu'as-tu trouvé ?

Discute de tes stratégies d'estimation avec tes camarades.
Quels objets étaient un peu plus lourds que 1 kg ?
Quels objets étaient beaucoup plus lourds que 1 kg ?
Comment l'as-tu su ?

Objectif | Estimer et mesurer la masse en kilogrammes.

Découvre

Quand tu veux savoir si un objet est lourd, tu mesures sa **masse**.
Le kilogramme (kg) est une unité de masse.

Ce livre a une masse d'environ 1 kg.

Cette boîte de thé glacé a une masse d'environ 9 kg.

À ton tour

1. Trouve dans la classe un objet qui a une masse d'environ 1 kg. Utilise-le comme référent pour estimer la masse de chacun de ces objets.

a) ton manuel de mathématiques
b) un dictionnaire
c) ton sac à dos
d) ta chaussure

2. Trouve dans la classe :
- 3 objets qui ont moins de 1 kg ;
- 3 objets qui ont plus de 1 kg.

Note tes résultats.

Moins de 1 kg	Plus de 1 kg

3. Cette grenouille géante vivait à l'époque des dinosaures. Sa masse se situait entre 4 kg et 5 kg. Trouve un objet qui a à peu près la même masse. Que peux-tu dire au sujet de la taille de la grenouille ? Explique tes idées à l'aide de mots, de dessins ou de nombres.

Réfléchis

Les gros objets ont-ils toujours une plus grande masse que les petits objets ? Explique ton raisonnement.

Explorer la masse en grammes

Tiens un centicube dans ta main.
Comment décrirais-tu sa masse ?
Un centicube a une masse d'environ un **gramme**.
On écrit : 1 g

Explore

Tu as besoin d'objets comme sur la photo.

- ➤ Choisis un objet.
  Estime sa masse
  en grammes.
  Mesure pour vérifier
  ton estimation.
  Note ton travail.
  Recommence avec
  d'autres objets.
- ➤ Place une masse de 1 kg
  sur la balance à plateaux.
  Estime le nombre de grammes
  qu'il faut pour équilibrer la balance.
  Vérifie ton estimation.
  Note tes résultats.

Qu'as-tu trouvé ?

Comment as-tu choisi les masses
à utiliser pour équilibrer la balance ?

Objet	Estimation de la masse	Masse
Pièce de 5¢	9 g	4 g
Ciseaux	150 g	225 g

Découvre

Le gramme est une petite unité de masse.
La masse d'un objet que tu peux tenir dans la paume de ta main se mesure habituellement en grammes.

Un haricot rouge a une masse d'environ 1 g.

Une banane a une masse d'environ 200 g.

Il faut 1 000 g pour égaler 1 kg.

1 000 g = 1 kg

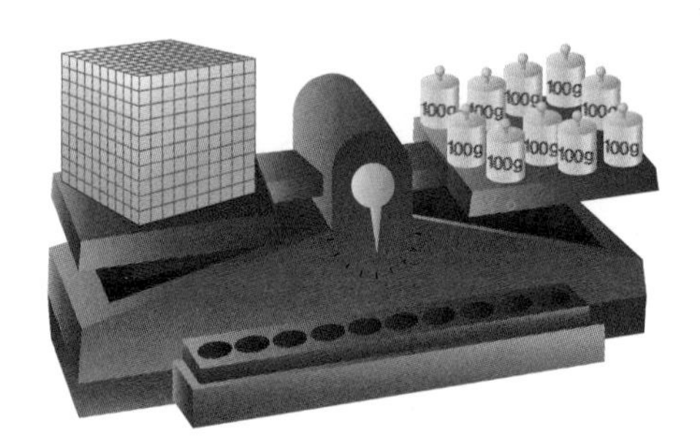

À ton tour

1. Nomme un objet qui a une masse d'environ 1 g.
Explique ton choix.
Utilise cet objet comme référent pour estimer la masse des objets suivants.

a) un rouleau de 25 pièces de 1 ¢
b) une balle de baseball
c) une pomme
d) une souris

2. Classe les objets en 2 groupes :

- les objets que tu peux utiliser comme référents pour 1 g ;
- les objets que tu peux utiliser comme référents pour 1 kg.

un jeton	un livre	une bouteille d'eau	une pièce de 10 ¢

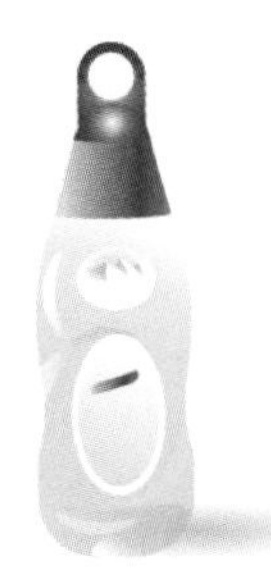

3. Utiliserais-tu des grammes ou des kilogrammes pour mesurer chaque objet ? Dis pourquoi.
   a) une gomme à effacer
   b) une chaise
   c) un ordinateur
   d) un étui à crayons

4. Nomme 2 objets qui ont chacun une masse d'environ 100 g.

5. Utilise une balance à plateaux.
   Trouve la masse d'une orange et d'une balle de tennis.
   Qu'as-tu découvert ?

6. a) Fais une boule de pâte à modeler.
   Trouve sa masse à l'aide d'une balance à plateaux.
   b) Roule la boule dans tes mains pour créer un serpent.
   Trouve la masse du serpent.
   c) Qu'as-tu découvert ?

7. Bert a besoin de 500 g de noix pour sa recette de biscuits.
   Aura-t-il assez de deux sacs de 200 g ?
   Montre ton travail.

8. Jeanne a besoin de 1 kg de graines pour nourrir ses oiseaux.
   Le magasin ne vend que ces 3 formats :

Trouve 2 combinaisons de sacs qu'elle peut acheter.
Montre ton travail.

Réfléchis

Supposons que tu estimes la masse d'un objet.
Comment sais-tu si sa masse sera mesurée en grammes ou en kilogrammes ?
Explique à l'aide de mots, de dessins ou de nombres.

Module 4 Montre ce que tu sais

LEÇON

1. Avec quelle unité de temps mesurerais-tu les activités suivantes ?
a) Jouer une partie de dames
- les balancements d'un pendule ou la durée d'une émission de télévision ?

b) Chanter « À la claire fontaine »
- les balancements d'un pendule ou la durée de la récréation ?

c) Construire un inukshuk
- des secondes ou des minutes ?

d) Apprendre à faire du vélo
- des jours ou des mois ?

2. Choisis la meilleure estimation de temps pour chaque activité.
a) Prendre une douche, 5 min ou 1 h ?
b) Construire un bonhomme de neige, 2 min ou 15 min ?
c) Partir en camping, 5 jours ou 6 h ?
d) Faire pousser des tomates, 1 semaine ou 3 mois ?
e) Écrire ton nom, 10 s ou 1 min ?

3

3. La grand-mère de Yoshio est venue du Japon pour lui rendre visite. Elle est arrivée le 1er mars et elle est repartie le 30 juin. Combien de jours est-elle restée ?

4

4. Utilise une règle. Trace une ligne de 17 cm de long.

5. Combien mesure chaque objet ?

a)

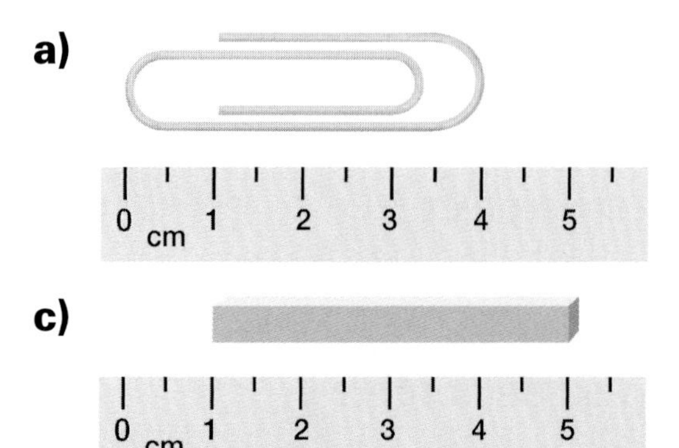

c)

b)

LEÇON

5 6

6. Utilise une règle ou un mètre rigide. Fais une estimation.
Trouve un objet qui est :
a) plus long que 20 cm ;
b) plus court que 10 cm ;
c) plus long que 1 m.
Mesure chaque objet que tu as trouvé.
Écris le nom de chaque objet et sa longueur.

8 9

7. Trouve le périmètre de chacun des objets suivants.
a) la couverture de ton manuel de mathématiques
b) le plus long dessus de table de la classe

8

8. Jean a mesuré son jardin. Il dit que le périmètre est 2 000 cm.
De quelle autre façon peux-tu décrire le périmètre du jardin ?

10

9. Utilise du papier quadrillé à 1 cm.
Dessine autant de figures que possible
qui ont un périmètre de 16 cm.

11 12

10. Quelle unité utiliserais-tu pour mesurer chaque masse ?
a) un sac d'oranges
b) une bille
c) un pupitre
d) un marqueur

11. Estime la masse de chaque objet.

a)

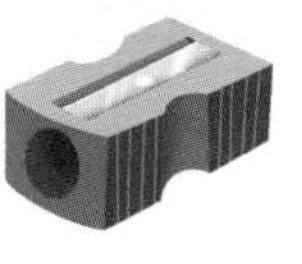

b)

c)

d)

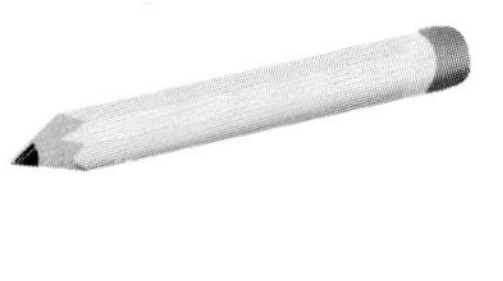

Tes objectifs

- ☑ Utiliser des unités de mesure non standards et standards pour mesurer le passage du temps.
- ☑ Utiliser un calendrier.
- ☑ Déterminer la longueur, la largeur et la hauteur en centimètres et en mètres.
- ☑ Mesurer le périmètre en centimètres et en mètres.
- ☑ Déterminer la masse d'un objet en grammes et en kilogrammes.

Problème du module

Mange tes légumes

Partie 1

La carotte est le légume préféré de Marie et de Simon.
Quelle unité utiliserais-tu pour mesurer le temps qu'il faut pour chacune des activités suivantes ?

- semer une graine de carotte
- fabriquer un épouvantail pour le jardin
- faire pousser une carotte
- récolter un rang de carottes
- peler une carotte
- manger une carotte crue
- faire cuire un gâteau aux carottes

Partie 2

➤ Choisis un légume.
Mesure le légume d'autant de façons que possible.
Note ton travail dans un tableau.

➤ Recommence avec 2 autres légumes.

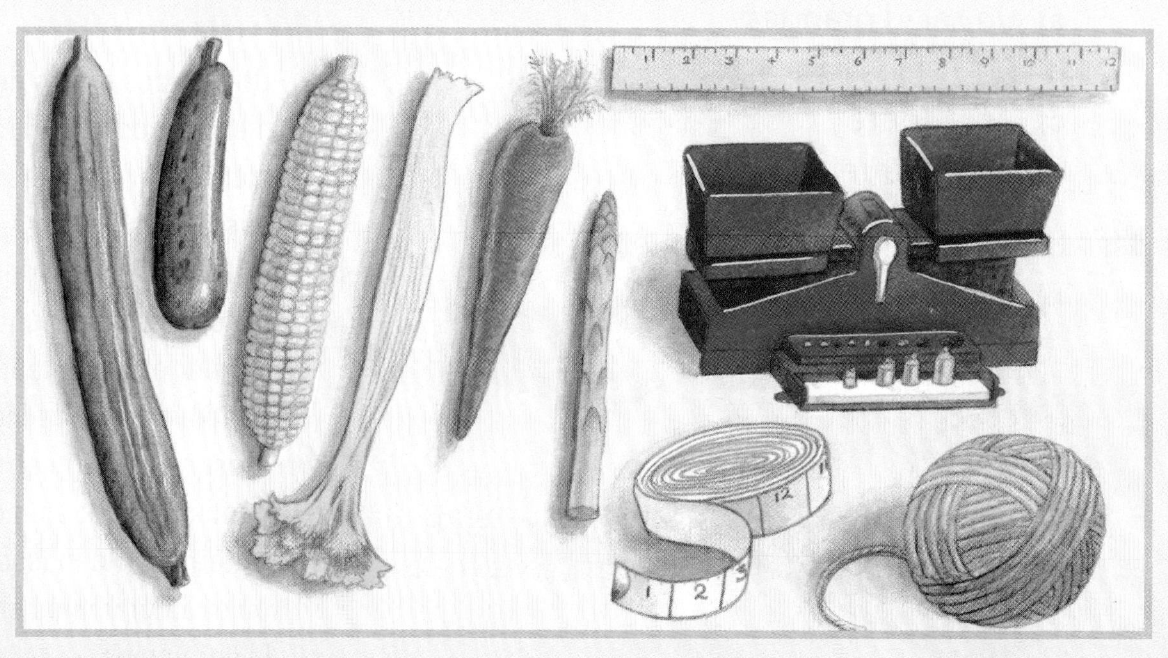

Liste de contrôle

Ton travail devrait montrer :
- ☑ comment tu as utilisé ce que tu sais au sujet de la mesure ;
- ☑ tes mesures correctement notées, y compris les unités ;
- ☑ au moins 3 formes différentes de jardins dessinées sur du papier quadrillé ;
- ☑ une explication claire de la forme de jardin que tu as choisie.

Partie 3

- Supposons que tu veux faire un jardin au printemps.
  Tu as besoin de clôturer ton jardin pour empêcher les lapins d'y entrer.
  Tu as 18 m de clôture.
  Tu veux utiliser toute la clôture.
- Utilise du papier quadrillé à 1 cm.
  Dessine autant de jardins différents que possible qui ont un périmètre de 18 cm.
- Quelle forme choisirais-tu pour ton jardin ?
  Pourquoi ?

Retour sur le module

Écris ce que tu sais au sujet de la mesure du temps, de la longueur, du périmètre et de la masse.

Exploration

Combien de boutons ?

Tu as besoin des objets que tu vois dans la photo.

Tu n'as pas de boutons ?
Alors choisis une grande quantité d'objets comme des perles ou des jetons.
Mets tes objets dans une boîte.

Partie 1

➤ Examine la photo. Quels outils peux-tu utiliser pour estimer le nombre d'objets ?

➤ Trouve autant de façons d'estimer que tu peux.
Explique tes stratégies à l'aide de mots, de nombres ou d'images.

Partie 2

➤ Selon toi, quelle méthode permet d'obtenir une meilleure estimation ? Pourquoi ?

➤ Essaie-la. Utilise le matériel dont tu as besoin. Note ton travail.

Partie 3

➤ Compte les objets.
Comment peux-tu grouper les objets pour les compter ?

➤ Comment ton estimation se compare-t-elle au résultat que tu as obtenu en comptant ? Explique ta réponse.

➤ Estimeras-tu différemment la prochaine fois ?
Comment feras-tu ? Explique ta réponse.

Montre ton travail

Explique tes découvertes à l'aide de mots, de dessins ou de nombres.

Va plus loin

➤ Crée un problème à partir de tes résultats. Résous ton problème.

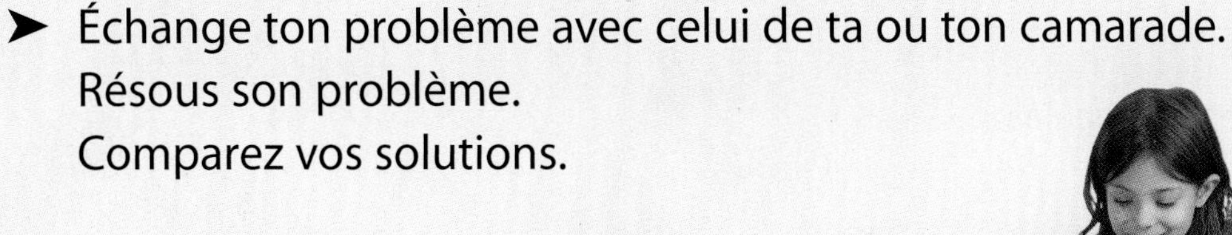

➤ Échange ton problème avec celui de ta ou ton camarade.
Résous son problème.
Comparez vos solutions.

Les fractions

À la pizzeria

Tes objectifs

- Trouver les parties égales d'un tout.
- Utiliser des fractions pour décrire les parties d'un tout.
- Représenter les fractions d'un tout à l'aide de matériel concret, de dessins et de symboles.
- Comparer des fractions qui ont le même dénominateur.

Mots clés

- des parties égales
- une fraction
- un demi
- un tiers
- un quart
- un cinquième
- un sixième
- un septième
- un huitième
- un neuvième
- un dixième
- un numérateur
- un dénominateur

Observe la scène à la pizzeria.

- Qu'est-ce qui représente un tout découpé en parties égales ?
  Combien y a-t-il de parties égales ?
- Comment sais-tu que les parties sont égales ?

LEÇON 1

Des parties égales

Lorsque tu partages quelque chose avec une ou un camarade, comment peux-tu t'assurer que chacun de vous obtient une part égale ?

Explore

Tu as besoin d'objets comme sur la photo.

- Planifie le partage égal de chaque objet avec ta ou ton camarade.
- Partage chaque objet.
- À l'aide de dessins et de mots, décris de quelle façon tu as fait le partage.

Qu'as-tu trouvé ?

Discutez des décisions que ta ou ton camarade et toi avez prises pour faire un partage égal.
Comment as-tu vérifié que les parties étaient égales ?
Comment ferais-tu 3 parties égales ? 4 parties égales ?

OBJECTIF | Démontrer comment un tout peut être divisé en parties égales.

Découvre

Quand tu partages quelque chose, tu peux créer des **parties égales**.

Cette orange est divisée en 2 parties égales. L'image représente des portions égales pour 2 personnes.

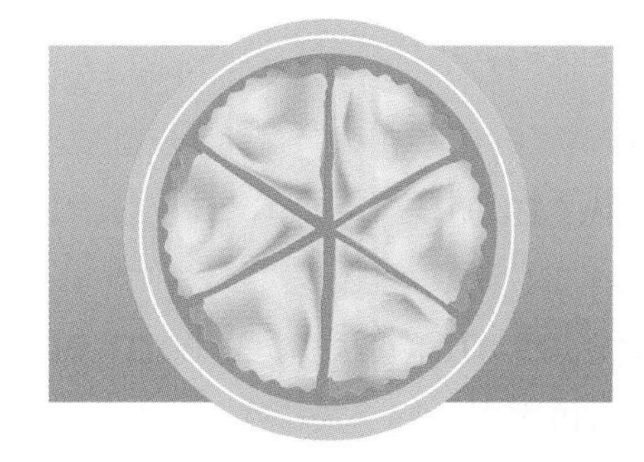

Cette tarte est divisée en 6 parties égales. L'image représente des portions égales pour 6 personnes.

À ton tour

1. Chaque image représente-t-elle des parties égales ? Comment le sais-tu ?

a)

b)

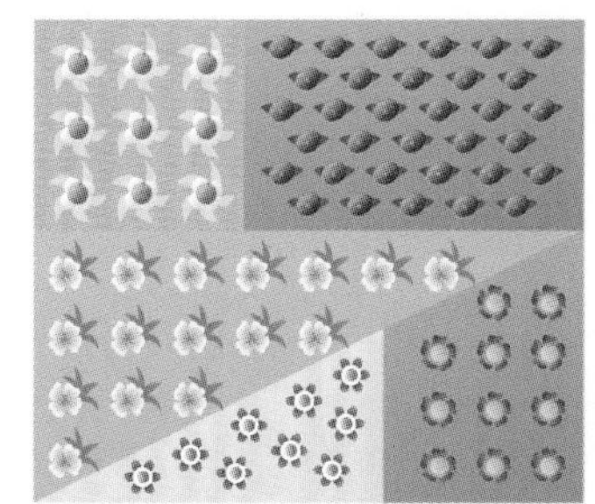

c)

Études sociales

À l'époque de la traite des fourrures, les voyageurs canadiens-français portaient une ceinture fléchée comme celle-ci. Quelles régularités vois-tu dans la ceinture ?

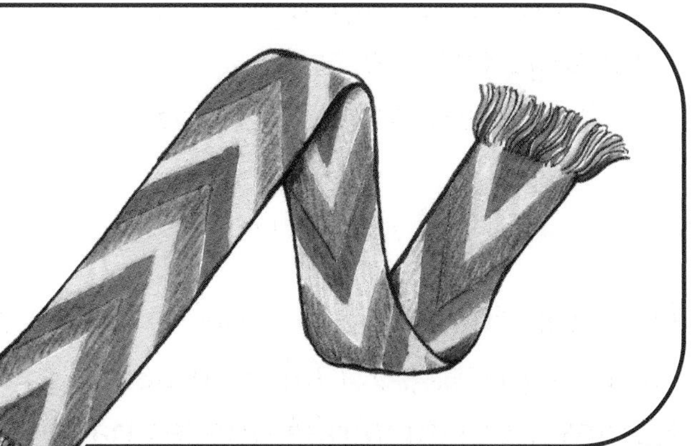

2. Utilise une forme découpée de chaque figure. Plie la figure pour représenter des parties égales.

2 parties égales

3 parties égales

4 parties égales

3. Trie les images pour former 2 ensembles : celles qui représentent des parties égales et celles qui représentent des parties non égales. Utilise les lettres pour noter tes résultats. Comment peux-tu vérifier si une image représente des parties égales ?

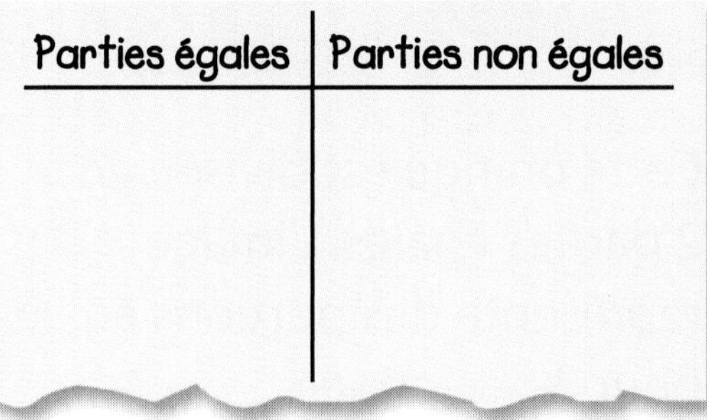

Parties égales	Parties non égales

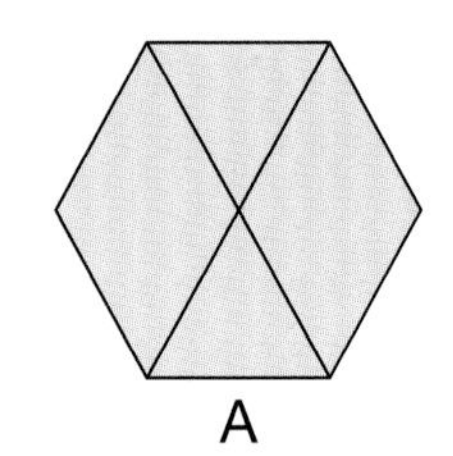
A

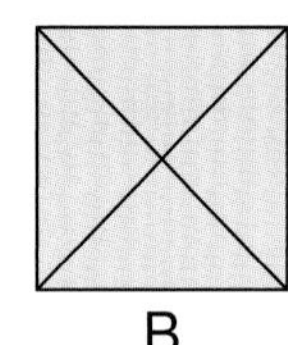
B

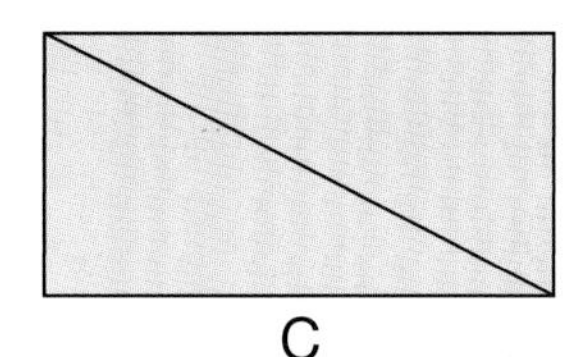
C

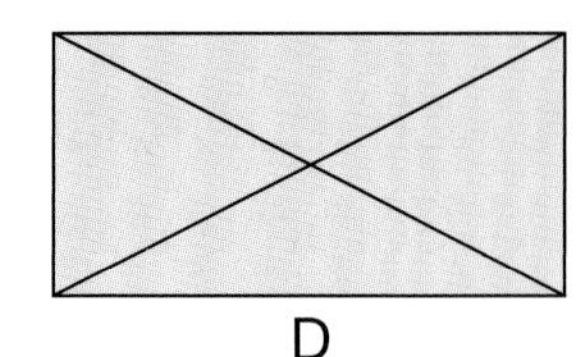
D

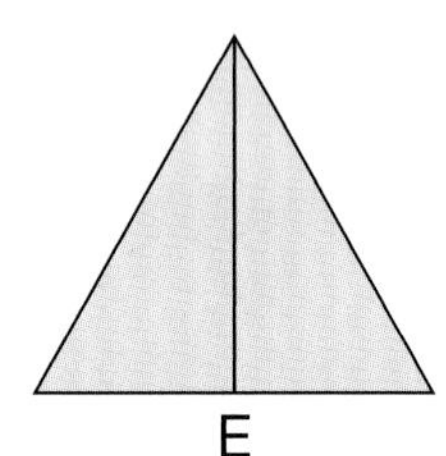
E

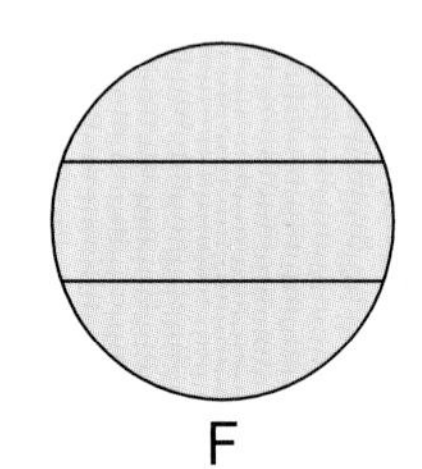
F

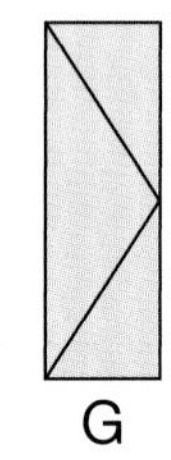
G

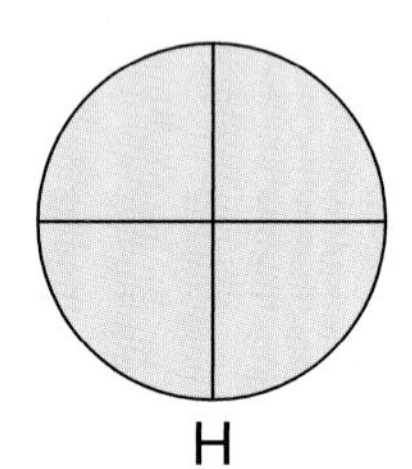
H

4. Fais le dessin d'un objet entier divisé en parties égales. Décris à l'aide de mots ce que ton dessin représente.

Réfléchis

Décris une situation où un tout a été divisé en parties égales par toi ou par quelqu'un que tu connais. Comment t'es-tu assuré que les parties étaient égales ?

LEÇON

Des parties égales d'un tout

Explore

Travaillez en équipe de deux. Vous avez besoin de blocs-formes.

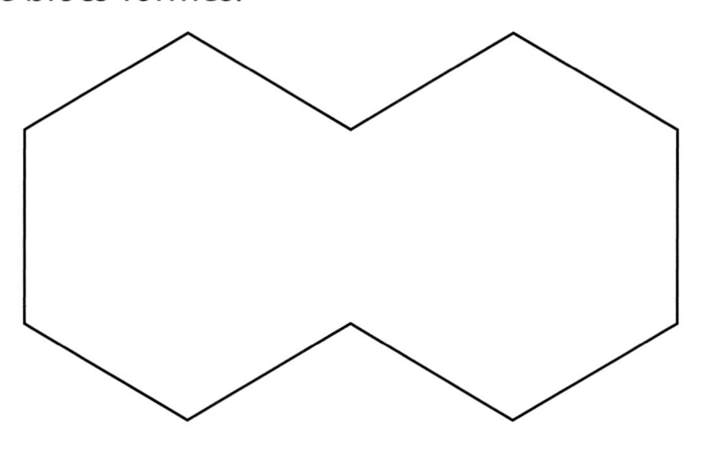

➤ De combien de façons pouvez-vous couvrir cette figure avec des blocs-formes pour représenter des parties égales ? Décrivez chaque fois les parties égales. Notez votre travail.

➤ Répétez l'activité avec une figure que vous aurez créée à l'aide de blocs-formes.

Couleur des blocs	Nombre de blocs
Bleu	6

Qu'as-tu **trouvé ?**

Montrez votre travail à une autre équipe.
Expliquez comment vous savez que les parties sont égales.

OBJECTIF | Décrire les parties égales d'un tout sous forme de fractions.

Découvre

➤ Cette figure est **1 tout**.

Voici quelques façons de diviser la figure en parties égales.
Tu peux utiliser des **fractions** pour nommer les parties égales.

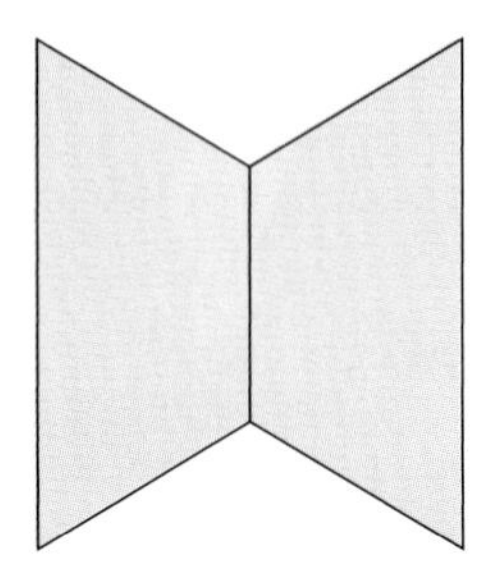

2 parties égales
2 demis

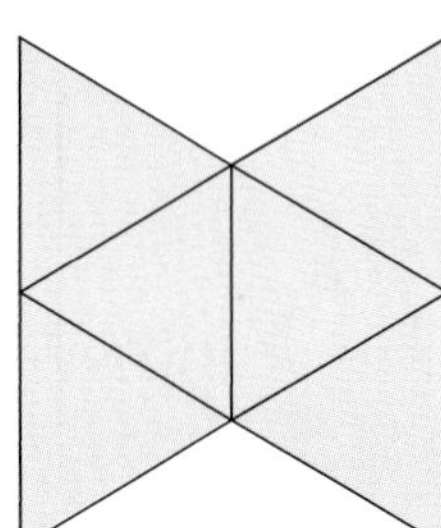

6 parties égales
6 sixièmes

➤ Tu peux représenter la même fraction de plusieurs façons.
Voici quelques façons de représenter les **quarts** de 1 tout.

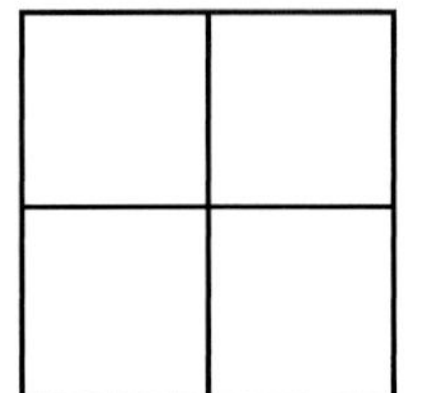 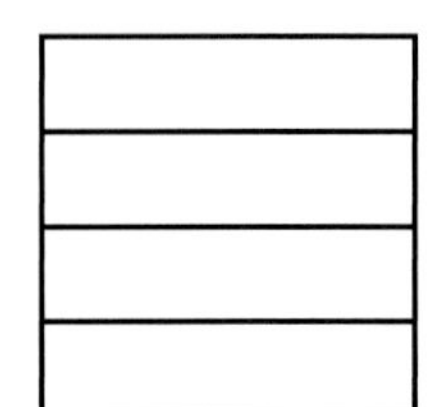 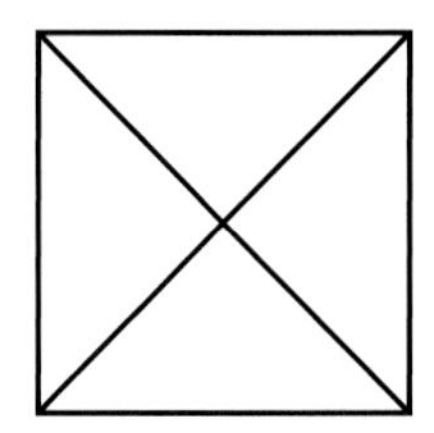

À ton tour

1. Représente les parties égales de cette figure de 3 façons différentes à l'aide de blocs-formes. Nomme chaque fois les parties égales.

2. Nomme les parties égales.
Explique pourquoi tu crois que les parties sont égales.

a) 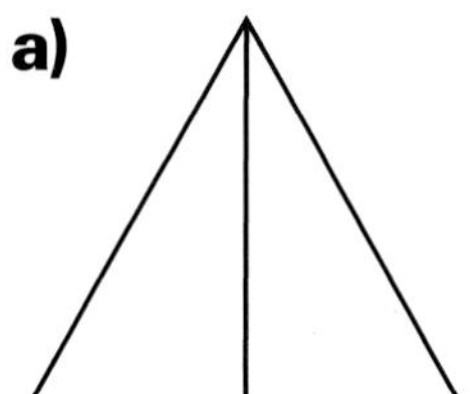 **b)** 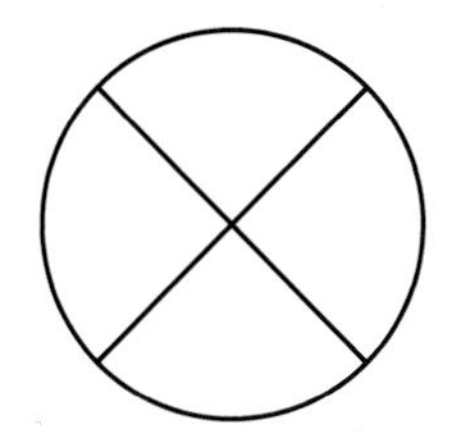 **c)** 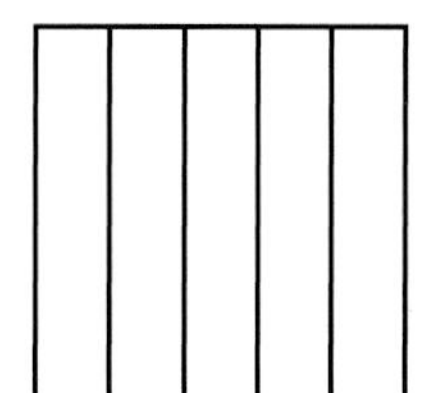 **d)** 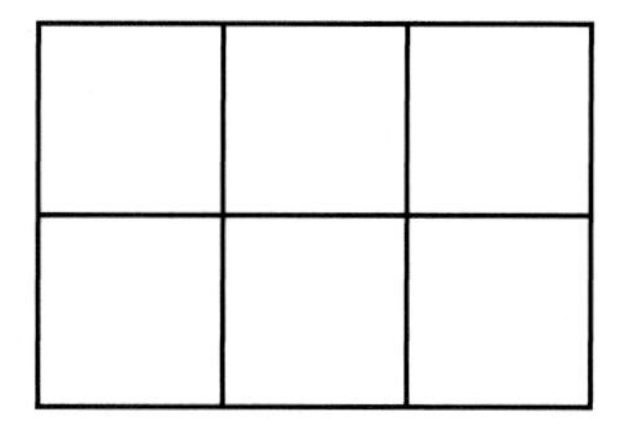

3. Quelle image représente des parties égales ?
Nomme les parties égales.

a) 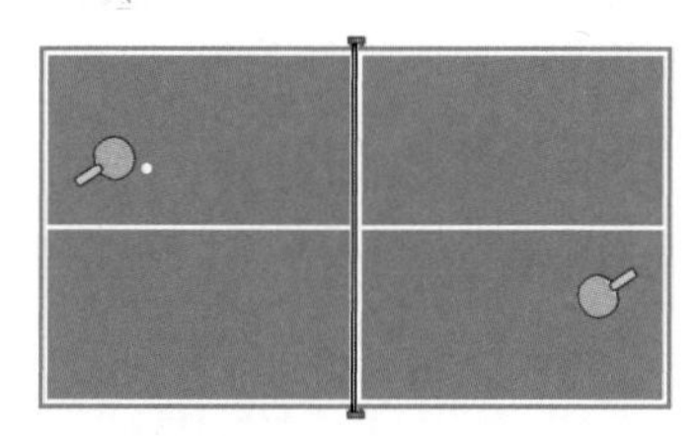

b) 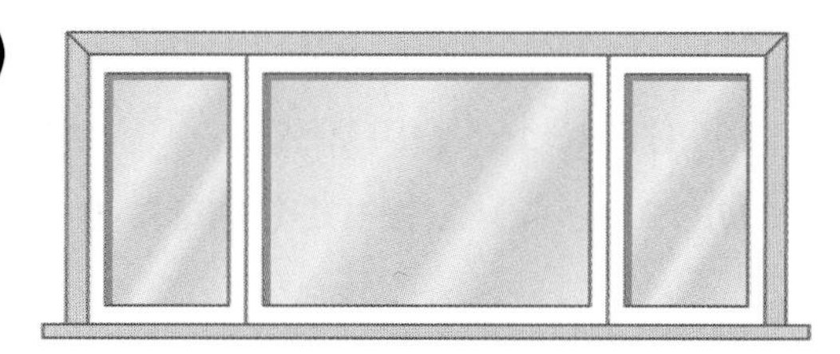

4. Lesquelles des images suivantes représentent des quarts ?
Comment le sais-tu ?

a) 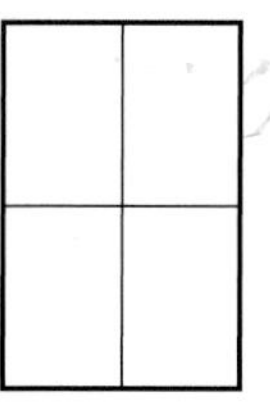 **b)** 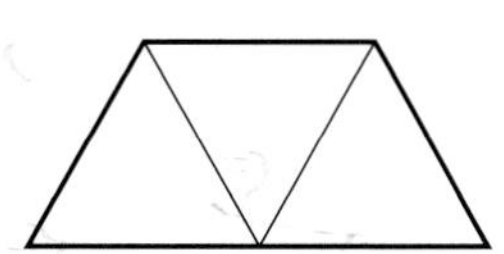 **c)** 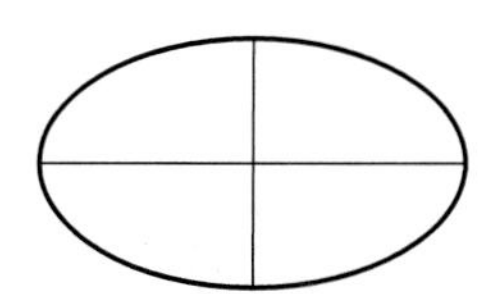

d) 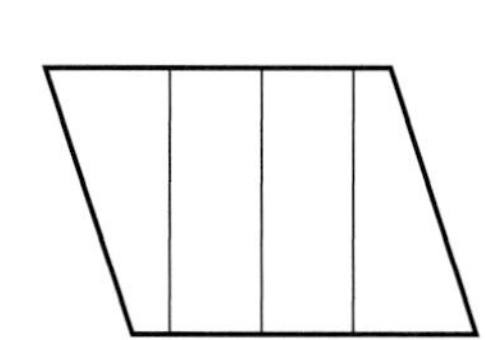 **e)** 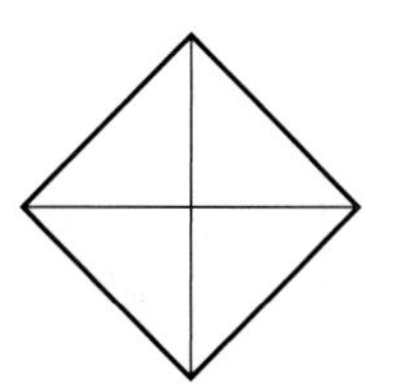 **f)** 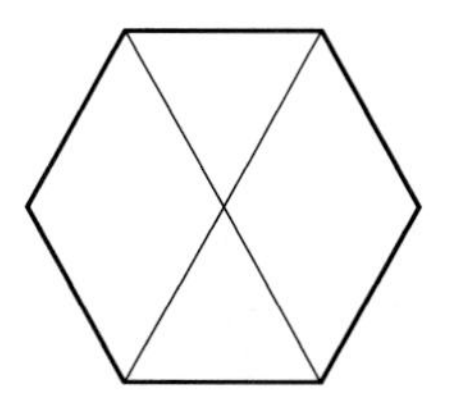

5. **a)** Dessine une figure sur du papier quadrillé.
Plie ta figure pour représenter des demis.

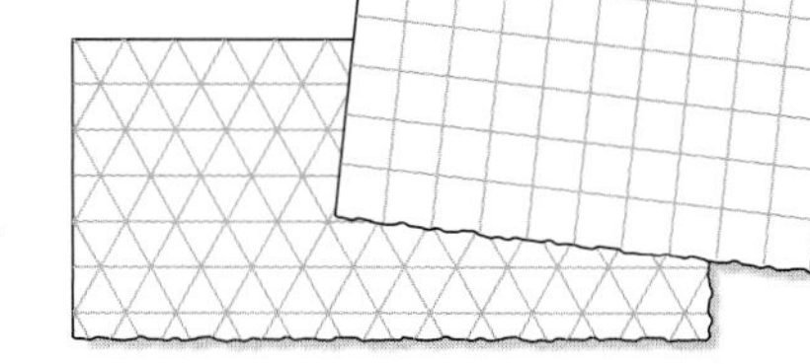

b) Dessine une figure pour représenter des cinquièmes.

c) Dessine une figure pour représenter des quarts.

Comment sais-tu que tu as des parties égales dans chaque figure ?

6. Imagine que tu partages une collation. Ta portion sera-t-elle plus grosse si tu partages avec beaucoup d'amis ou avec seulement quelques-uns ? Montre pourquoi ta réponse est logique.

7. Décris 2 situations où tu as utilisé des fractions à la maison. Explique comment tu les as utilisées.

8. Fais un dessin qui représente des parties égales. Nomme les parties. Montre comment tu sais que les parties sont égales.

9. Quelles sont les ressemblances et les différences entre ces images ?

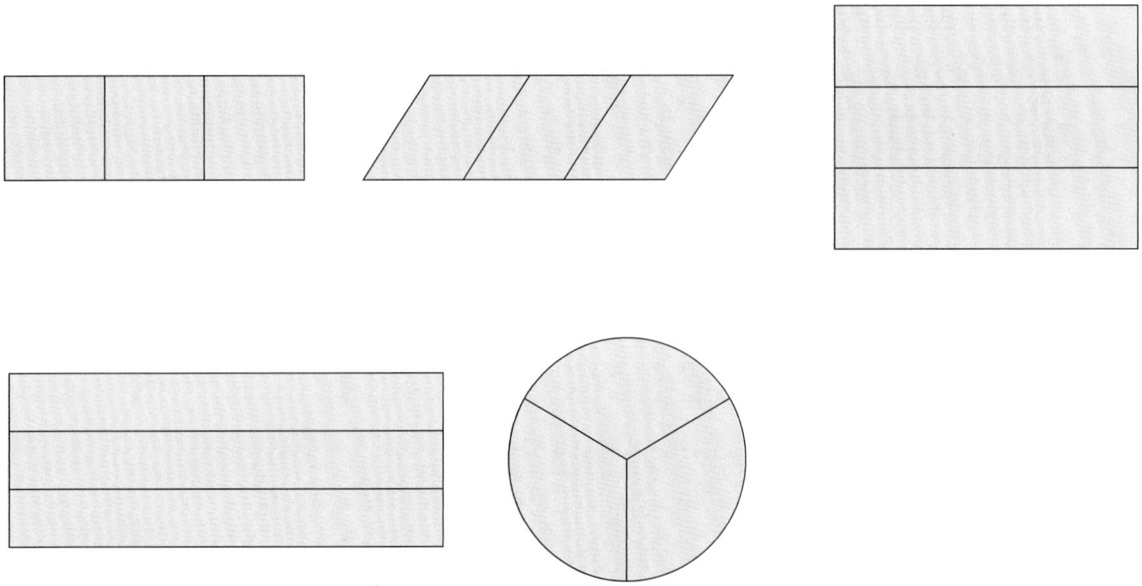

Réfléchis

Quelle est ta stratégie préférée pour vérifier si les parties sont égales ? Comment sais-tu que ta stratégie fonctionne ?

À la maison

Tu dois partager une tarte à la maison. Montre comment tu la coupes pour que chacun obtienne une pointe égale.

Les fractions d'un tout

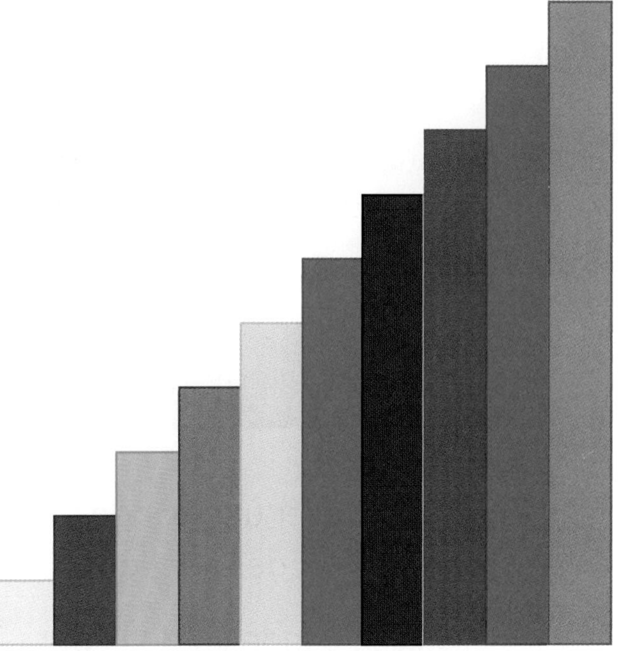

Simon représente des fractions avec des réglettes de différentes couleurs.

Tu peux faire la même chose à l'aide de réglettes ou de bandes de papier de couleur.

Explore

Tu as besoin de réglettes ou de bandes de papier.

➤ La réglette orange représente un tout.
Utilise les autres réglettes pour trouver différentes fractions de la réglette orange.
Combien de fractions peux-tu trouver ?
Note ton travail à l'aide de dessins et étiquette-les.

➤ Répète l'activité. Cette fois, sers-toi de la réglette bleue comme un tout.

Qu'as-tu trouvé ?

Montre tes dessins à d'autres camarades.
Comment as-tu trouvé des parties égales ?
Comment peux-tu être sûr d'avoir trouvé toutes les fractions possibles ?

OBJECTIF | Représenter des fractions comme des parties d'un tout à l'aide de matériel concret.

Découvre

➤ Voici comment Carl a représenté les fractions de la réglette vert foncé.

Carl sait que les réglettes blanches représentent des sixièmes. Elles ont toutes la même longueur et il y en a 6.

➤ Tu peux plier une bande de papier pour représenter des fractions.

- Plie la bande en deux pour représenter les demis.

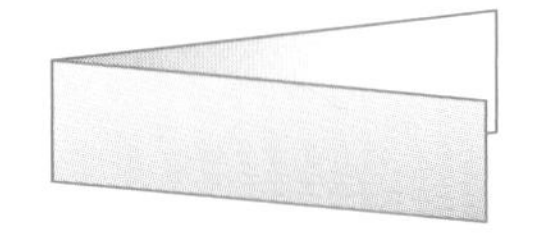

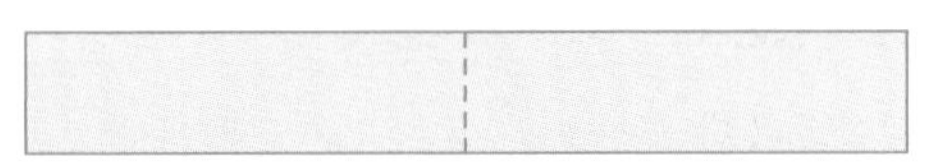

2 demis égalent 1 tout.

- Plie-la encore en deux pour représenter les quarts.

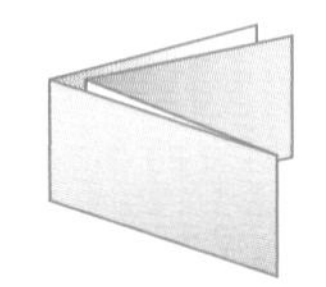

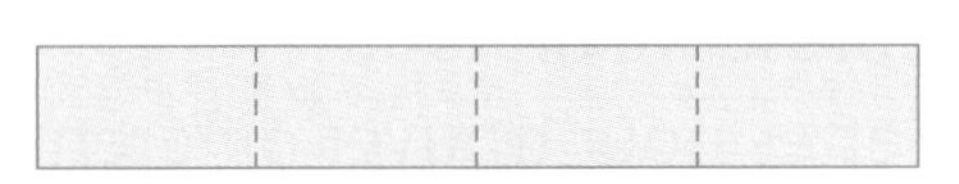

4 quarts égalent 1 tout.

- Plie-la encore en deux pour représenter les huitièmes.

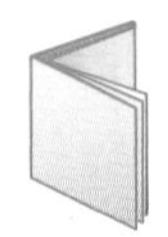

8 huitièmes égalent 1 tout.

Après avoir plié la bande en parties égales, tu peux compter les parties.

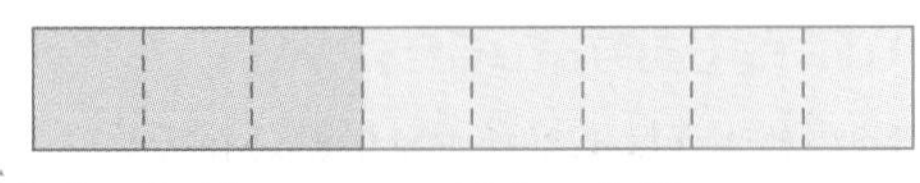

3 huitièmes   5 huitièmes

À ton tour

Utilise au besoin des réglettes ou des bandes de papier.

1. Quelle réglette représente 1 demi de :

a) la réglette brune ?

b) la réglette rose ?

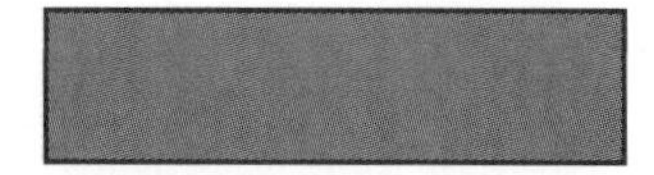

2. Quelle réglette représente 1 tiers de :

a) la réglette vert pâle ?

b) la réglette vert foncé ?

3. Plie une feuille de papier en parties égales.
Nomme les parties.
Montre à une ou un camarade comment tu sais que les parties sont égales.

4. Quelle fraction de chaque bande est colorée ?
Quelle fraction n'est pas colorée ?

a)

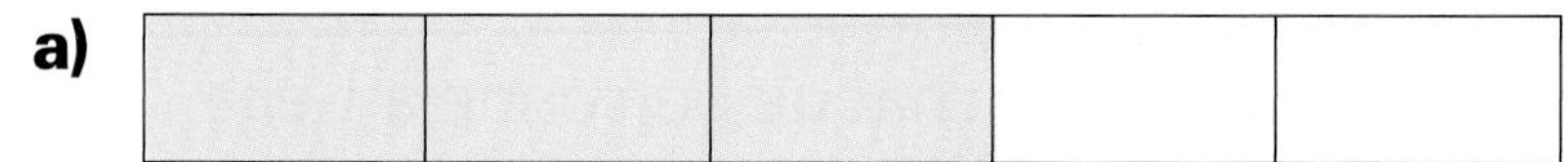

b)

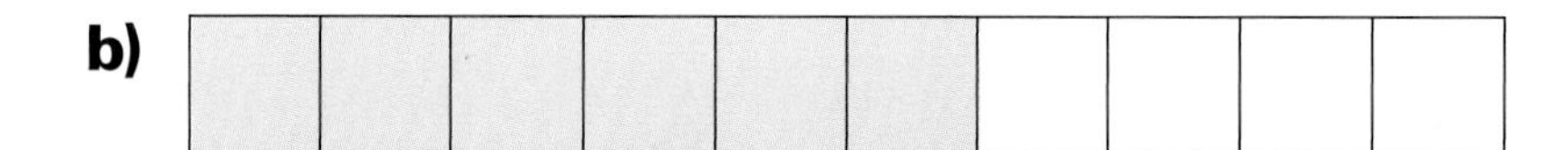

c)

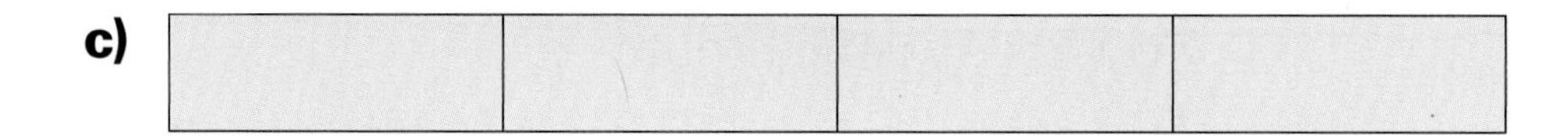

d)

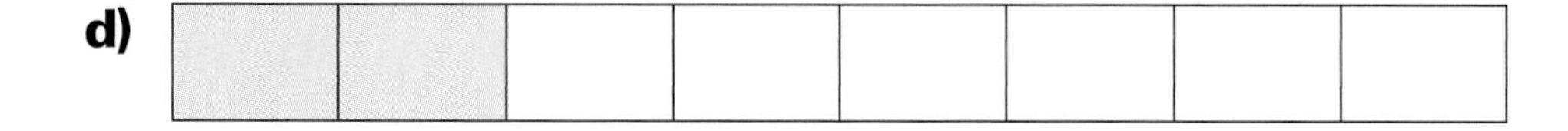

5. Dessine et colorie des figures pour représenter :

a) 1 demi **b)** 3 quarts **c)** 2 tiers

Explique à l'aide de dessins, de mots et de nombres comment tu savais :

- combien de parties tu devais dessiner ;
- combien de parties tu devais colorier.

6. Jay et Amira ont chacun une bande de papier.
Chacun d'eux a plié sa bande en parties égales.
Jay a deux fois plus de parties égales qu'Amira.
Reproduis quelques fractions qu'ils ont pu représenter à l'aide de bandes de papier.

7. Est-il possible que 1 tiers soit plus grand que 1 demi ?
Crée quelques exemples à l'aide de bandes de papier ou de réglettes.
Montre tes idées à l'aide de dessins et de mots.

8. Environ quelle fraction de la course chaque personne a-t-elle parcourue ? Explique ta réponse.

Réfléchis

Explique la fraction 2 cinquièmes à l'aide de dessins, de mots ou de nombres.

LEÇON

Nommer et écrire des fractions

Ce jardin communautaire est divisé en 4 parties égales. Les 3 quarts du jardin sont réservés à la culture des légumes.

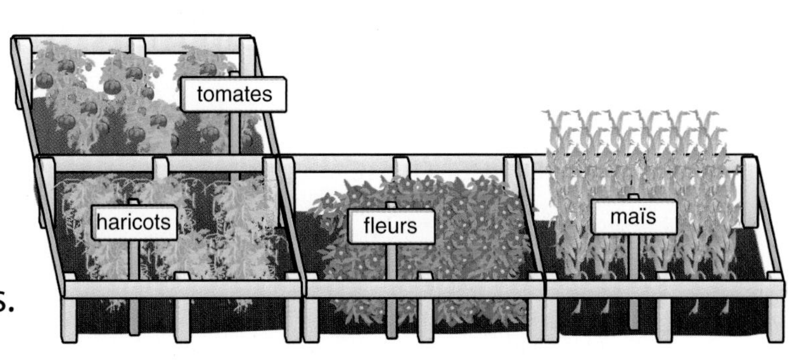

Le nom de la fraction suggère un symbole pour représenter cette fraction.

$$\frac{3}{4}$$

← **3**
← **sur**
← **4 parties égales sont réservées à la culture des légumes.**

Tu as besoin de papier quadrillé, de 10 fiches et de ciseaux. Crée un jeu de fractions pour ta ou ton camarade.

- Dessine 5 figures différentes sur du papier quadrillé. Chaque figure doit avoir un nombre différent de carrés. Découpe la feuille pour séparer les figures.
- Dans chaque figure, colorie une fraction des carrés.
- Note la fraction en mots sur une fiche.
- Note la fraction sous forme symbolique sur une autre fiche.

cinq huitièmes

$\frac{5}{8}$

Qu'as-tu **trouvé ?**

Mêle les figures et les fiches. Échange-les contre celles de ta ou ton camarade.
Trie les figures et les fiches de ta ou ton camarade pour former 5 ensembles correspondants. Vérifiez votre travail.

OBJECTIF | Représenter des fractions à l'aide du symbole de fraction.

Découvre

Cette figure est formée de 7 carrés.
Elle représente donc des septièmes.

Quatre des 7 carrés sont colorés.
La fraction est donc $\frac{4}{7}$.

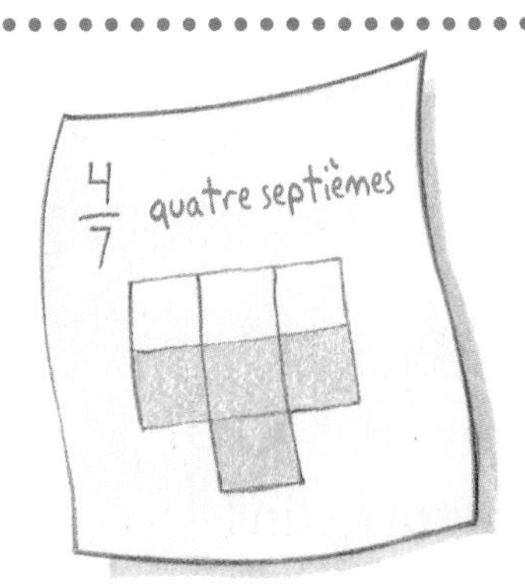

$$\frac{4}{7}$$

← Le **nombre du haut** dans une fraction indique combien de parties égales sont comptées.

← Le **nombre du bas** dans une fraction indique combien il y a de parties égales dans le tout.

4 est le **numérateur**.
7 est le **dénominateur**.

À ton tour

1. Utilise des mots et des symboles. Écris une fraction qui représente la partie colorée de chaque figure.

a) 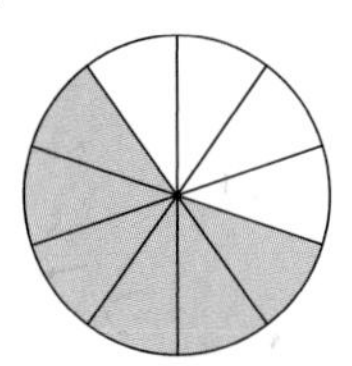

b) 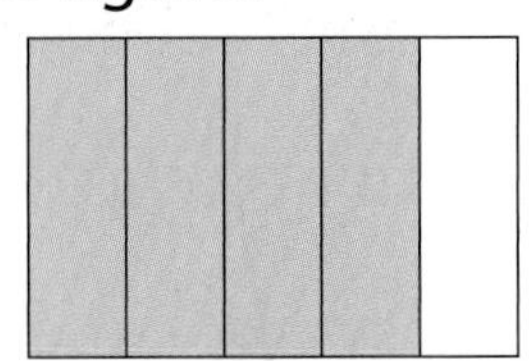

c) 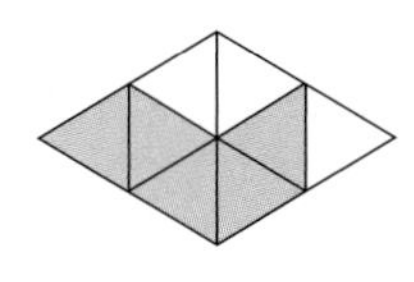

d) 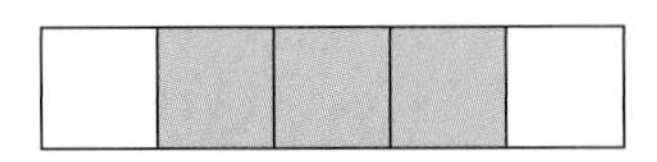

e) 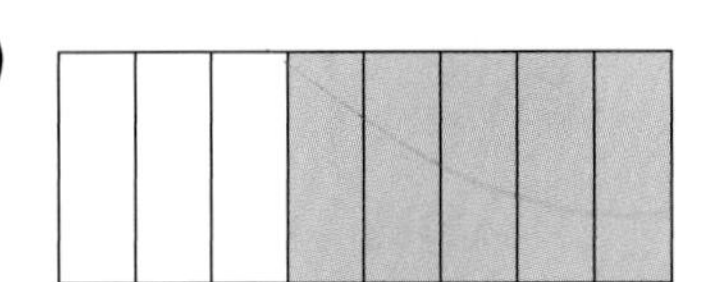

f) 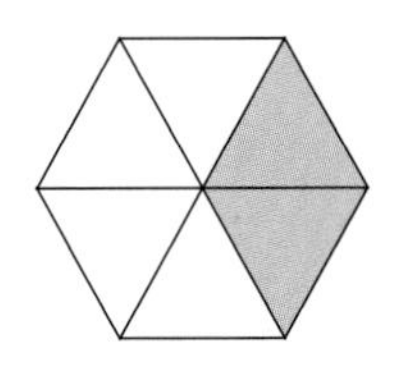

2. Choisis une figure de la question 1.
Nomme le dénominateur. Explique ce qu'il signifie.
Nomme le numérateur. Explique ce qu'il signifie.

3. Quelles sont les ressemblances et les différences entre les fractions de chaque ensemble ?

a) $\frac{3}{8}, \frac{1}{8}, \frac{6}{8}, \frac{4}{8}$ **b)** $\frac{5}{6}, \frac{2}{5}, \frac{5}{5}, \frac{3}{5}$ **c)** $\frac{4}{8}, \frac{4}{6}, \frac{4}{5}, \frac{4}{10}$

4. Trie ces fractions pour former 2 ensembles : $\frac{5}{12}, \frac{2}{5}, \frac{3}{12}, \frac{1}{2}, \frac{7}{12}, \frac{4}{6}, \frac{1}{3}, \frac{11}{12}$
Décris ta règle de tri.
Trie encore et décris ta règle.

5. Le service de garde de l'école organise une journée des drapeaux pour célébrer les différentes cultures des enfants.
Décris chaque drapeau à l'aide de fractions.

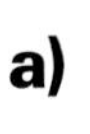

a) 

Panama

b) 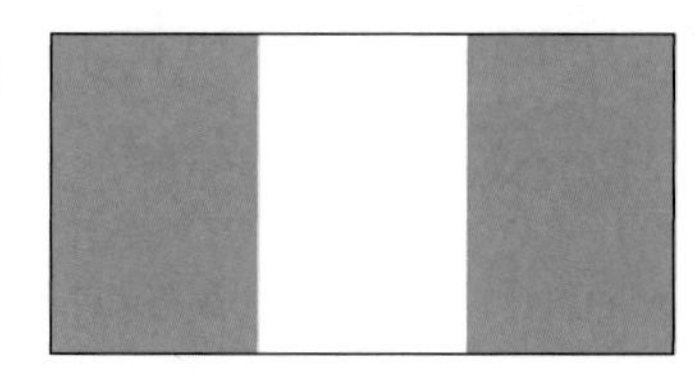

Nigeria

c) 

Papouasie-Nouvelle-Guinée

6. Dessine un drapeau qui correspond à chaque description.

a) $\frac{2}{3}$ jaune et $\frac{1}{3}$ bleu

b) $\frac{2}{5}$ blanc, $\frac{1}{5}$ vert et $\frac{2}{5}$ noir

Choisis une de tes réponses. Explique comment tu as utilisé les fractions pour dessiner ton drapeau.

7. Madame Chung a terminé $\frac{1}{4}$ de sa terrasse.
Utilise du papier quadrillé.
Fais un dessin qui montre à quoi ressemblera la terrasse terminée.
Montre 3 façons différentes de réaliser ton dessin.

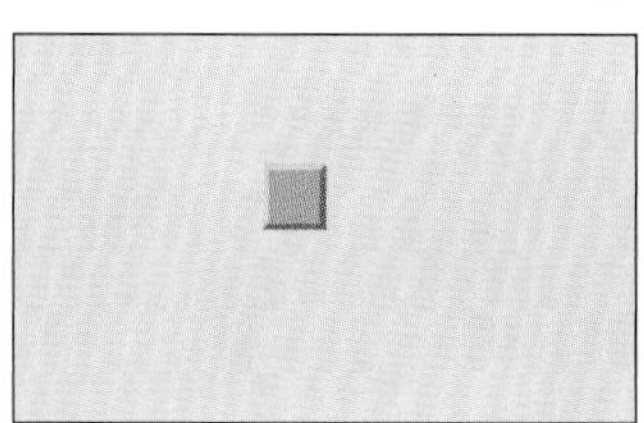

Réfléchis

Représente une fraction sur du papier quadrillé.
Nomme la fraction. Explique à l'aide de ton dessin la signification de *numérateur* et de *dénominateur*.

Trois de suite

Jeu

Tu as besoin de planches de jeu, de cartes de fractions et de jetons.

Le but du jeu est de former une rangée de 3 jetons dans n'importe quel sens sur la planche de jeu.

- Les joueurs choisissent une planche de jeu.
- Mêle les cartes de fractions et place-les sur la table, face vers le bas.
- Le joueur A tire une carte et nomme la fraction.
- Les joueurs qui ont cette fraction sur leur planche de jeu placent un jeton sur la case.
- Les joueurs, à tour de rôle, tirent une carte et nomment la fraction.
- Le gagnant est l'élève qui forme une rangée de 3 jetons dans n'importe quel sens sur sa planche de jeu.

LEÇON 5

Comparer des fractions

Quelle fraction du bloc-forme jaune est représentée par le bloc-forme rouge ? Le bloc-forme bleu ? Le bloc-forme vert ? Comment le sais-tu ?

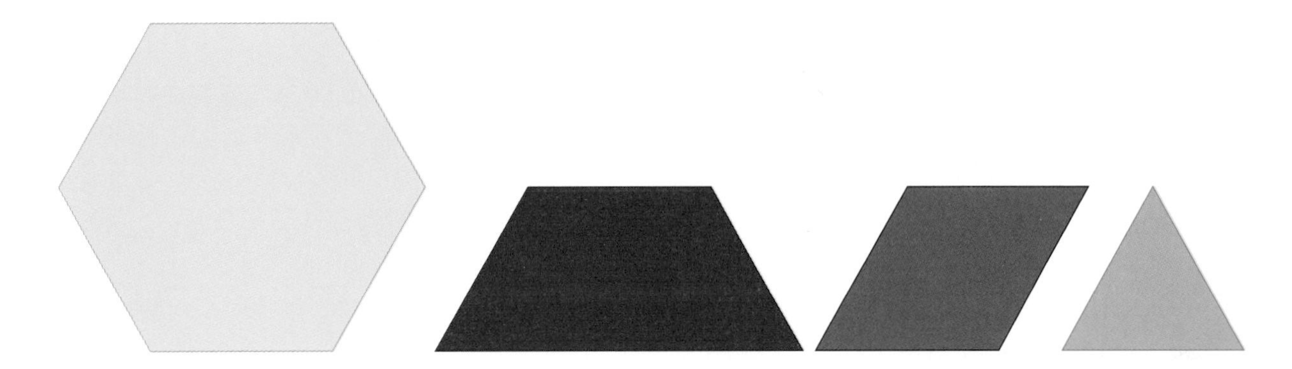

Explore

Tu as besoin de blocs-formes.

Le bloc-forme jaune représente 1 tout.
Utilise d'autres blocs-formes pour représenter des fractions.
Quelle fraction est la plus grande dans chaque paire ?

$\frac{2}{3}$ et $\frac{1}{3}$ $\frac{1}{2}$ et $\frac{2}{2}$

$\frac{5}{6}$ et $\frac{3}{6}$ $\frac{1}{6}$ et $\frac{4}{6}$

$\frac{2}{3}$ et $\frac{3}{3}$ $\frac{6}{6}$ et $\frac{2}{6}$

Qu'as-tu **trouvé ?**

Montre ton travail à d'autres camarades.
Comment sais-tu quelle fraction est la plus grande dans chaque paire ?

OBJECTIF | Comparer des fractions qui ont le même dénominateur.

Découvre

➤ Quand tu compares des fractions qui ont le même dénominateur, regarde le numérateur.

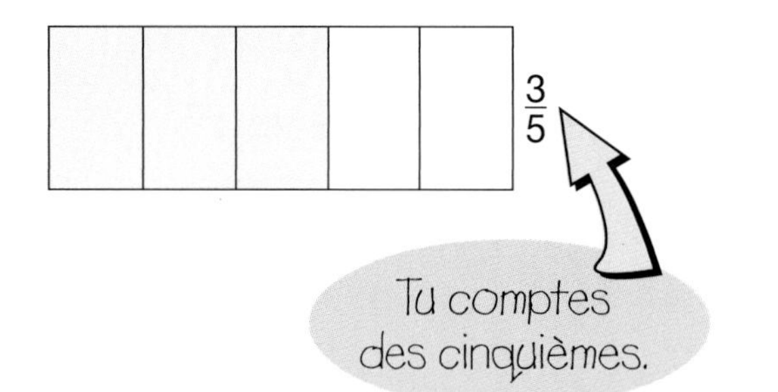

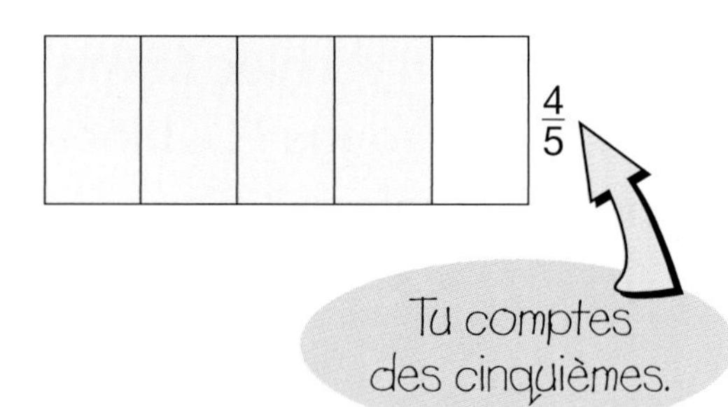

$\frac{3}{5}$ a moins de cinquièmes que $\frac{4}{5}$.
Donc, $\frac{3}{5} < \frac{4}{5}$.

$\frac{4}{5}$ a plus de cinquièmes que $\frac{3}{5}$.
Donc, $\frac{4}{5} > \frac{3}{5}$.

➤ Voici une façon de comparer $\frac{2}{6}$ et $\frac{5}{6}$.
Représente chaque fraction à l'aide de blocs-formes.

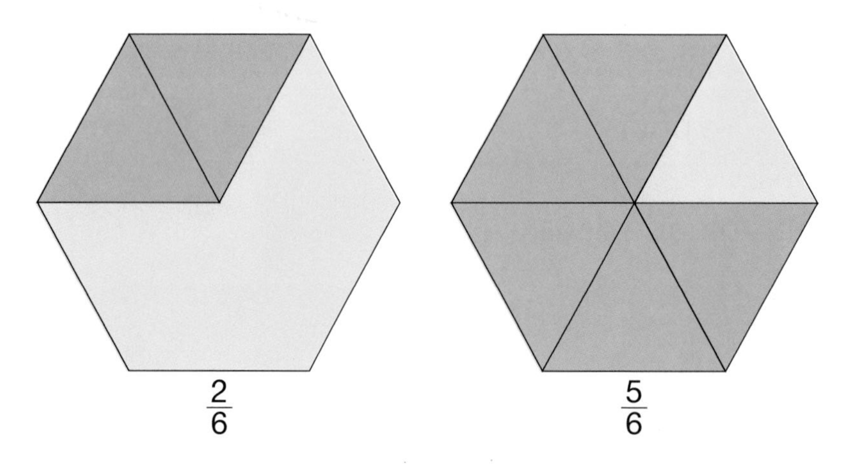

Compte le nombre de parties dans chaque fraction.
2 parties c'est plus petit que 5 parties.
Donc, $\frac{2}{6} < \frac{5}{6}$.

5 parties c'est plus grand que 2 parties.
Donc, $\frac{5}{6} > \frac{2}{6}$.

À ton tour

1. Examine chaque paire de figures.
   Écris des fractions pour comparer les parties colorées.
   Utilise les symboles $>$, $<$ ou $=$.

   a) 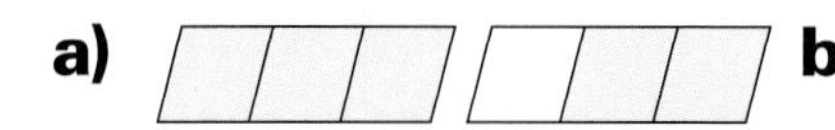 b) 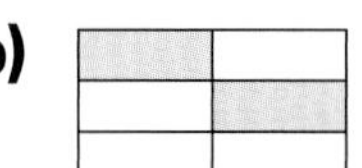 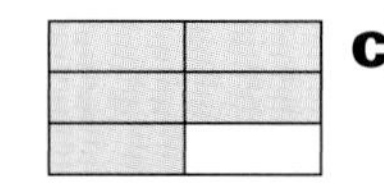 c) 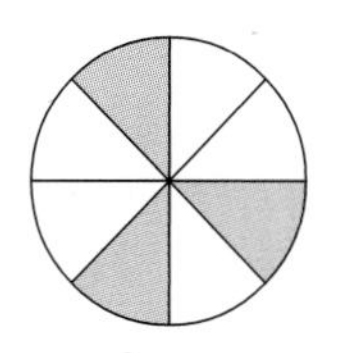 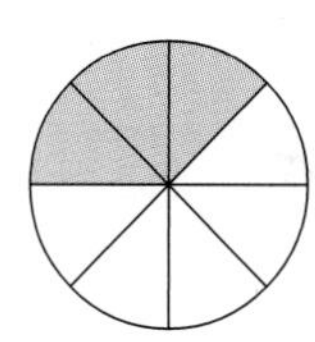

2. Utilise du papier quadrillé.
   Dessine et colorie des figures pour représenter la plus grande fraction.

   a) $\frac{2}{3}$ ou $\frac{1}{3}$ b) $\frac{4}{5}$ ou $\frac{5}{5}$ c) $\frac{3}{4}$ ou $\frac{2}{4}$

3. Dessine des figures pour représenter la plus grande fraction.

   a) $\frac{5}{8}$ ou $\frac{3}{8}$ b) $\frac{2}{2}$ ou $\frac{1}{2}$ c) $\frac{2}{6}$ ou $\frac{5}{6}$

4. Utilise un bloc-forme rouge pour représenter 1 tout.
   Montre quelle fraction est la plus grande, $\frac{2}{3}$ ou $\frac{3}{3}$.

5. Marie et Brigitte ont fait une excursion de 3 jours en canot.
   Le premier jour, Marie a parcouru $\frac{4}{10}$ de la distance totale et
   Brigitte a parcouru $\frac{3}{10}$ de la distance totale.
   Qui a parcouru la plus grande distance ?
   Fais un dessin pour montrer comment tu le sais.

6. Deux équipes de hockey s'entraînent.
   Les Ours s'entraînent $\frac{7}{12}$ d'heure et
   les Loups s'entraînent $\frac{9}{12}$ d'heure.
   Quelle équipe s'est entraînée le plus longtemps ? Comment le sais-tu ?

Réfléchis

Choisis 2 fractions différentes qui ont le même dénominateur.
Fais des dessins pour montrer à une ou un camarade comment comparer les deux fractions.

LEÇON

La boîte à outils

Explore

Amélie et Dany ont tous les deux détaché une feuille de papier de couleur dans la même tablette.
Amélie a découpé sa feuille en quarts.
Dany a découpé sa feuille en sixièmes.
Qui a les plus gros morceaux ?

Qu'as-tu **trouvé ?**

Explique comment tu as résolu le problème.

Découvre

Sébastien crée une figure à l'aide de carreaux.
Il a terminé les deux cinquièmes de sa figure.

Quelle pourrait être la forme complète de sa figure ?

Stratégies

- **Fais un tableau.**
- **Utilise un modèle.**
- **Fais un dessin.**
- **Résous un problème plus simple.**
- **Travaille à rebours.**
- **Prédis et vérifie.**
- **Dresse une liste ordonnée.**
- **Cherche une régularité.**

 OBJECTIF | Interpréter un problème et choisir une stratégie appropriée.

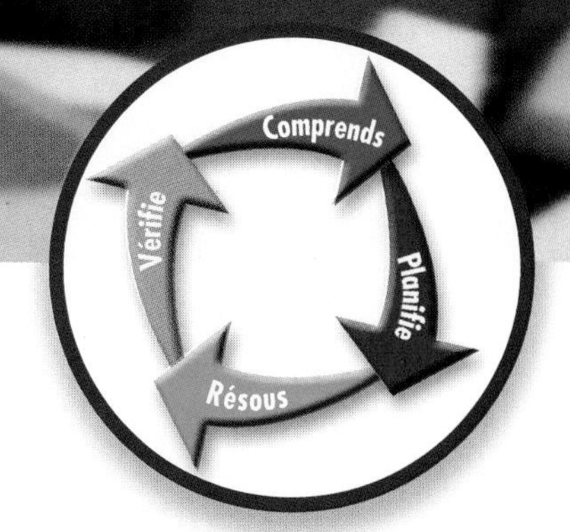

Que sais-tu ?
- Les carreaux ont tous la même taille.
- Les deux cinquièmes de la figure sont terminés.

Pense à une stratégie qui peut t'aider à résoudre le problème.
- Tu peux **utiliser un modèle**.
- Choisis du matériel pour représenter les carreaux.

Utilise ton matériel pour représenter ce que Sébastien est en train de faire.
- Combien de carreaux a-t-il utilisés jusqu'ici ?
- Combien utilisera-t-il de carreaux en tout ?

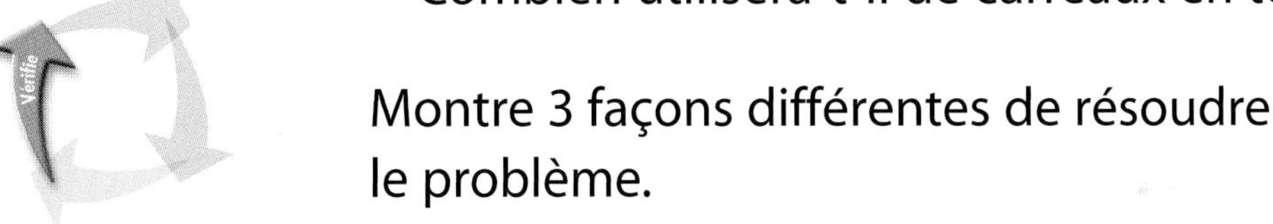

Montre 3 façons différentes de résoudre le problème.

À ton tour

Choisis une **Stratégie**

1. Daniel a colorié un rectangle : $\frac{1}{8}$ bleu, $\frac{3}{8}$ vert et le reste orange.
   Quelle fraction du rectangle est orange ?

2. Montre comment tu peux diviser un carré en 2 morceaux égaux.
   Trouve au moins 2 façons.

Réfléchis

Décris une situation où tu aurais à trouver une fraction d'un tout. Explique à l'aide de dessins, de nombres ou de mots.

Module 5 Montre ce que tu sais

LEÇON 1

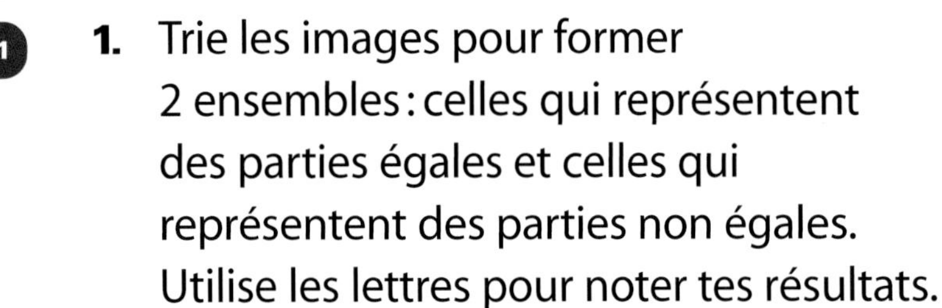

1. Trie les images pour former 2 ensembles : celles qui représentent des parties égales et celles qui représentent des parties non égales. Utilise les lettres pour noter tes résultats.

Parties égales	Parties non égales

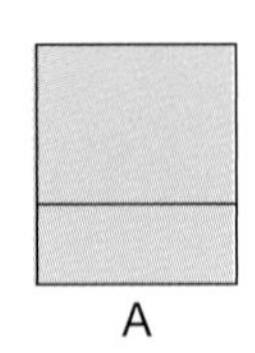
A

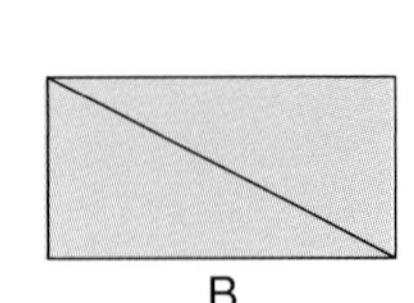
B

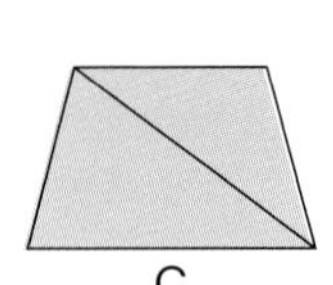
C

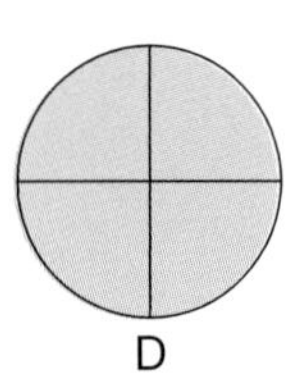
D

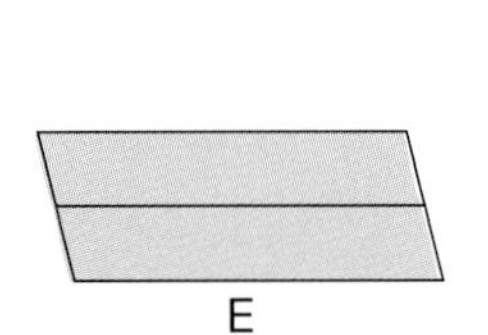
E

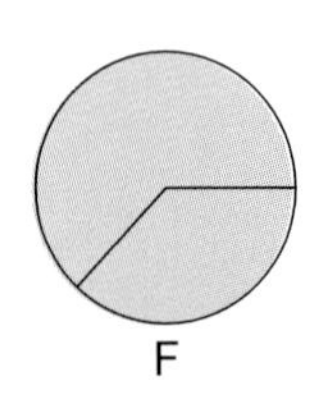
F

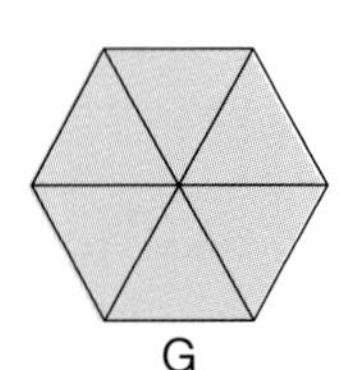
G

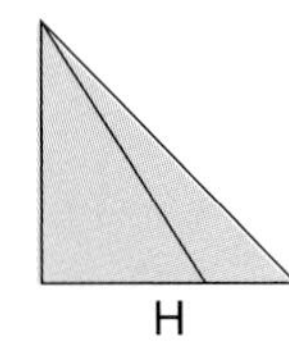
H

LEÇON 2

2. Quelles images représentent des quarts ? Quelles images ne représentent pas des quarts ? Comment le sais-tu ?

a) 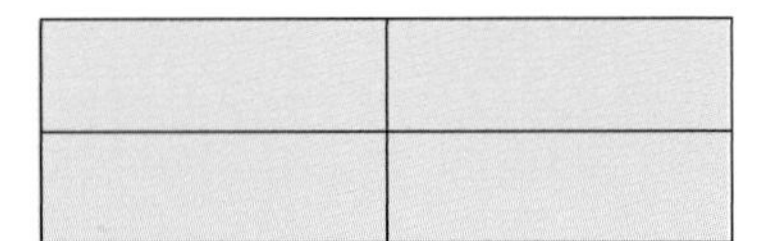

b) 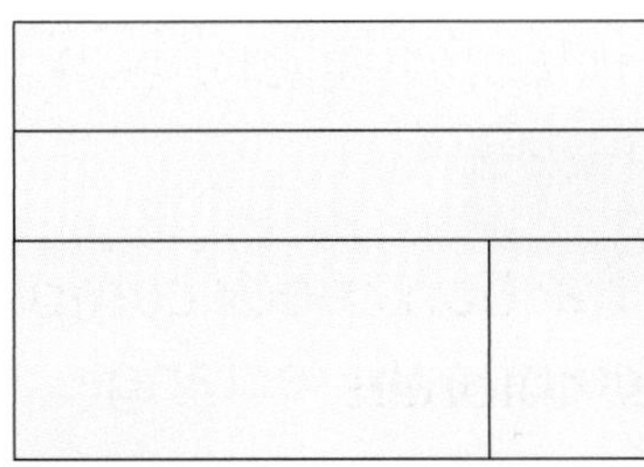

c) 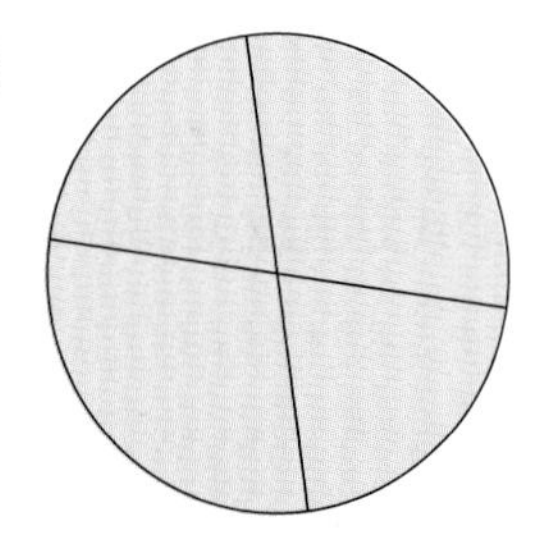

d) 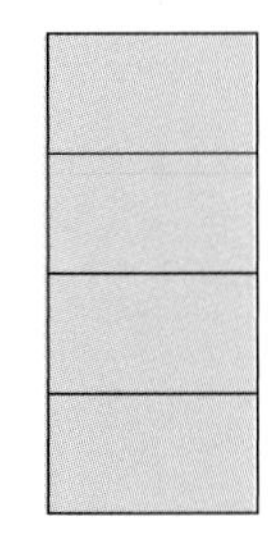

LEÇON 3

3. Plie une bande de papier pour représenter des sixièmes.

a) Colorie 1 sixième de la bande.

b) Quelle fraction de la bande **n'**est **pas** colorée ?

LEÇON

4

4. Utilise des symboles et des mots.
Écris une fraction qui représente la partie colorée.
Écris une fraction qui représente la partie qui n'est pas colorée.

a)

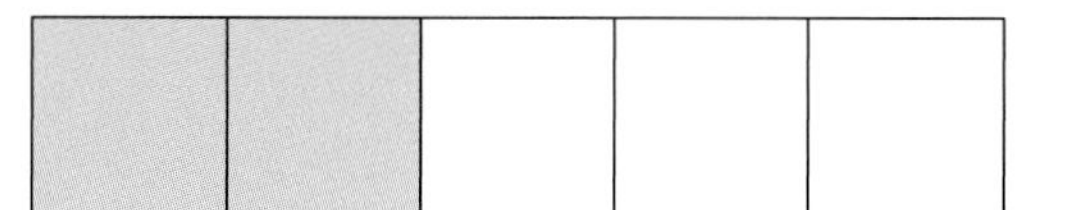

b)

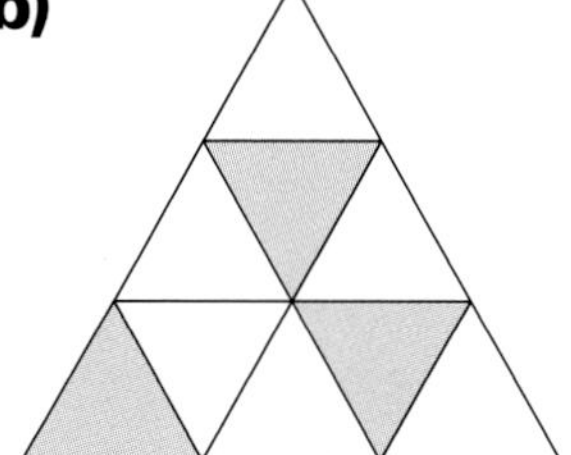

c)

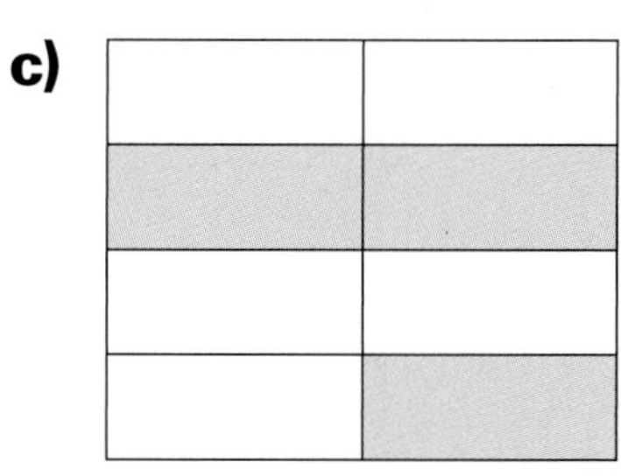

5. Dessine un rectangle qui représente chaque description.

a) $\frac{1}{3}$ bleu et $\frac{2}{3}$ rouge

b) $\frac{1}{4}$ jaune, $\frac{1}{4}$ vert et $\frac{2}{4}$ bleu

c) $\frac{1}{8}$ orange, $\frac{3}{8}$ noir et le reste vert
Quelle fraction représente la partie verte ?

5

6. Écris des fractions pour comparer les parties colorées.
Utilise les symboles $>$, $<$ ou $=$.

a)

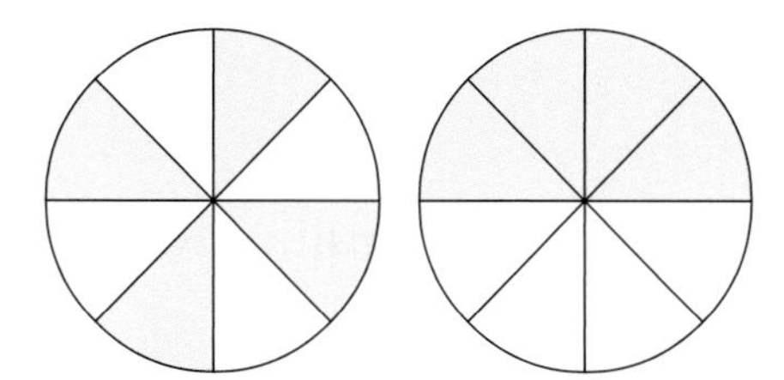

b)

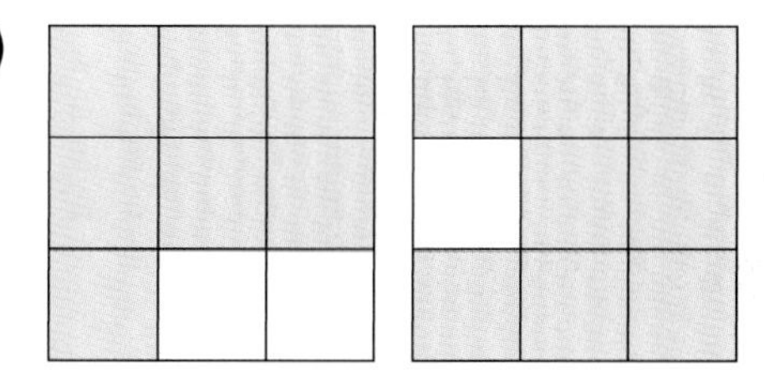

MODULE 5

Tes objectifs

- ☑ Trouver les parties égales d'un tout.
- ☑ Utiliser des fractions pour décrire les parties d'un tout.
- ☑ Représenter les fractions d'un tout à l'aide de matériel concret, de dessins et de symboles.
- ☑ Comparer des fractions qui ont le même dénominateur.

Problème du module

À la pizzeria

Line prépare les pizzas à la pizzeria du quartier.

Partie 1

Lis les commandes de pizzas.
Représente chaque pizza en les découpant dans une feuille de papier.
Assure-toi que chaque pizza est divisée en portions égales.
Dessine la garniture sur les pizzas.
Décris les parties de chaque pizza à l'aide de fractions.

Liste de contrôle

Ton travail devrait montrer :

- ☑ les dessins des différentes pizzas divisées en portions égales ;
- ☑ les fractions qui permettent de décrire les pizzas ;
- ☑ une utilisation correcte du langage et des symboles mathématiques pour noter tes réponses.

Partie 2

Dessine ta propre pizza.
Choisis un nombre de pointes égales et dessine-les.
Dessine ta garniture préférée.
Décris ta pizza à l'aide de fractions.

Partie 3

Sarah, Michel et Nicolas ont commandé une pizza rectangulaire de 12 morceaux. Sarah a mangé 4 morceaux. Michel et Nicolas ont mangé chacun 3 morceaux.
Représente la pizza à l'aide d'un dessin.
Utilise des fractions pour indiquer la quantité de pizza que chaque personne a mangée et la quantité de pizza qui reste.

Retour sur le module

Écris 1 chose importante que tu as apprise au sujet des fractions. Explique pourquoi il est important de savoir cela.

MODULE 6

La géométrie

La construction du château

Tes objectifs

- Trier des polygones selon le nombre de côtés.
- Décrire des objets à trois dimensions selon la figure des faces et selon le nombre d'arêtes et de sommets.

Mots clés

- un polygone
- une figure
- un objet à trois dimensions
- une face
- une arête
- un sommet
- une base
- un squelette
- un prisme
- un cube
- une pyramide
- un cône
- une sphère
- un cylindre
- un triangle
- un quadrilatère
- un pentagone
- un hexagone
- un octogone

Des villageois du Moyen-Âge construisent les murs du château de leur seigneur.

- Quels objets à trois dimensions et figures à deux dimensions vois-tu ?
- Quelles sont les différences et les ressemblances entre les figures à deux dimensions ?
- Quelles sont les différences et les ressemblances entre les objets à trois dimensions ?
- Que peux-tu dire d'autre au sujet des figures et des objets représentés dans l'image ?

Nommer des polygones

Ces figures sont des **polygones**.

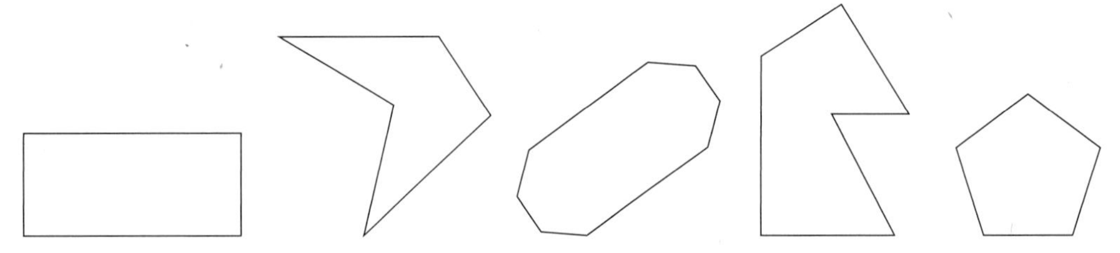

Ces figures ne sont pas des polygones.

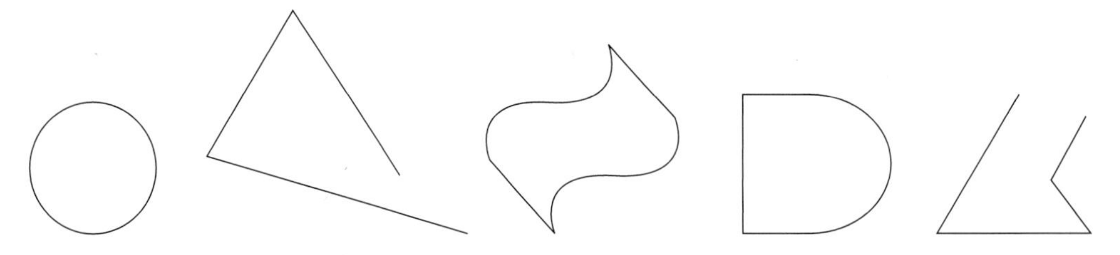

Qu'est-ce qu'un polygone ?
Regarde dans la classe. Trouve des exemples de polygones.

Explore

Tu as besoin de géoplans, de bandes élastiques et de papier à points.
Travaillez à tour de rôle avec ta ou ton camarade.

➤ Construis un polygone sur le géoplan.
Demande à ta ou ton camarade de le décrire.

➤ Reproduis le polygone sur du papier à points.
Écris ce que tu sais au sujet de ce polygone.

Répète jusqu'à ce que tu aies construit 6 polygones.

Qu'as-tu **trouvé ?**

Compare tes polygones avec ceux d'autres camarades.
Nomme les polygones que tu connais.

OBJECTIF | Nommer et décrire des polygones.

Découvre

Les polygones ont des côtés droits qui sont reliés entre eux.

Un polygone à 3 côtés est un **triangle**.

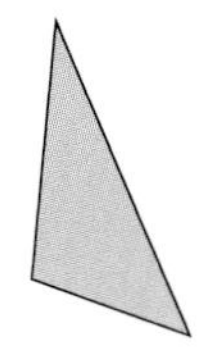 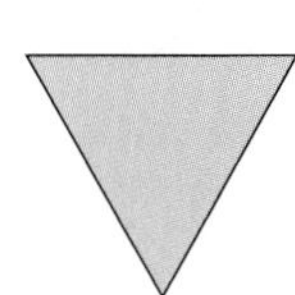 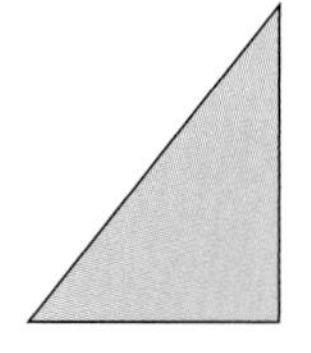

Un polygone à 4 côtés est un **quadrilatère**.

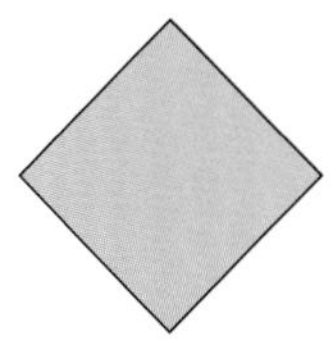 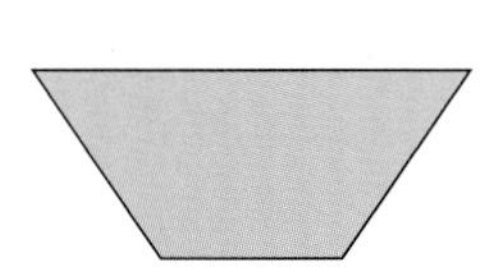 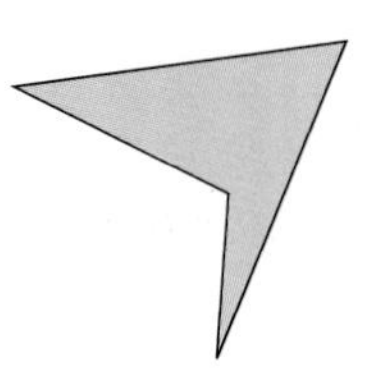

Un polygone à 5 côtés est un **pentagone**.

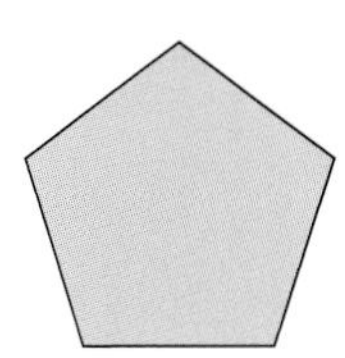  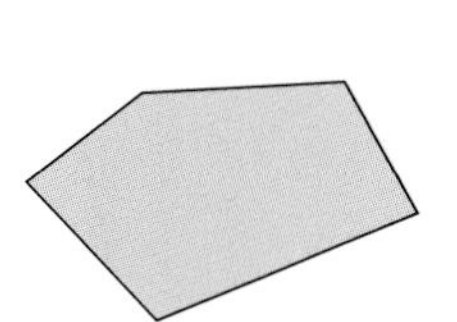

Un polygone à 6 côtés est un **hexagone**.

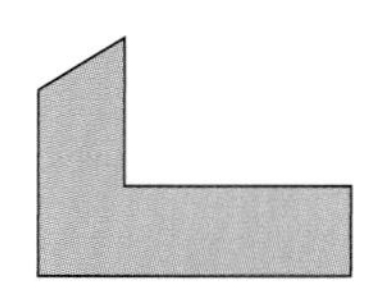 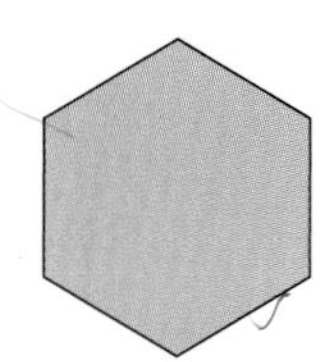 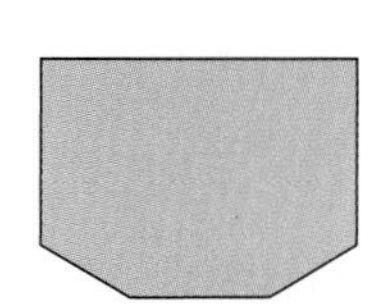

Un polygone à 8 côtés est un **octogone**.

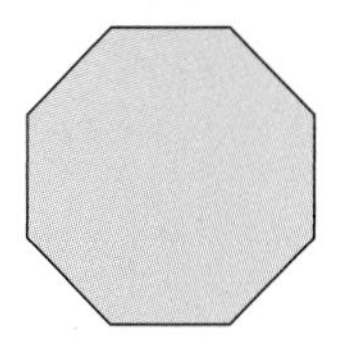 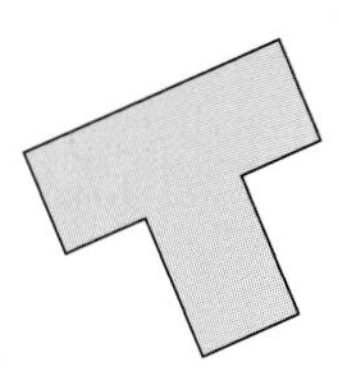 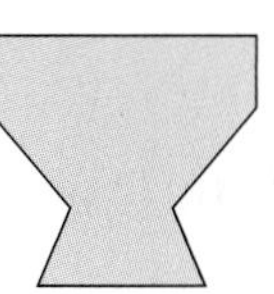

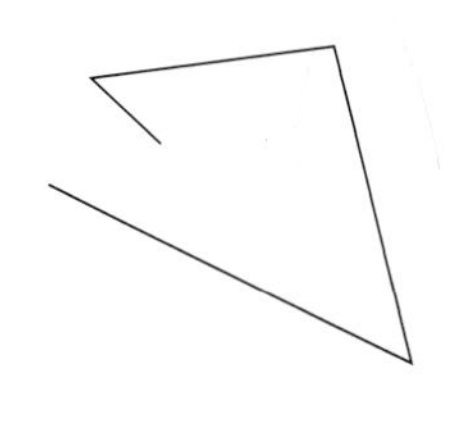 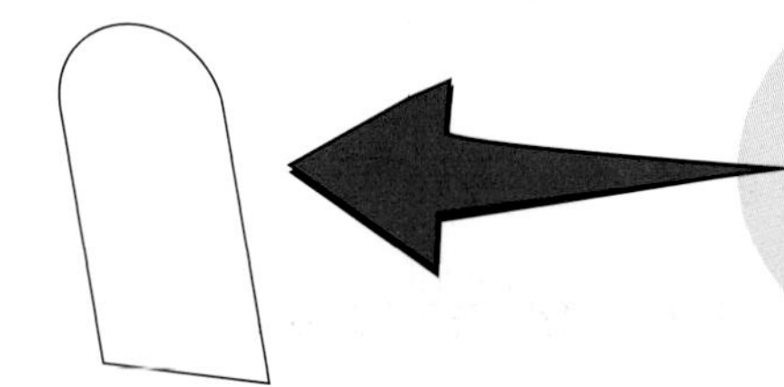

Ces figures ne sont pas des polygones, car les côtés ne sont pas reliés entre eux ou ne sont pas tous droits.

1. Utilise un géoplan et du papier à points.
   a) Construis un quadrilatère à l'intérieur d'un octogone.
   b) Construis un pentagone et un hexagone qui ont un côté commun.
   c) Construis un triangle qui a des côtés de longueurs différentes.
   Reproduis tes polygones sur du papier à points.

2. Utilise les polygones suivants.

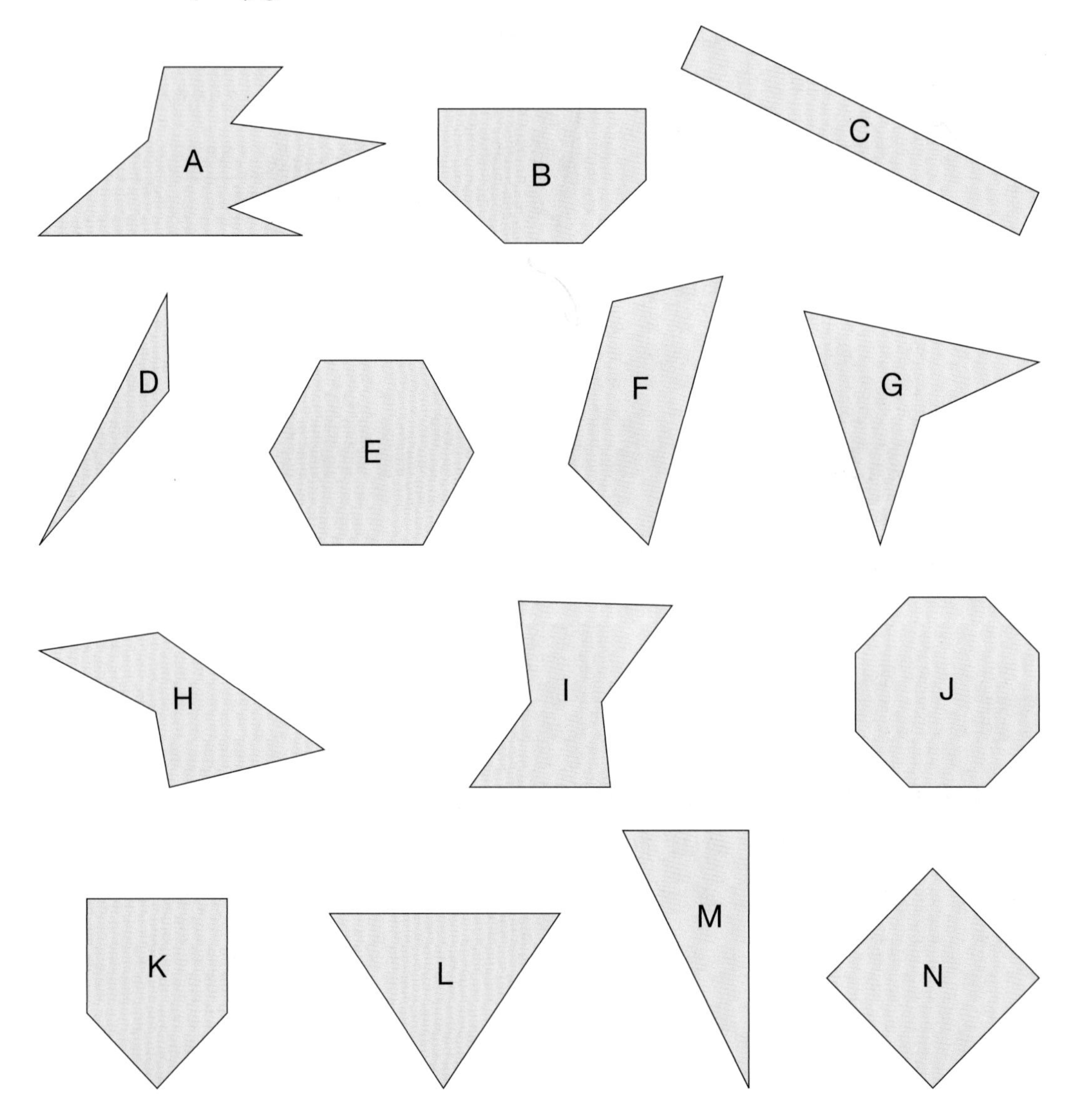

   a) Trouve deux quadrilatères différents.
   Quelles sont leurs ressemblances ?
   b) Quels polygones sont des hexagones ? Comment le sais-tu ?
   c) Stéphane dit que le polygone A est un octogone.
   Es-tu d'accord ? Explique pourquoi.

3. Utilise les polygones de la question 2.
   a) Recopie le tableau et remplis les cases vides.
   b) Choisis 2 polygones qui ont le même nombre de côtés. Quelles sont leurs ressemblances et leurs différences ?
   c) Quand tu nommes un polygone, la longueur des côtés est-elle importante ? Explique à l'aide d'exemples.

Nombre de côtés	Polygone	Nom du polygone
3		
4		
5		
6		
8		

4. Quel est le nom de chaque polygone ?
   a) Un polygone à 8 côtés
   b) Un polygone à 6 côtés
   c) Un polygone à 3 côtés de même longueur
   d) Un polygone à 3 côtés de différentes longueurs

5. Utilise du papier à points. Dessine ces polygones.
   a) 2 quadrilatères différents
   b) 2 hexagones différents
   c) 2 triangles différents
   d) 2 pentagones différents

6. Choisis une partie de la question 5. Décris les 2 polygones que tu as dessinés. Explique comment tu sais qu'ils ont le même nom.

Réfléchis

Un polygone peut-il avoir moins de 3 côtés ? Explique à l'aide de mots, de dessins ou de nombres.

À la maison

Cherche des polygones à la maison. Nomme les polygones que tu trouves.

Trier des polygones

Tu as besoin d'agrandissements de ces polygones découpés dans du papier. Travaille en petits groupes.

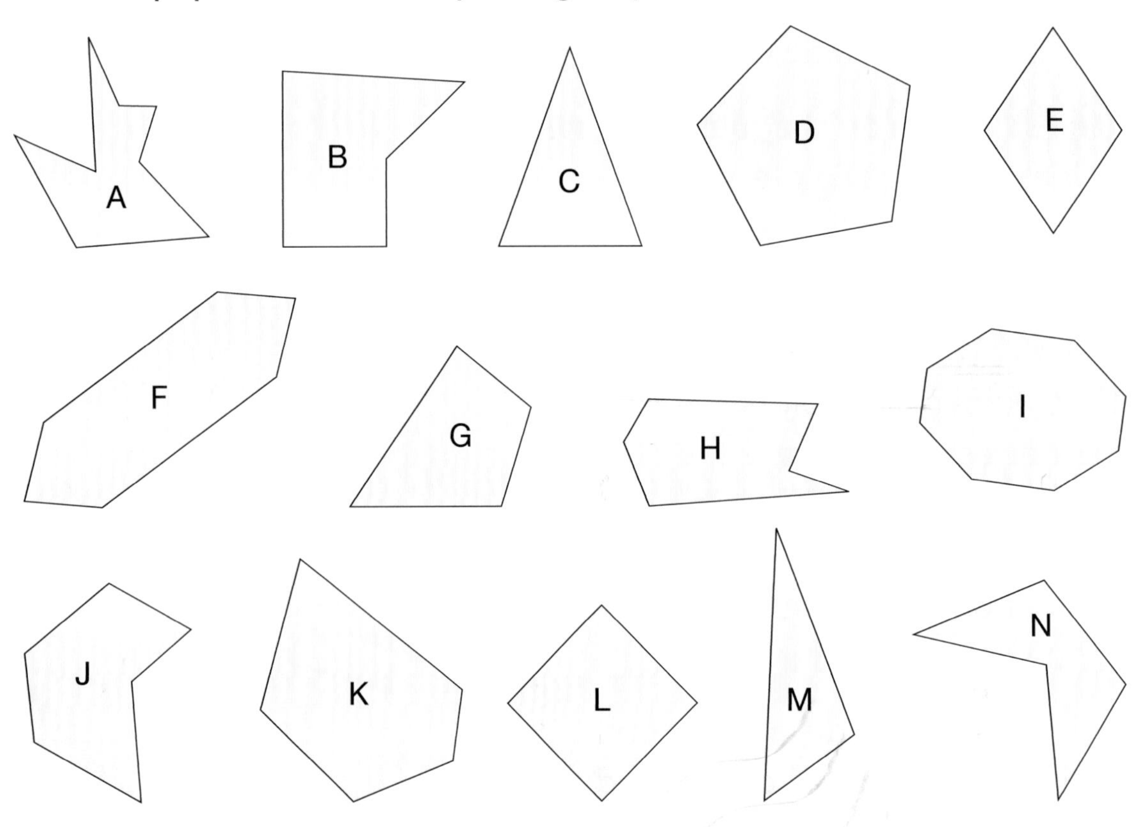

- Triez les polygones pour former au moins 2 ensembles.
  Notez les lettres pour donner les résultats du tri.
  Expliquez comment vous avez fait votre tri.
- Répétez l'activité.
  Triez les polygones d'une autre façon.

Qu'as-tu trouvé ?

Montrez votre tri à un autre groupe.
Discutez de la façon dont vous avez trié les polygones.

 OBJECTIF | Comparer et trier des polygones.

Découvre

Tu peux trier des polygones selon le nombre de côtés.

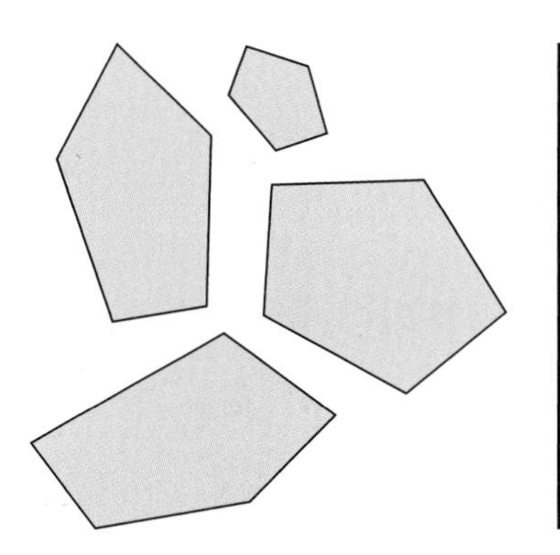

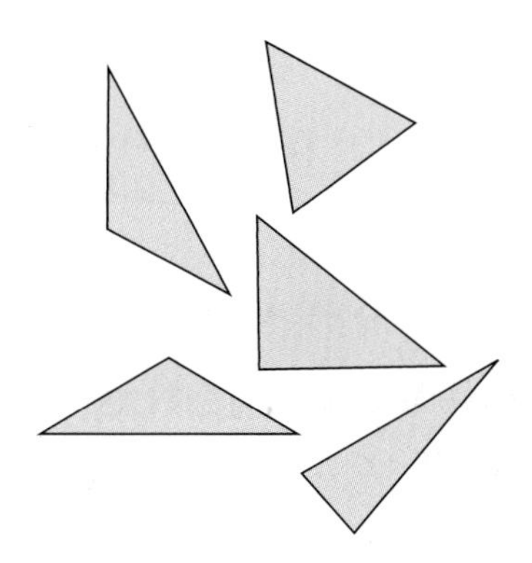

La règle de tri est :

Des polygones à 5 côtés et des polygones à 3 côtés

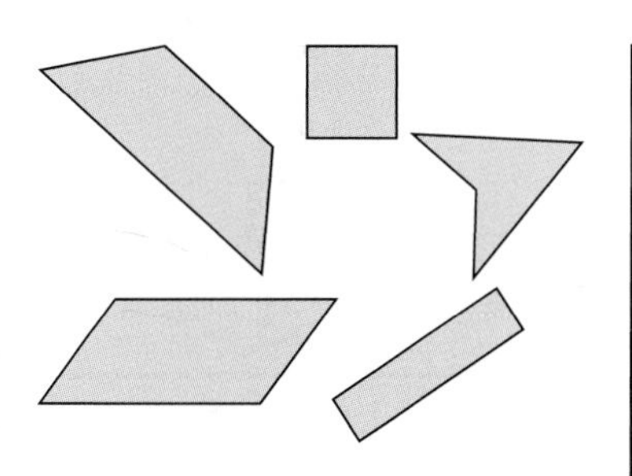

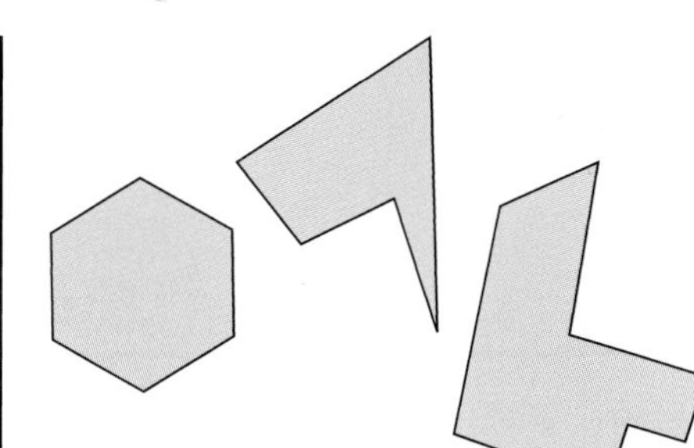

La règle de tri est :

Des polygones à 4 côtés et des polygones qui ont plus de 4 côtés

À ton tour

Pour les questions 1 et 2, utilise les polygones de la rubrique *Explore*.

1. Trie les polygones en fonction de chaque règle de tri. Note les lettres pour donner les résultats de ton tri.

a) Des polygones à 3 côtés et des polygones à 6 côtés

b) Des polygones qui ont moins de 5 côtés et des polygones à 8 côtés

c) Des quadrilatères et des polygones qui ne sont pas des quadrilatères

2. Le tri secret

Jeu

Trie les polygones. Suis une règle secrète de tri.
Demande à une ou un camarade de donner la règle de tri.
Si la règle est la bonne, ta ou ton camarade marque 1 point.
Si la règle n'est pas la bonne, tu marques 1 point.
Jouez à tour de rôle. La première personne qui marque 5 points gagne la partie.

3. Julie a trié des polygones selon le nombre de côtés. Elle a formé 2 ensembles. Les polygones ont-ils été triés correctement ? Comment le sais-tu ?

4. a) Claude a formé cet ensemble de polygones. Quelle est la règle de tri ?

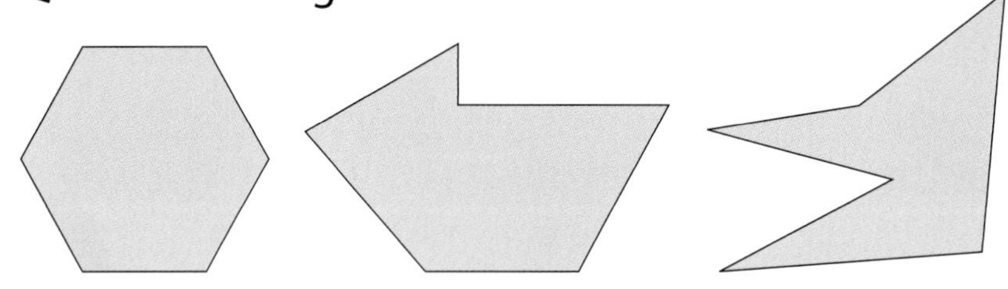

b) Lesquels des polygones suivants font partie de l'ensemble de Claude ? Comment le sais-tu ?

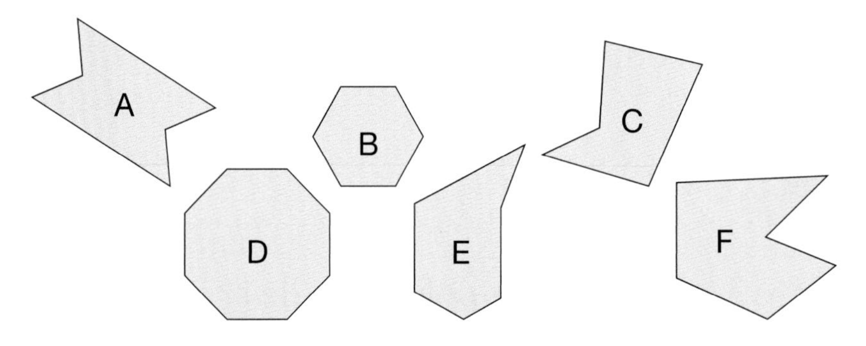

c) Lesquels des polygones de la partie b ne font pas partie de l'ensemble de Claude ? Comment le sais-tu ?

d) Dessine un polygone qui fait partie de l'ensemble de Claude. Comment sais-tu qu'il en fait partie ?

5. Choisis 2 des cartes suivantes.

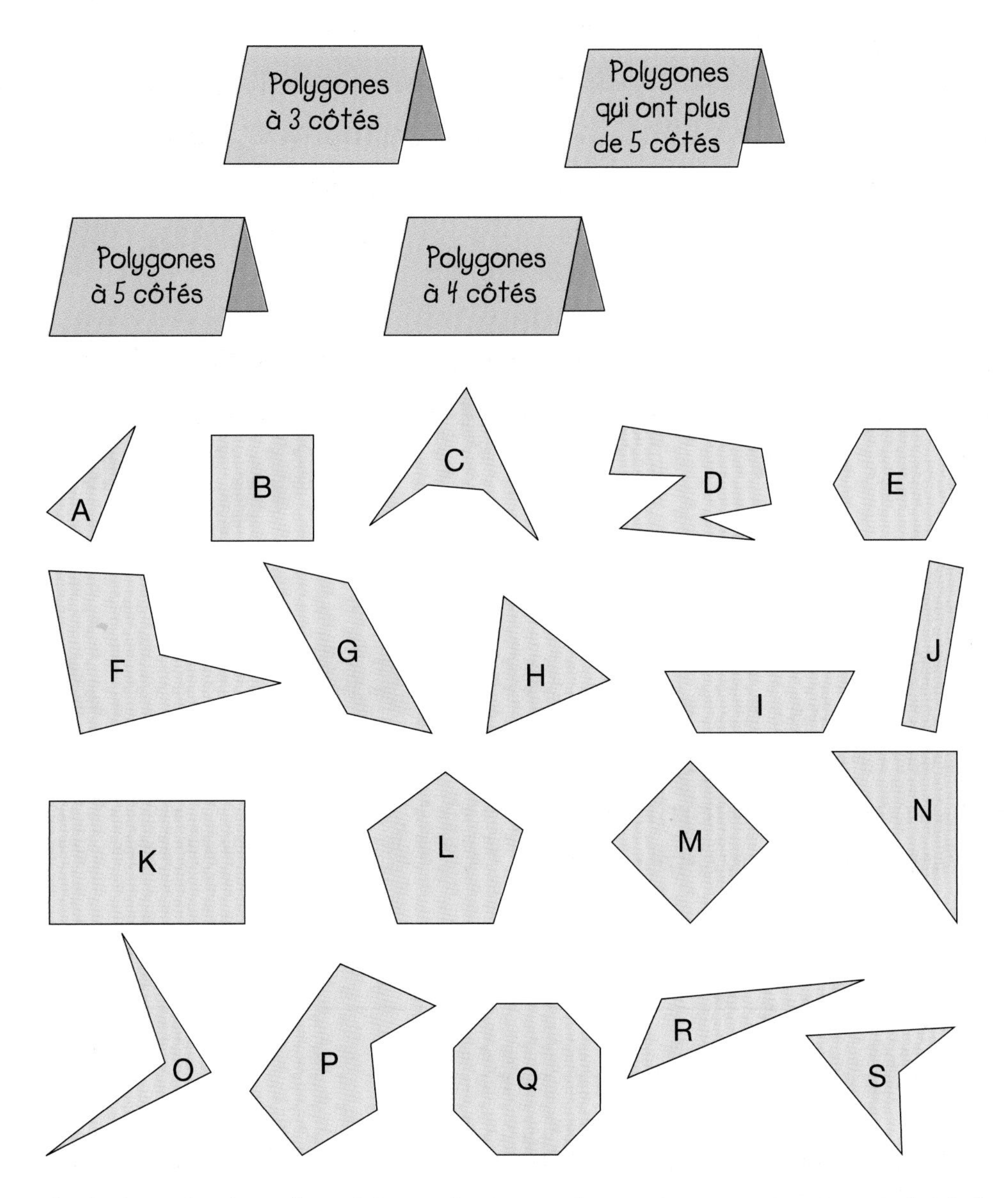

Suis les règles de tri inscrites sur les cartes que tu as choisies.
Trie autant de polygones que tu peux.
Note les lettres pour donner les résultats de ton tri.
Prends les 2 autres cartes.
Trie une nouvelle fois les polygones.

Réfléchis

Quelle stratégie utilises-tu pour te souvenir des côtés que tu as déjà comptés dans un polygone ?
Explique à l'aide de dessins, de nombres et de mots.

LEÇON

La boîte à outils

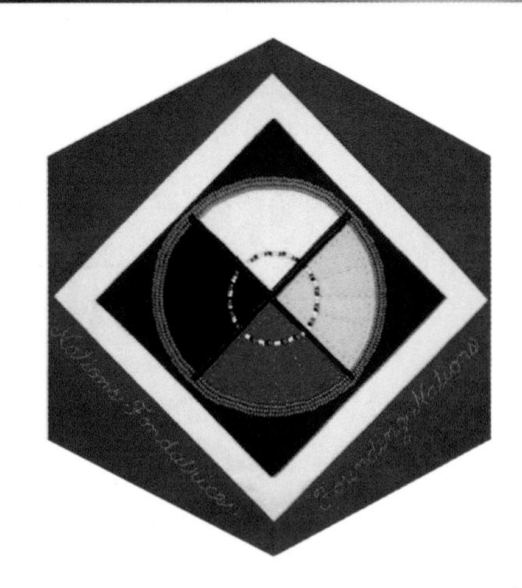

La courtepointe Fibres du monde représente toutes les Premières nations du Canada. La roue de médecine fait partie de la courtepointe. Quels polygones y vois-tu ?

Explore

Choisis 3 blocs-formes.

- Dispose les blocs-formes de façon à construire un polygone.
- Avec les mêmes 3 blocs-formes, construis des polygones différents.
- Dessine tes polygones.

Voici ce que tu peux faire.

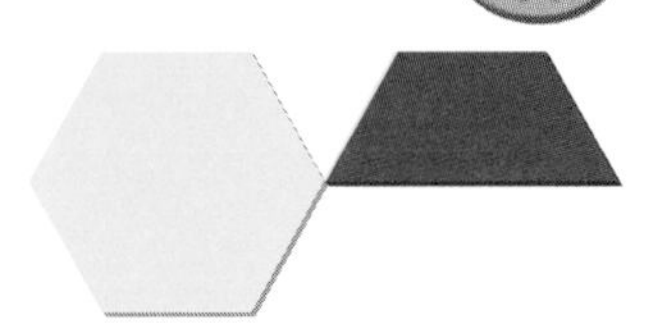

Voici ce que tu **ne peux pas** faire.

Qu'as-tu trouvé ?

Montre tes polygones à deux autres camarades. Mets tes camarades au défi de construire un polygone différent avec tes blocs-formes.

Stratégies

- **Fais un tableau.**
- **Utilise un modèle.**
- **Fais un dessin.**
- **Résous un problème plus simple.**
- **Travaille à rebours.**
- **Prédis et vérifie.**
- **Dresse une liste ordonnée.**
- **Cherche une régularité.**

Découvre

Utilise 3 blocs-formes : 1 vert, 1 orange et 1 rouge. Combien d'hexagones différents peux-tu construire ?

Que sais-tu ?

- Tu dois utiliser 3 blocs-formes : 1 vert, 1 orange et 1 rouge.
- Tu dois construire des hexagones.

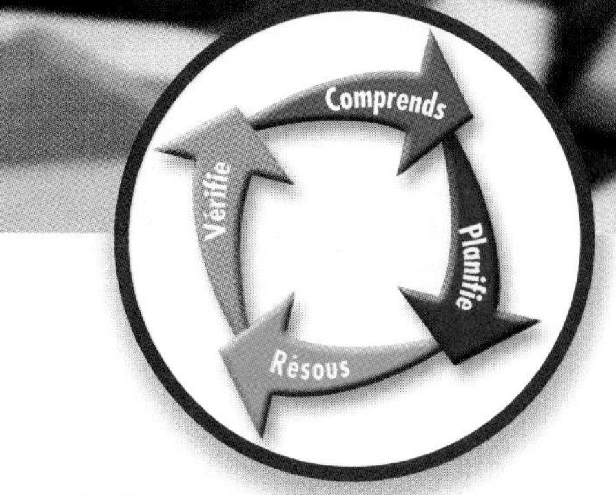

Pense à une stratégie qui peut t'aider à résoudre le problème.

- Tu peux utiliser la stratégie « **prédis et vérifie** » pour construire des hexagones.

- Dispose les blocs-formes de façon à obtenir un hexagone.
- Compte les côtés.
- Si le polygone est un hexagone, dessine-le.
  Si le polygone n'est pas un hexagone, recommence.

Vérifie ton travail.
As-tu construit des hexagones ? Comment le sais-tu ?

À ton tour

Choisis une **Stratégie**

1. Pense aux polygones que tu connais. Quels polygones peux-tu construire avec 2 blocs-formes ? Montre ton travail.

Nous connaissons le triangle, le quadrilatère...

... le pentagone, l'hexagone et l'octogone.

2. Construis des quadrilatères à l'aide de :
   a) 3 blocs-formes
   b) 4 blocs-formes
   c) 5 blocs-formes
   Combien de quadrilatères différents peux-tu construire ?

Quels polygones ont été les plus faciles à construire ? Les plus difficiles ? Explique ta réponse.

Décrire des prismes et des pyramides

Ce bâtiment ressemble à une **pyramide**. Ce bâtiment ressemble à un **prisme**.

Quelles sont les ressemblances et les différences entre ces objets à trois dimensions ?

➤ Choisis un des objets à trois dimensions suivants.
Ne révèle pas ton choix.
Donne à ta ou ton camarade 3 indices au sujet de ton objet.
Demande-lui de trouver l'objet.

➤ Échangez les rôles.
Répétez cette activité 4 fois.

Qu'as-tu **trouvé ?**

Explique à ta ou ton camarade comment tu as trouvé chaque objet.
Quels indices t'ont aidé le plus ?

Découvre

➤ Une pyramide a 1 **base.** La base est une **face.**
Certaines faces d'une pyramide sont des triangles.

Cette pyramide a 5 sommets, 8 arêtes et 5 faces :
- 1 carré
- 4 triangles

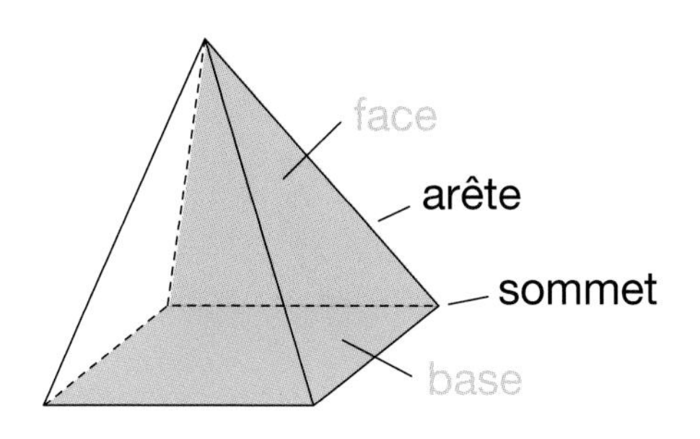

Cette pyramide a 7 sommets, 12 arêtes et 7 faces :
- 1 hexagone
- 6 triangles

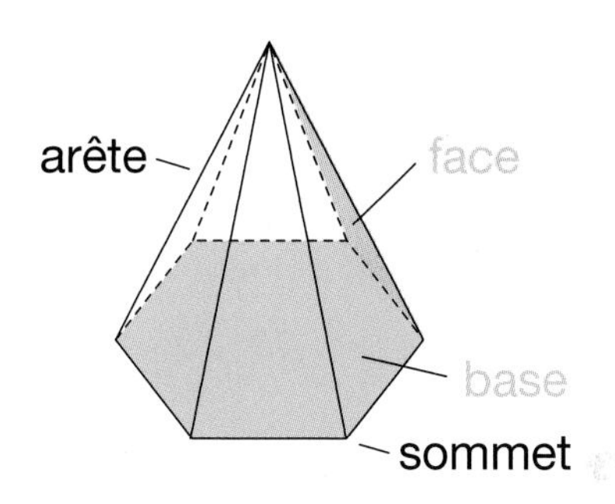

➤ Un prisme a 2 bases identiques.
Certaines faces d'un prisme sont des rectangles.

Ce prisme a 6 sommets, 9 arêtes et 5 faces :
- 2 triangles
- 3 rectangles

Ce prisme a 10 sommets, 15 arêtes et 7 faces :
- 2 pentagones
- 5 rectangles

Un cube est un prisme.
Il a 8 sommets, 12 arêtes et 6 faces carrées.

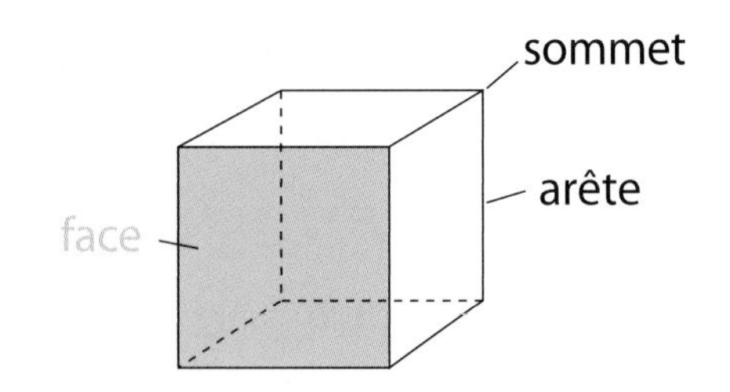

À ton tour

1. Trouve des objets à trois dimensions comme dans ces images.
Nomme la figure des faces de chaque pyramide.
Combien de faces, d'arêtes et de sommets y a-t-il dans chaque pyramide ?

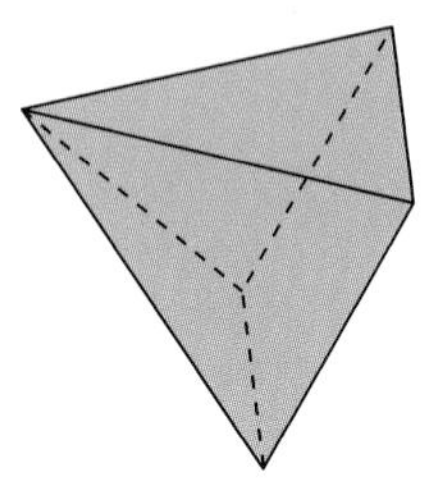
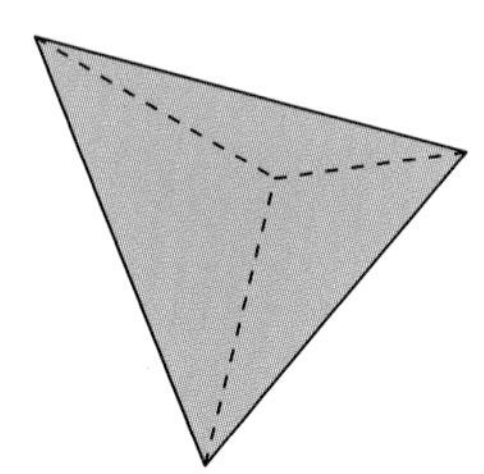
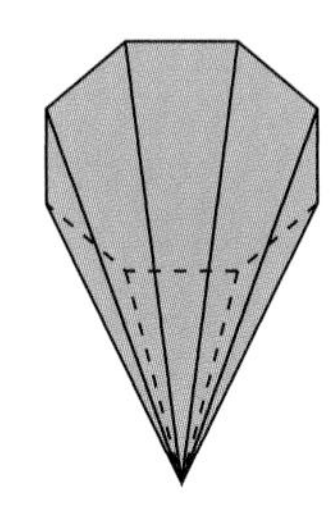

2. Trouve des objets à trois dimensions comme dans ces images.
Nomme la figure des faces de chaque prisme.
Combien de faces, d'arêtes et de sommets y a-t-il dans chaque prisme ?

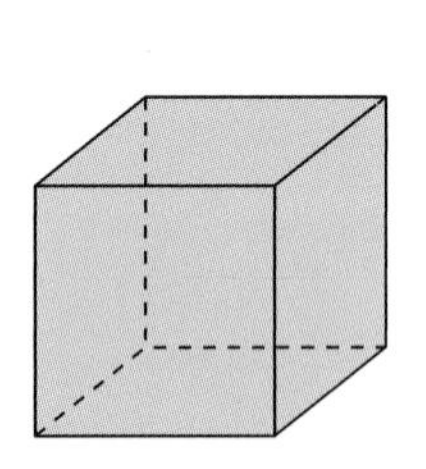
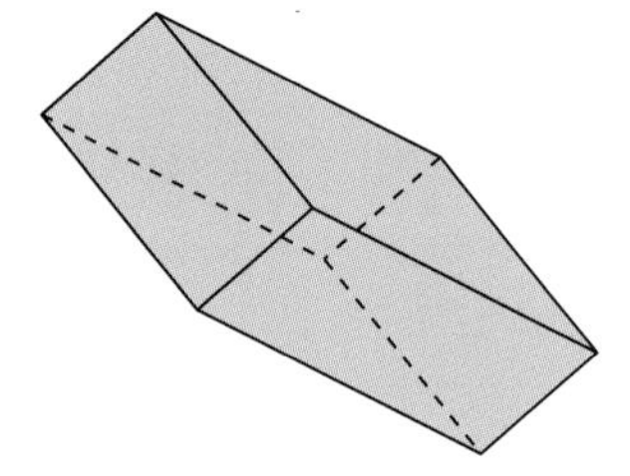
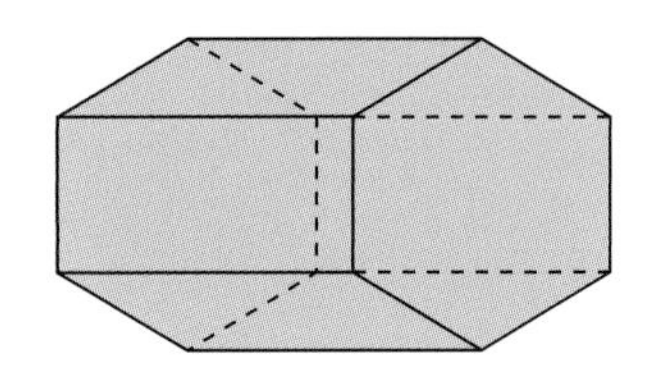

Études sociales

Les autochtones de la côte nord-ouest du Pacifique fabriquaient des boîtes en bois cintré de toutes les tailles, qu'ils utilisaient comme rangement. Ils y conservaient de la nourriture, des vêtements et des objets rituels. De nos jours, ces boîtes sont considérées comme des œuvres d'art. Elles ont la forme de prismes.

Utilise des objets à trois dimensions qui ressemblent à ces images pour répondre aux questions 3 et 4.

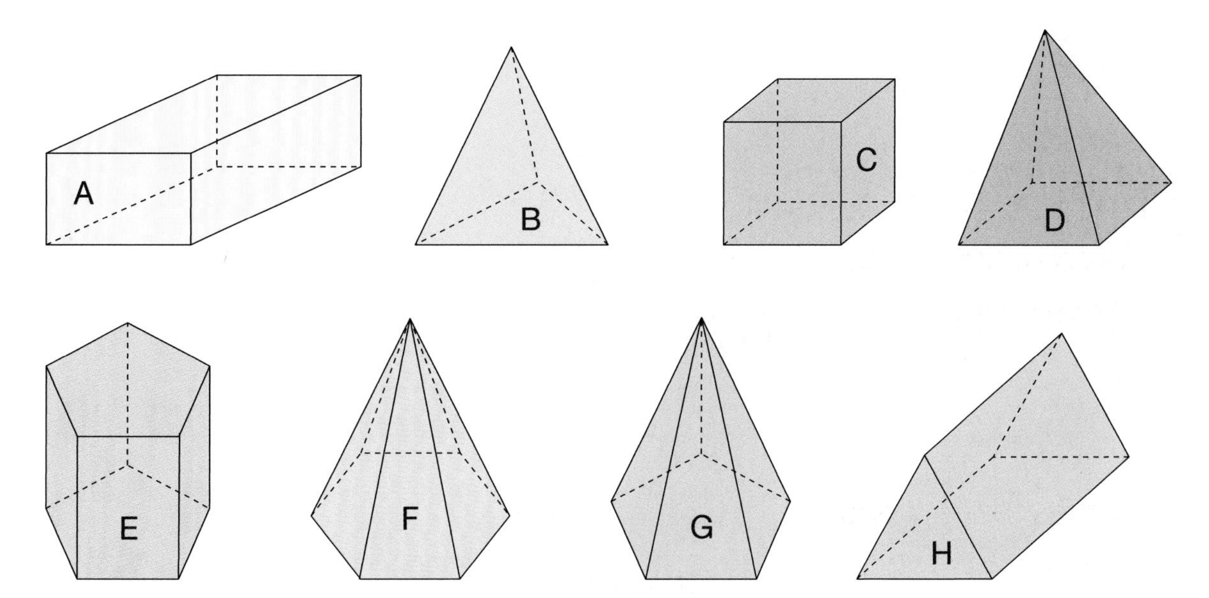

3. Lesquels de ces objets sont des prismes ? Comment le sais-tu ?
Choisis un prisme.
Combien a-t-il de faces, d'arêtes et de sommets ?

4. Lesquels de ces objets sont des pyramides ? Comment le sais-tu ?
Choisis une pyramide.
Combien a-t-elle de faces, d'arêtes et de sommets ?

5. Renée a étiqueté chaque image.
Ses étiquettes sont-elles correctes ?
Si elles ne le sont pas, qu'est-ce que tu corrigerais ?

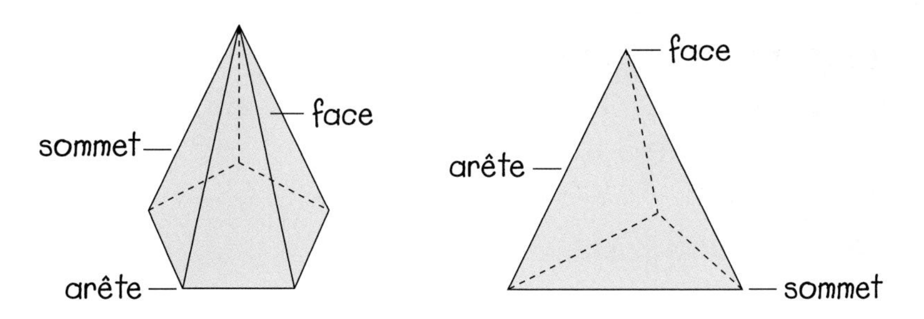

Réfléchis

Comment décrirais-tu un prisme et une pyramide à une ou un camarade ?

Décrire des cylindres, des cônes et des sphères

Cette boîte de conserve ressemble à un **cylindre**.

Ce chapeau ressemble à un **cône**.

Ce ballon ressemble à une **sphère**.

Quelles sont les ressemblances et les différences entre ces objets à trois dimensions ?

- Choisis un des objets à trois dimensions suivants. Ne révèle pas ton choix. Donne à ta ou ton camarade 3 indices au sujet de ton objet. Demande-lui de trouver l'objet.
- Échangez les rôles. Répétez cette activité 4 fois.

Qu'as-tu **trouvé ?**

Explique à ta ou ton camarade comment tu as trouvé chaque objet. Quels indices t'ont aidé le plus ?

Découvre

Un cône a 1 sommet, 1 arête et
1 face qui est un cercle.

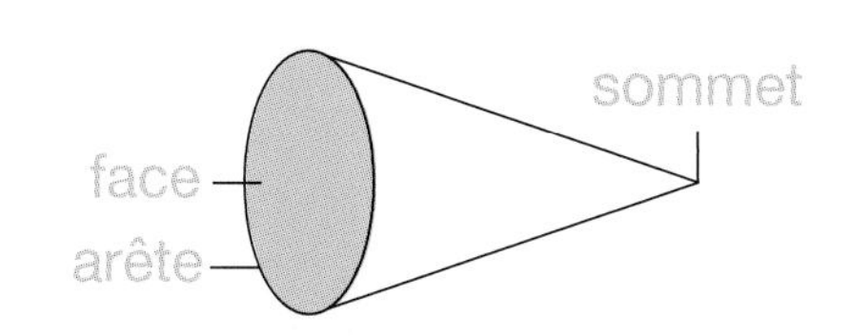

Un cylindre a 0 sommet, 2 arêtes et
2 faces qui sont des cercles.

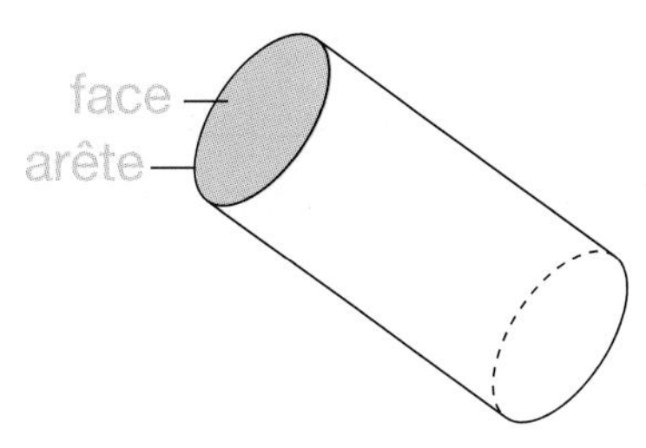

Une sphère a 0 sommet, 0 arête et
0 face.

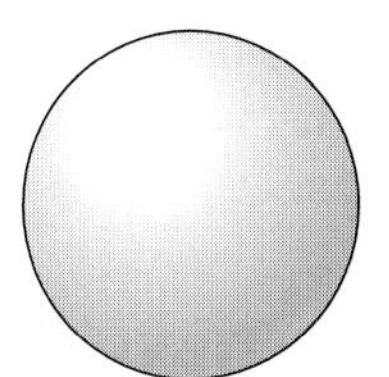

À ton tour

1. Recopie le tableau et remplis les cases vides.

	Nom de l'objet	Nombre de faces	Figure des faces	Nombre d'arêtes	Nombre de sommets

2. Yannick a étiqueté chaque image.
Ses étiquettes sont-elles correctes ?
Si elles ne le sont pas, qu'est-ce que tu corrigerais ?

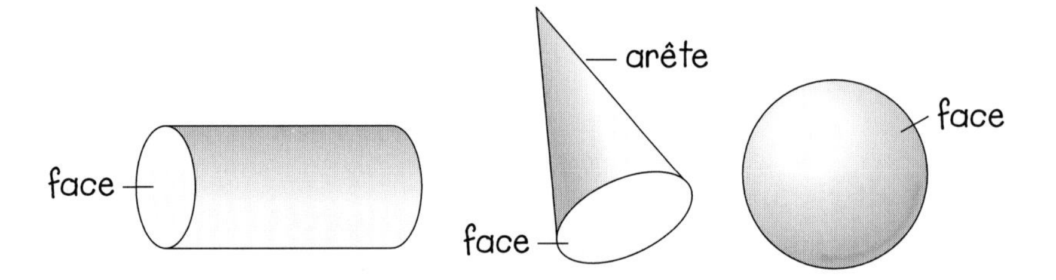

3. Chaque phrase est-elle vraie ou fausse ?
Explique comment tu le sais.

a) Un cône a 0 arête et 1 face.
b) Un cylindre a 2 faces identiques.
c) Une sphère a plus de sommets que d'arêtes.

4. Henri a choisi 3 objets à trois dimensions parmi les images suivantes.
Il a compté en tout 4 faces, 4 arêtes et 0 sommet.
Quels objets a-t-il choisis ? Comment le sais-tu ?
Explique à l'aide de nombres et de mots.

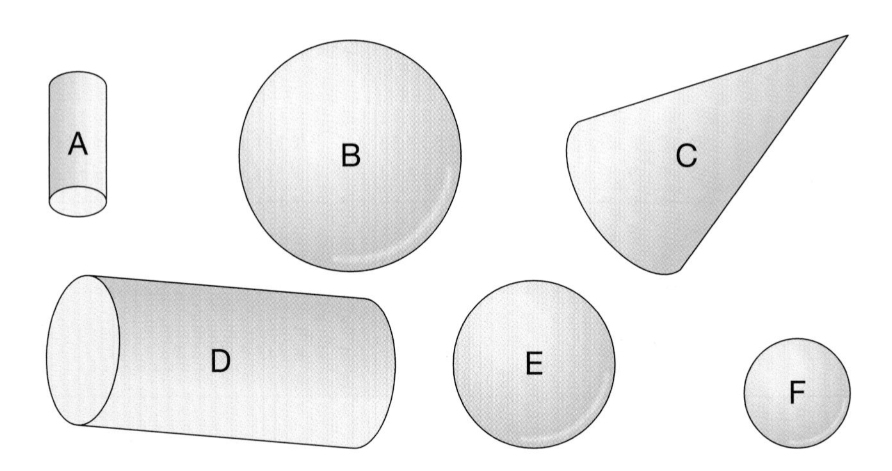

Réfléchis

Comment décrirais-tu un cylindre, un cône et une sphère à une ou un camarade ?
Explique ton raisonnement à l'aide de nombres et de mots.

LEÇON

Trier des objets

Utilise des objets à trois dimensions semblables à ces images.

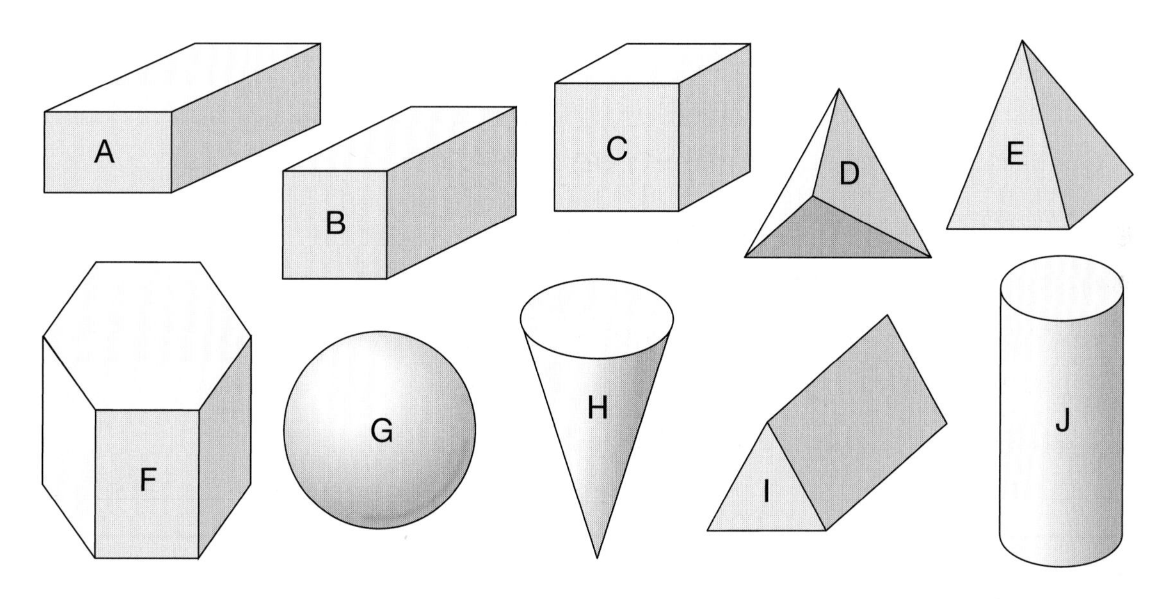

➤ En équipe de deux, triez les objets chacun votre tour.

➤ Demande à ta ou ton camarade de donner la règle de tri que tu as suivie.
Écris la règle de tri.

➤ Échangez les rôles.

Qu'as-tu trouvé ?

Montre à une autre équipe comment tu as trié les objets.
Demande à cette équipe de donner la règle de tri que tu as suivie.

OBJECTIF | Comparer et trier des objets à trois dimensions.

Un cube a 6 faces, 8 sommets et 12 arêtes.

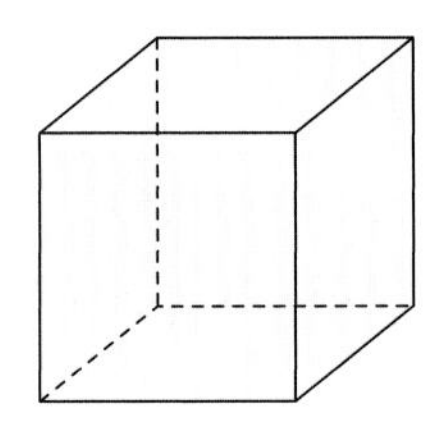

Cette pyramide a 4 faces, 4 sommets et 6 arêtes.

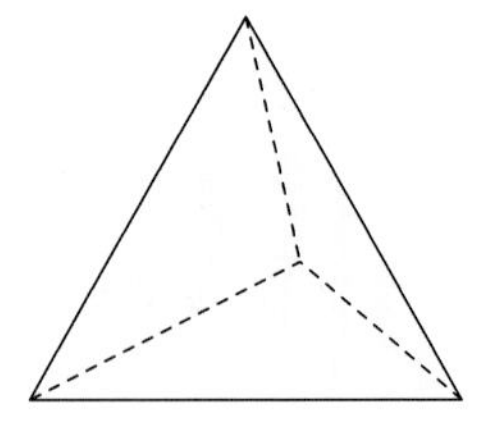

Cette pyramide a 5 faces, 5 sommets et 8 arêtes.

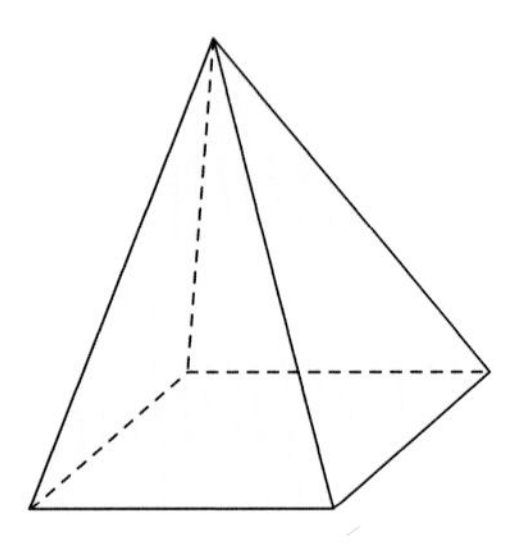

Ce prisme a 6 faces, 8 sommets et 12 arêtes.

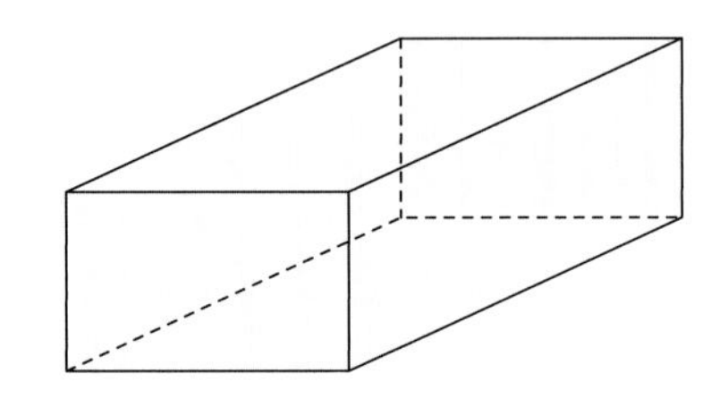

➤ Voici une façon de trier ces quatre objets.

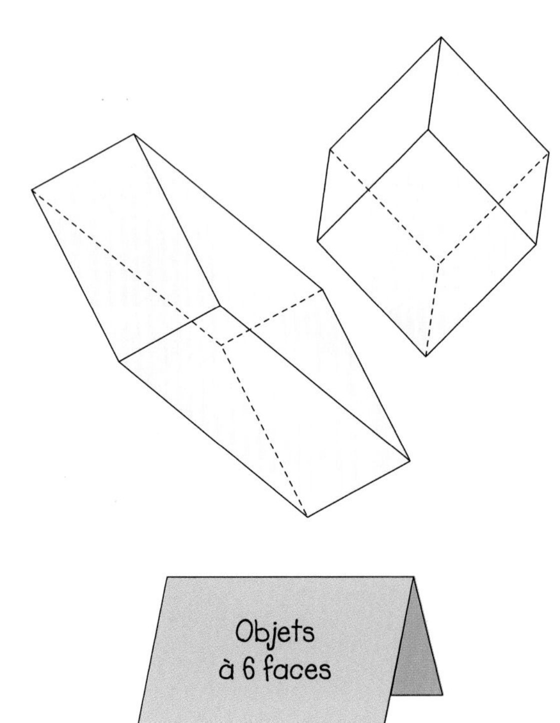

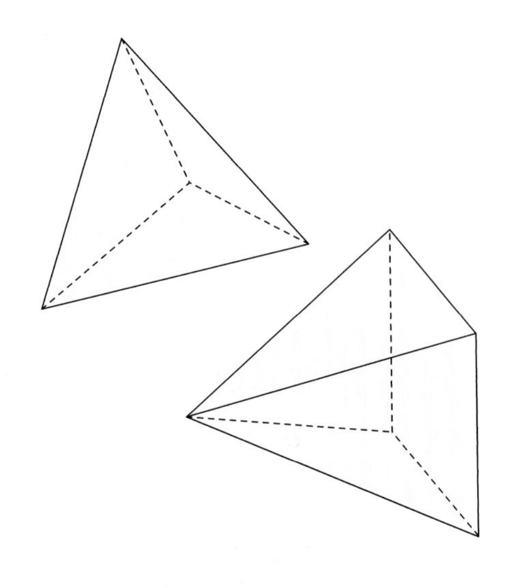

À ton tour

Utilise des objets à trois dimensions pour t'aider, au besoin.

1. Trie les objets suivants en fonction de chaque règle de tri. Note les lettres pour donner les résultats de ton tri.

a) Objets à 6 faces et objets à 0 sommet

b) Objets à 12 arêtes et objets qui ont moins de 6 sommets

c) Objets qui ont plus de 6 arêtes et objets qui ont moins de 5 faces

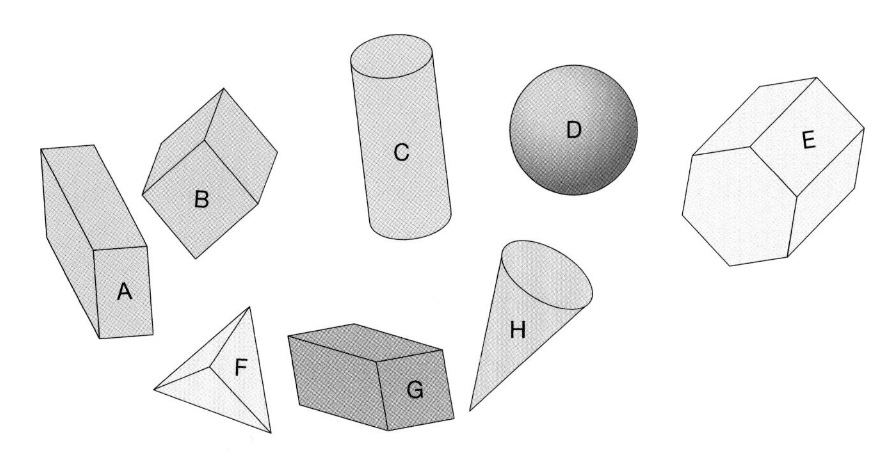

2. Normand a trié ces objets. Écris la règle de tri. Compare ta réponse avec celle d'une ou d'un camarade.

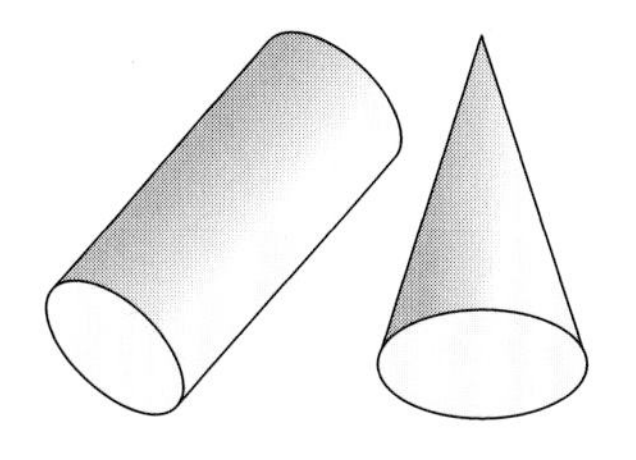

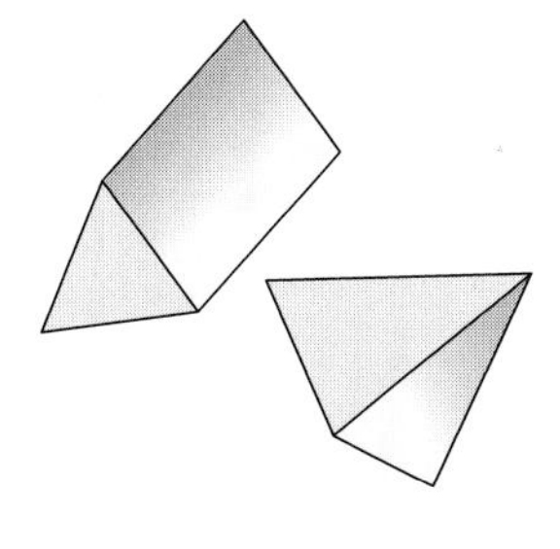

3. Utilise les objets de la question 1.

a) Trie les objets. Écris la règle de tri.

b) Trie encore les objets. Écris la nouvelle règle de tri.

Réfléchis

Choisis 5 objets différents. Trie les objets. Explique à l'aide de nombres et de mots comment tu as fait ton tri.

Quel est l'objet ?

Tu as besoin d'un sac, de plusieurs bouts de papier et de différents objets à trois dimensions : pyramides, prismes, cônes, cubes, cylindres et sphères.

- En groupes, disposez les objets sur la table.
- Écrivez ensemble le nom des objets sur des bouts de papier. Pliez les papiers et mettez-les dans le sac.
- L'élève A pige un bout de papier dans le sac sans le montrer aux autres. L'objet inscrit sur le papier est l'objet mystère.
- L'élève A donne 2 indices au sujet de l'objet mystère.
- L'élève qui réussit à nommer l'objet mystère marque 1 point.
- Si personne n'a nommé l'objet mystère après deux essais, aucun point n'est marqué.
- L'élève A remet le bout de papier dans le sac.
- La partie continue jusqu'à ce que chaque élève ait pigé un papier dans le sac deux fois.
- L'élève qui a le plus de points gagne la partie.

LEÇON 7

Construire le squelette d'un objet

Quand on construit un bâtiment, la première étape consiste à monter un **squelette**.

Explore

Tu as besoin de ciseaux, de pailles, de pâte à modeler et d'objets à trois dimensions semblables à ces images.

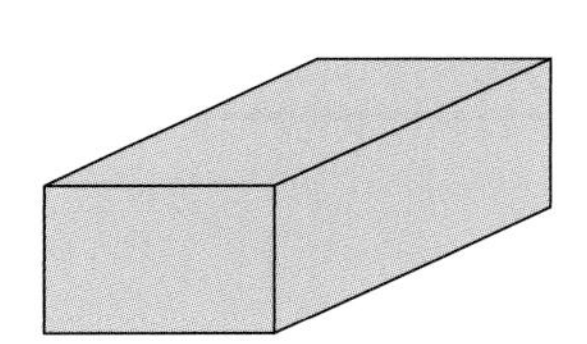
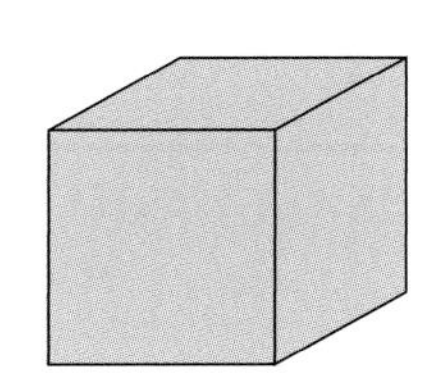
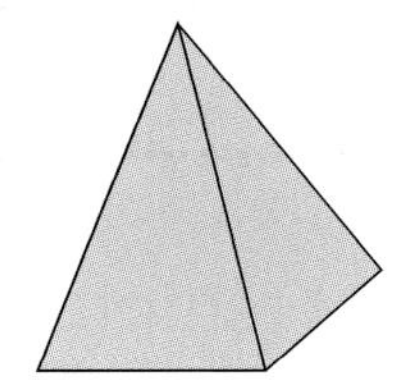
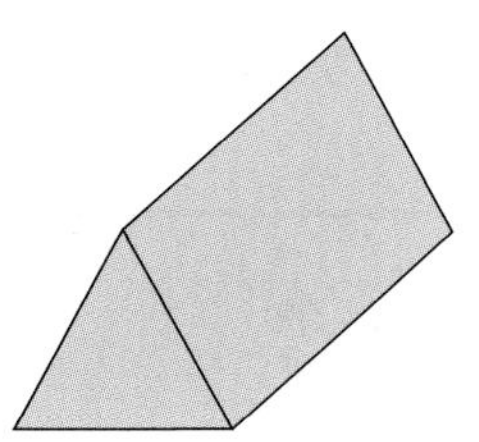

- En équipe de deux, choisissez un objet.
- Construisez ensemble un squelette qui correspond à l'objet choisi.
- Choisissez un autre objet. Construisez son squelette.
- À tour de rôle, décrivez chaque squelette.

Qu'as-tu trouvé ?

Montrez vos squelettes à une autre équipe. Expliquez comment vous les avez construits.

OBJECTIF | Construire des squelettes d'objets à trois dimensions.

Découvre

Un squelette se définit par le nombre de sommets et d'arêtes qu'il comporte.

Toutes les faces de ce prisme sont des rectangles.

Squelette	Nombre de sommets	Nombre d'arêtes
Prisme	8	12
Pyramide	5	8

À ton tour

Utilise des objets à trois dimensions pour t'aider, au besoin.

1. Johanne a construit des squelettes avec des cure-dents et des boules de pâte à modeler. Elle a compté les arêtes et les sommets.
Le tableau montre quelques-uns de ses résultats.
Recopie le tableau et remplis les cases vides.

Nombre de cure-dents	Nombre de boules de pâte à modeler	Squelette
6		pyramide
	5	pyramide
9		prisme
	8	prisme
12		cube

2. Construis des squelettes qui correspondent à chaque description.
Peux-tu construire un squelette chaque fois ? Explique ta réponse.

a) 6 sommets **b)** 0 arête **c)** 8 arêtes

3. Associe les squelettes et les objets.
Explique comment tu sais que tel squelette correspond à tel objet.
Si un des objets ne peut être associé à aucun squelette, construis son squelette.

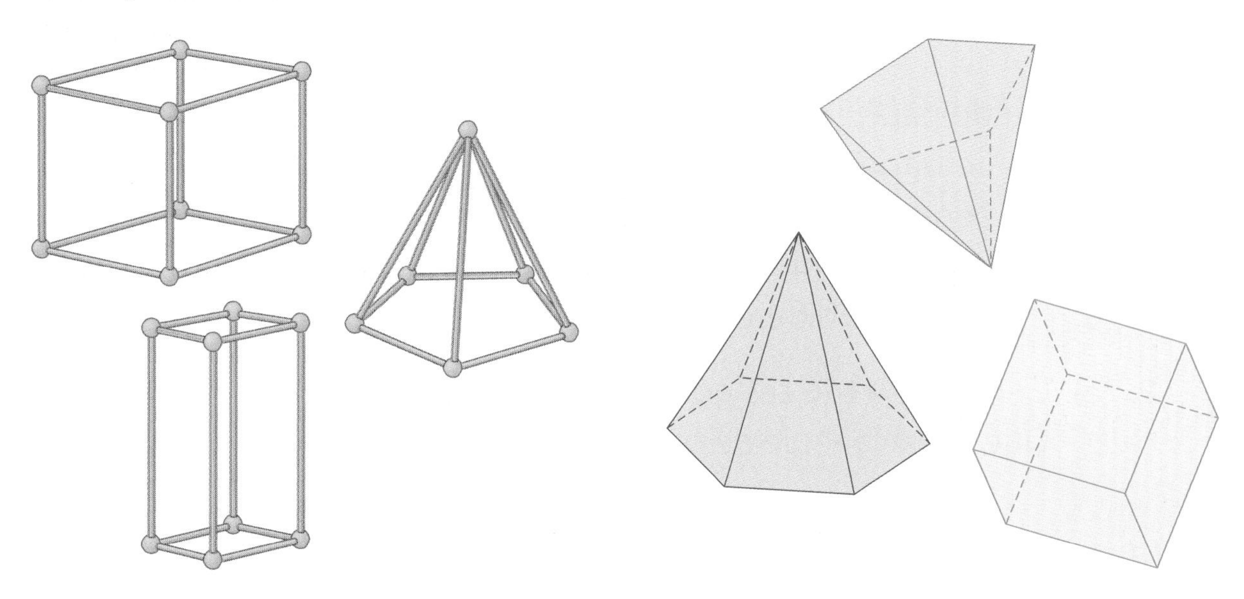

4. Prends 20 cure-dents et 8 boules de pâte à modeler.
Tu peux utiliser une partie ou la totalité de ce matériel, mais tu ne peux pas diviser les boules ou les cure-dents. Construis un squelette. Décris-le. Construis un squelette différent avec un nombre différent de cure-dents et de boules de pâte à modeler.

5. Peux-tu construire le squelette d'un cône, d'un cylindre ou d'une sphère ? Explique pourquoi.

Réfléchis

Choisis un objet à trois dimensions.
Explique comment tu construirais son squelette.

Module 6 Montre ce que tu sais

LEÇON

1

1. Utilise du papier à points. Dessine ces polygones.

a) Un octogone qui a certains côtés de longueurs différentes

b) Un pentagone qui a 3 côtés de même longueur

c) Un triangle et un quadrilatère qui ont un côté commun

d) 2 hexagones différents qui ont un côté commun

2

2. a) Germaine a trié ces polygones.
Quelle est la règle de tri ?

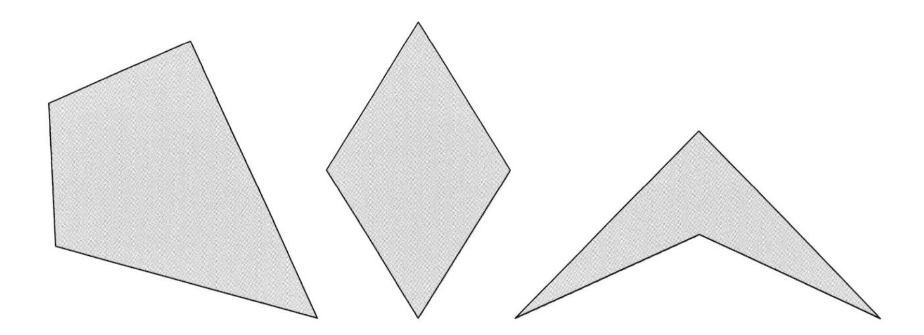

b) Lesquels de ces polygones font partie de l'ensemble de Germaine ?

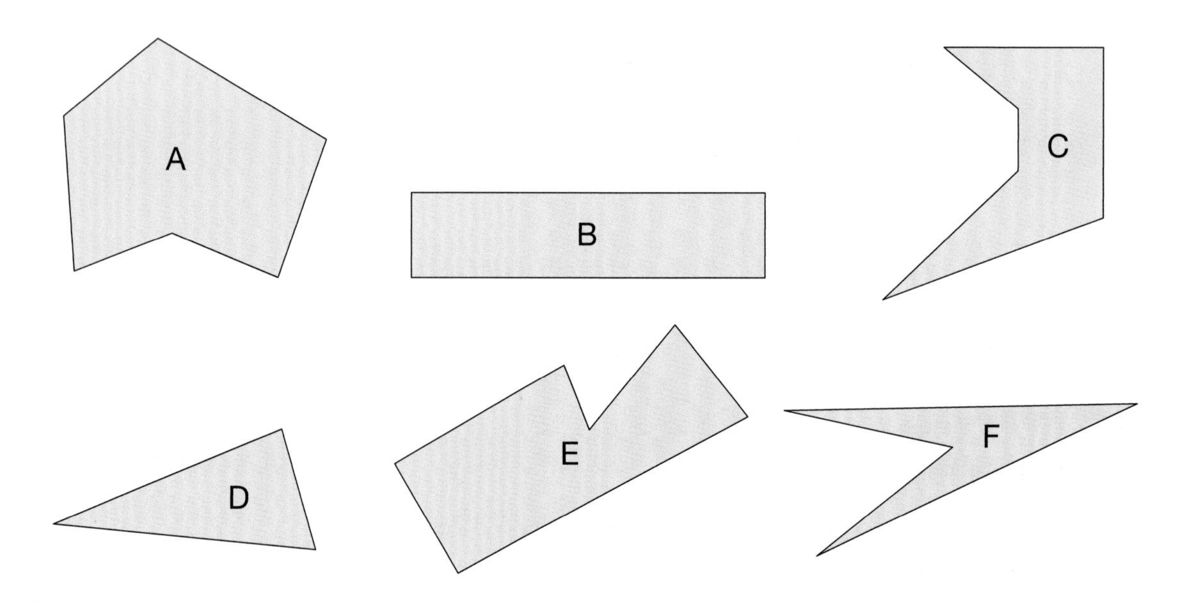

4
5

3. Utilise des objets à trois dimensions comme dans ces images.
Choisis 2 objets. Nomme la figure des faces de chaque objet.
Combien de faces, d'arêtes et de sommets y a-t-il dans chaque objet ?

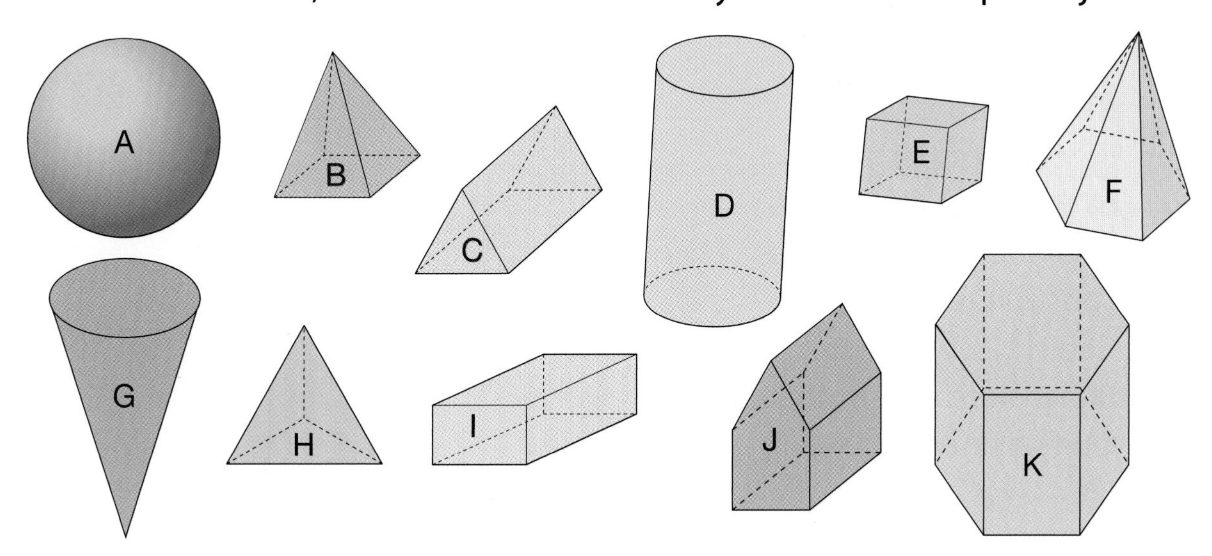

4. La phrase est-elle vraie ou fausse ?
Explique ta réponse à l'aide de nombres ou de mots.

a) Toutes les pyramides ont 3 faces.
b) Les sphères n'ont pas de sommets.
c) Certains cônes ont 2 arêtes.
d) Un prisme a plus d'arêtes et de sommets qu'un cylindre.

6

5. **a)** Trie les objets à trois dimensions de la question 3.
Écris la règle de tri.
b) Trie encore les objets.
Écris la nouvelle règle de tri.

7

6. Trouve des objets comme ceux de la question 3.
Choisis un objet dont tu peux construire le squelette.
Construis le squelette.
Explique à une ou un camarade comment tu as construit le squelette.

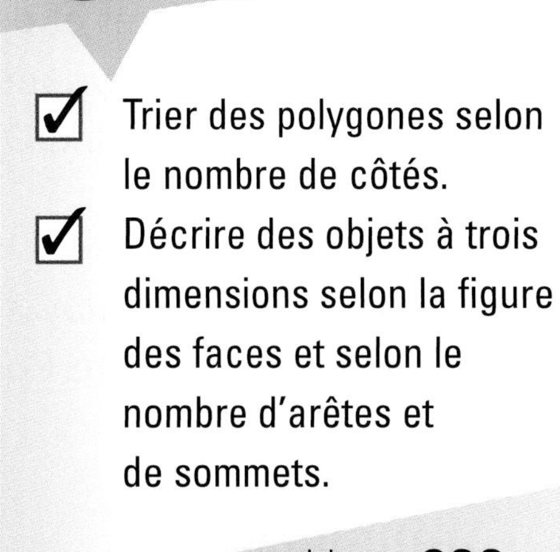

Problème du module

La construction du château

Partie 1

- Construis une maquette de château avec des objets à trois dimensions comme des blocs, des boîtes de céréales, des pailles et des tubes en carton.
- Explique comment tu as construit ton château.
- Choisis 2 objets à trois dimensions de ton château. Que sais-tu à leur sujet ?

Partie 2

- Utilise des polygones et des blocs-formes pour ajouter des détails comme des fenêtres et des portes.
- Choisis 2 de ces polygones : triangle, quadrilatère, pentagone, hexagone et octogone. Que sais-tu à leur sujet ?

Partie 3

- Dans ton château, choisis 1 objet dont tu peux construire le squelette.
- Construis le squelette. Compare le squelette et l'objet.

Liste de contrôle

Ton travail devrait montrer :

- ☑ les objets à trois dimensions que tu as étudiés ;
- ☑ les polygones que tu as étudiés ;
- ☑ une description des objets à trois dimensions et des polygones ;
- ☑ le squelette d'un objet à trois dimensions.

Retour sur le module

Écris ce que tu sais au sujet des polygones et des objets à trois dimensions. Explique ta pensée à l'aide de dessins, de nombres et de mots.

Modules 1 à 6 Révision cumulative

MODULE

1

1. Quels sont les 3 nombres suivants de chaque régularité ?

a) 67, 72, 77, 82...

b) 99, 97, 95, 93...

c) 12, 15, 18, 21, 24, 27...

d) 64, 60, 56, 52, 48, 44...

2. **a)** Quelles sont les ressemblances et les différences entre ces régularités ?
25, 30, 35, 40, 45, 50...
25, 35, 45, 55...

b) Crée une régularité différente des deux régularités de la partie a. Écris la règle de la régularité.

2

3. Utilise du matériel de base dix ou fais un dessin. Représente chaque nombre de 3 façons différentes.

a) 327 **b)** 210 **c)** 583

4. Choisis un nombre de la question 3.

a) Représente le nombre dans un tableau de valeur de position.

b) Écris le nombre en mots.

5. Recopie chaque régularité. Trouve les nombres qui manquent.

a) 325, ___ , 375, 400, 425, ___ , 475

b) ___ , 734, 730, 726, 722, ___ , 714

3

6. Examine ces nombres : 26, 85, 41, 73, 95, 24.
Trouve les 2 nombres dont la somme est la plus proche de 100.
Montre ton raisonnement à l'aide de dessins, de mots ou de nombres.

7. Trouve deux nombres à 3 chiffres qui ont une différence de 234.
Crée un problème à partir des nombres que tu as choisis.

8. Choisis la meilleure estimation de la durée de chaque activité.
- **a)** Une visite à la bibliothèque : 4 min ou 30 min ?
- **b)** Un congé scolaire : 2 semaines ou 5 mois ?

9. Utilise une règle, un mètre rigide ou un mètre à ruban.
Trouve un objet qui a :
- **a)** environ 10 cm de long
- **b)** environ 1 m de haut
- **c)** environ 30 cm de large

Mesure chaque objet. Note ton travail.

10. Utilise des carreaux et du papier quadrillé.
Trouve 3 figures qui ont un périmètre de 20 unités.
Dessine les figures sur le papier quadrillé.

11. Fais des dessins d'une figure divisée en quarts.
Trouve 3 façons différentes de représenter la figure.

12. Plie une bande de papier pour représenter des cinquièmes.
Colorie de la bande. Quelle fraction de la bande n'est pas colorée ?

13. Nomme chaque objet. Trie les objets. Écris la règle de tri.

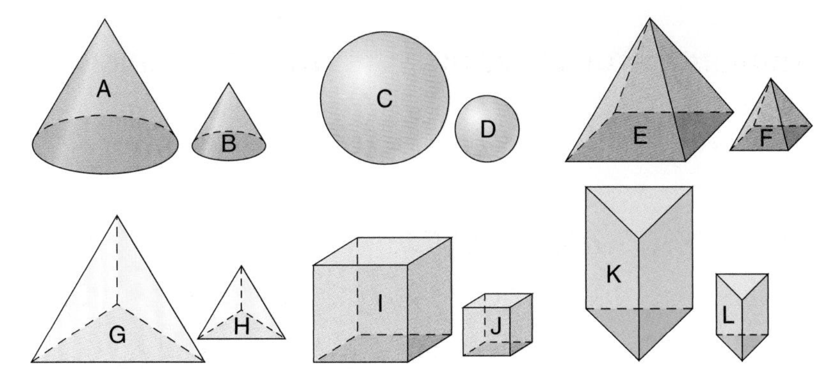

14. Qui suis-je ?
- **a)** Je suis un polygone à 5 côtés.
- **b)** Je suis un objet à trois dimensions qui a 2 bases et 6 faces.
- **c)** Je suis un objet à trois dimensions qui n'a qu'une seule face.

MODULE

7 L'analyse de

Chez le vétérinaire

Tes objectifs

- Recueillir et organiser des données.
- Utiliser des marques de pointage, des tableaux, des listes et des tracés linéaires.
- Interpréter des diagrammes à bandes.
- Construire des diagrammes à bandes.
- Résoudre des problèmes à l'aide de diagrammes à bandes.

ANIMAUX D'ÉLEVAGE EXAMINÉS EN UNE JOURNÉE

LIEU	NOMBRE D'ANIMAUX
Clinique	卌
Fermes	卌 卌 II

données

ANIMAUX D'ÉLEVAGE EXAMINÉS À LA CLINIQUE LA SEMAINE DERNIÈRE

JOUR	NOMBRE D'ANIMAUX
Lundi	8
Mardi	8
Mercredi	4
Jeudi	10

ANIMAUX PEU COMMUNS EXAMINÉS EN UN AN

Autruche	☆☆☆
Alpaga	☆☆☆☆☆☆☆☆☆☆
Bison	☆☆☆☆☆☆☆☆
Lama	☆☆☆☆☆☆☆☆☆

Ces marques de pointage, ces tableaux et ce pictogramme montrent des données sur les vétérinaires.

Qu'est-ce que chaque ensemble de données t'apprend ?

Quelles autres données peux-tu trouver sur les animaux d'élevage ou les vétérinaires ?

Mots clés

- des données
- un tableau
- une liste
- une marque de pointage
- un tableau des effectifs
- un tracé linéaire
- un diagramme à bandes
- un titre
- un axe
- une échelle

Recueillir et organiser des données

Les **données** sont des faits ou des informations.
Voici quelques façons de recueillir des données.
- Tu peux mesurer.
- Tu peux compter.
- Tu peux poser des questions.

Tu peux organiser les données dans un **tableau**.

Explore

Tu as besoin d'un mètre rigide.

Dans ton groupe, qui a le genou le plus éloigné du sol ?
Mesure pour le savoir.
Note tes données dans un tableau.

Élève	Distance du sol au genou

Qu'as-tu trouvé ?

Fais part de tes résultats à un autre groupe.
Qui a le genou le plus éloigné du sol ?
Le plus près du sol ?

Découvre

Tu recueilles des données pour te renseigner sur les gens et les choses.
Pour recueillir des données, pose-toi d'abord ces questions :

- QU'EST-CE QUE je veux savoir ?
- QUELLE question vais-je poser ?
- À QUI vais-je poser la question ?
- COMMENT vais-je représenter les résultats ?

Tu peux noter les données dans des **tableaux des effectifs** ou sur des **listes**.

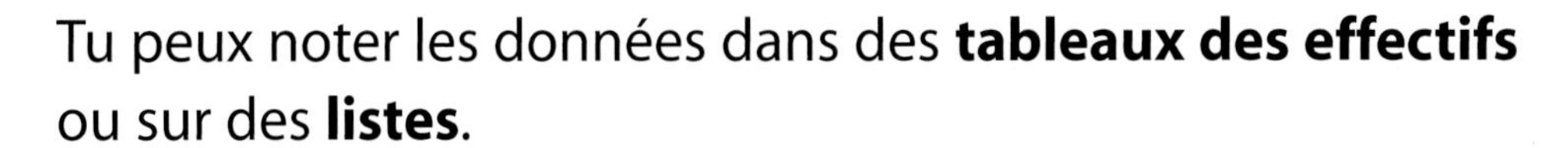

Nos anniversaires	
Janvier	||
Février	|||
Mars	卌 ||

Oiseaux observés au printemps	
Jour 1	4
Jour 2	9
Jour 3	3

À ton tour

1. Travaille avec une ou un camarade.
Mesure la distance du coude au bout des doigts de 5 camarades.
Note tes données dans un tableau.
Chez qui la distance est-elle la plus grande ? La plus courte ?

2. Yoshi a demandé à ses camarades de nommer leur fruit préféré.

a) Quel fruit est le plus populaire ?
Le moins populaire ?

b) Pourquoi Yoshi a-t-il inscrit « Autre » dans sa liste ?

c) Quelles autres informations te fournissent les données ?

Nos fruits préférés		
Fruit	Marques de pointage	Nombre d'élèves
Pomme	||||	4
Orange	卌 卌	10
Banane	卌 ||	7
Poire	||	2
Fraise	卌 ||||	9
Autre	||||	4

3. Travaille avec la classe.
Portes-tu des chaussures avec lacets ou sans lacets ?

Nos chaussures	
avec lacets	sans lacets

a) Note ta réponse au tableau de la classe.

b) Combien d'élèves portent des chaussures avec lacets ?

c) Combien d'élèves portent des chaussures sans lacets ?

d) Y a-t-il plus d'élèves qui portent des chaussures avec lacets que d'élèves qui portent des chaussures sans lacets ?

4. a) D'après le tableau, quel animal saute le plus loin ? Quelle est la longueur de son saut ?

b) Quelle distance le kangourou parcourt-il de plus que la grenouille ?

c) Écris 2 autres questions au sujet des données du tableau. Réponds aux questions.

Longueur du saut de certains animaux

Animal	Distance
Lièvre d'Amérique	3 m
Kangourou rouge	5 m
Couguar	9 m
Grenouille léopard	1 m

5. Alice a demandé à ses camarades de faire un clin d'œil. Elle a fait une liste des données.

Nos clins d'œil	
a fermé l'œil droit	a fermé l'œil gauche
Thomas	Édith
Jessica	Avril
Marie-Ève	

a) Combien d'élèves ont fermé l'œil droit ?

b) Écris une question au sujet de la liste d'Alice. Réponds à ta question.

c) Échange ta question contre celle d'une ou d'un camarade. Comparez vos réponses.

6. Des élèves ont confectionné ces fiches.

a) Fais une liste basée sur la première lettre des prénoms.
b) Pour quelle lettre y a-t-il le plus de prénoms ?
c) Organise les prénoms d'une autre façon.
Explique comment tu as organisé les prénoms.
d) Écris une question au sujet de tes listes.
Réponds à ta question.

7. Quelle saison préférez-vous, tes camarades et toi ?
a) Note ta saison préférée au tableau de la classe.
b) Organise toutes les données dans un tableau des effectifs.
c) Qu'as-tu trouvé ? Explique.

Notre saison préférée		
Saison	Marques de pointage	Total
Printemps		
Été		
Automne		
Hiver		

8. **a)** Demande à quelques camarades de nommer leur couleur préférée.
b) Décris comment tu as recueilli et organisé les données.
c) Écris 3 choses que tes données montrent.

Réfléchis

Choisis une question de la rubrique *À ton tour* de cette leçon. Pourquoi quelqu'un voudrait-il recueillir des données à ce sujet ?

LEÇON

Les tracés linéaires

Explore

Nathalie a demandé à ses camarades de classe :

> Quelle est ton activité préférée à la récréation ?
> Saut à la corde ___ Jeux de ballon___
> Cachette___ Marelle___

Elle a fait un X pour représenter chaque choix.

Nos activités préférées à la récréation

Saut à la corde	Jeux de ballon	Cachette	Marelle
	X		
	X	X	
	X	X	
	X	X	
	X	X	
X	X	X	
X	X	X	X
X	X	X	X
X	X	X	X
X	X	X	X

Écris 2 questions au sujet des données recueillies par Nathalie. Réponds à tes questions.

Qu'as-tu trouvé ?

Échange tes questions contre celles de deux autres camarades. Réponds aux questions. Vérifiez votre travail.

 OBJECTIF | Interpréter et dessiner des tracés linéaires.

On veut réaménager un terrain de jeux pour les enfants.
Monique a la responsabilité de choisir les nouveaux jeux.

Elle demande aux enfants du quartier de l'aider.
Chaque enfant peut voter 1 fois.

Monique construit un **tracé linéaire** des données. Voici ce qu'elle fait :

- ➤ Elle trace une ligne sur du papier quadrillé. Elle écrit les différents jeux sous la ligne.
- ➤ Elle fait un X pour chaque vote.
- ➤ Elle écrit un titre.

Nouveaux jeux pour notre parc

	X		
	X		
	X		
	X	X	
X	X	X	
X	X	X	
X	X	X	X
X	X	X	X
X	X	X	X
X	X	X	X
X	X	X	X
Balançoire	Glissoire	Échelle horizontale	Carré de sable

Le tracé linéaire montre que plus d'enfants ont choisi la glissoire que tout autre jeu.

Le tracé linéaire montre que 11 enfants ont choisi la glissoire.
Tu peux utiliser un tracé linéaire pour faire des comparaisons.

À ton tour

1. Amélie aime aller observer les oiseaux avec sa grand-mère. Elle a noté les espèces d'oiseaux qu'elles ont vues en 1 semaine.

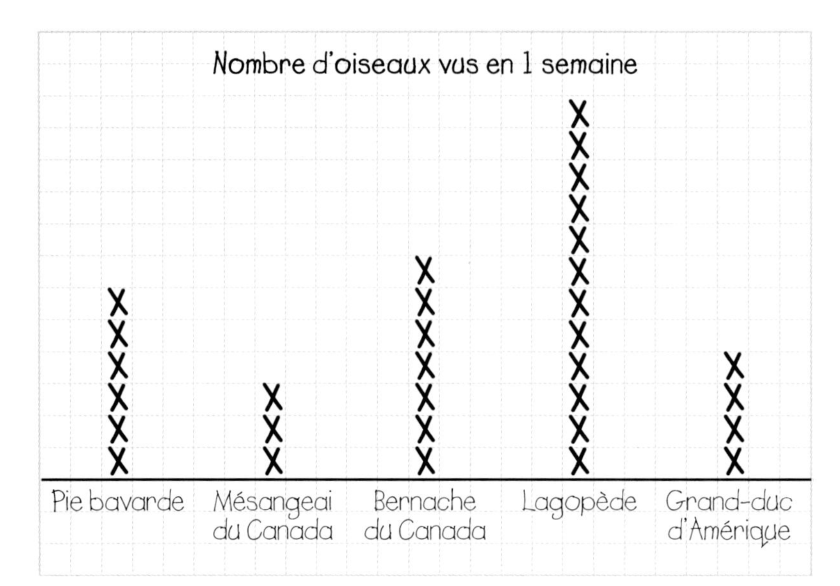

a) Quelle espèce d'oiseau Amélie et sa grand-mère ont-elles vue le plus souvent ? Le moins souvent ? Comment le sais-tu ?

b) Écris 3 autres choses que le tracé linéaire t'apprend.

2. Irène a construit ce tracé linéaire pour représenter le nombre de boutons sur les vêtements de ses camarades de classe.

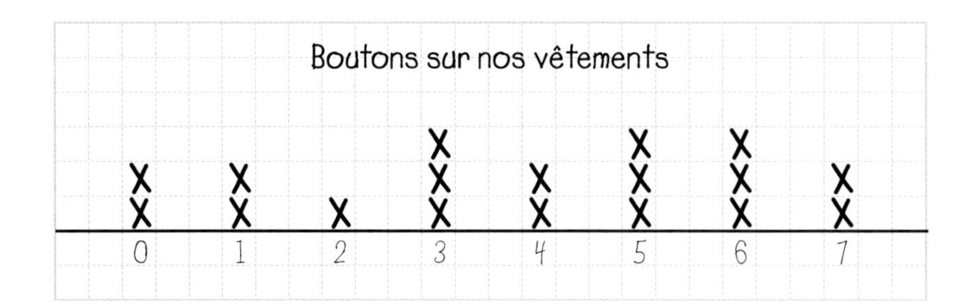

a) Combien d'élèves ont 6 boutons ?

b) Quel est le plus grand nombre de boutons sur les vêtements des élèves ? Combien d'élèves ont ce nombre de boutons ?

c) Tout le monde dans la classe porte-t-il des vêtements avec des boutons ? Comment cela est-il représenté dans le tracé linéaire ?

3. **a)** Pose la question suivante à quelques camarades :

> Quel nouveau jeu choisirais-tu pour un terrain de jeux ?
> Échelle horizontale ___ Balançoire ___ Glissoire ___

Recueille les données et organise-les dans un tracé linéaire.

b) Supposons que tu choisis les jeux pour le terrain de jeux.
Qu'est-ce que tu achèterais ? Pourquoi ?

4. Ethan a fait la liste des pointures de chaussures d'élèves de 3e année.
4, 5, 2, 3, 4, 5, 4, 2, 4, 3, 2, 1, 2, 1, 3, 4, 1, 2, 3, 4, 2, 3, 4
a) Représente les données dans un tracé linéaire.
b) Note ce que ton tracé linéaire t'apprend.

5. **a)** Écris les prénoms de 8 de tes camarades.
b) Représente le nombre de lettres de chaque prénom dans un tracé linéaire.
c) Écris 3 choses que ton tracé linéaire t'apprend.

6. **a)** Choisis un tracé linéaire dans cette leçon.
Redessine-le en plaçant les étiquettes dans un ordre différent.
b) Les données sont-elles les mêmes ? Explique.

7. Quelles sont les ressemblances entre tous les tracés linéaires de cette leçon ?

Réfléchis

Quelles sont les ressemblances et les différences entre un tracé linéaire et un tableau des effectifs ?
Lequel préfères-tu ? Pourquoi ?

À la maison

Pense à quelque chose que tu aimerais savoir au sujet de ta famille ou de tes amis.
Recueille les données dans un tracé linéaire, un tableau ou une liste.
Qu'as-tu découvert ?

LEÇON

Interpréter les diagrammes à bandes

Henri photographie les fleurs sauvages de la Saskatchewan.

Explore

Henri a construit ce diagramme au sujet de ses photos. Écris 5 choses que le diagramme d'Henri t'apprend.

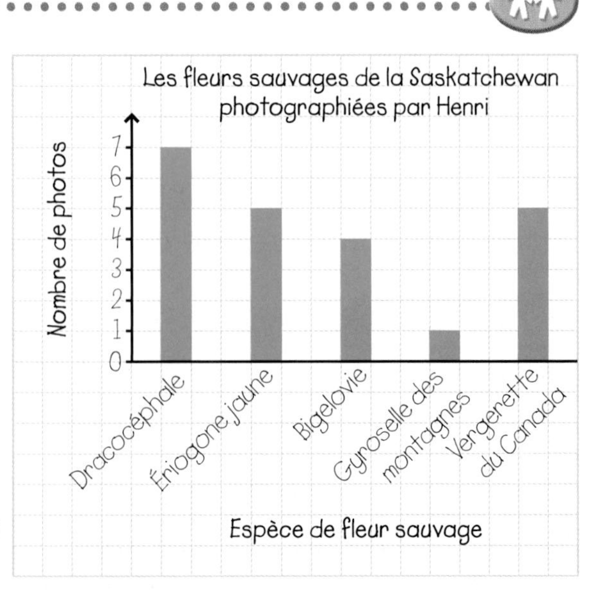

Qu'as-tu **trouvé ?**

Montre ta liste à deux autres camarades.

Pourquoi le diagramme d'Henri s'appelle-t-il un diagramme à bandes ?

 Objectif | Lire et interpréter des diagrammes à bandes.

Découvre

Andrée et Louis se sont renseignés sur certains animaux de la Colombie-Britannique. Ils ont construit des diagrammes à bandes au sujet de leurs empreintes.

Le diagramme d'Andrée :

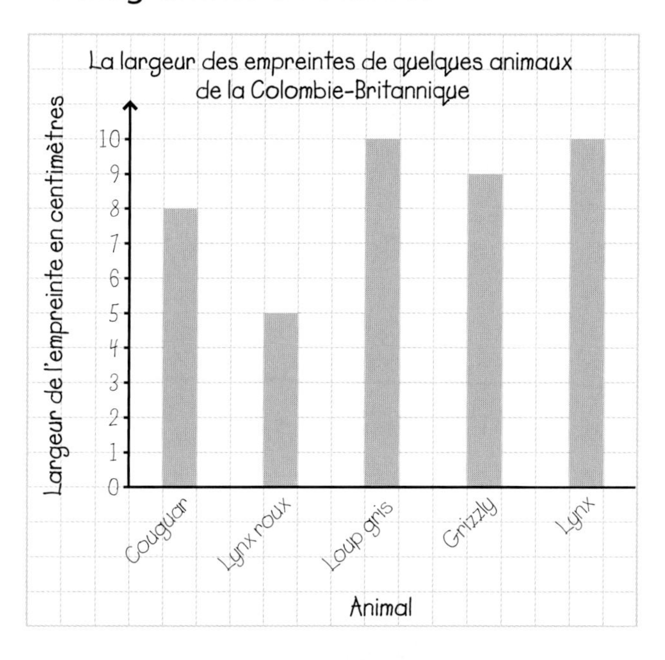

Le diagramme de Louis :

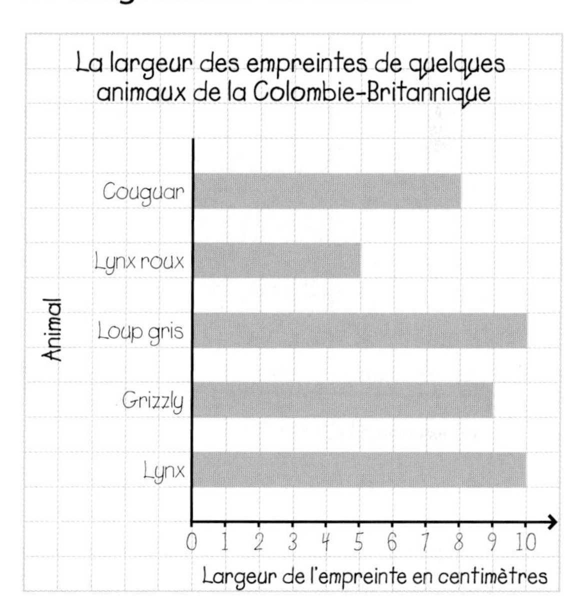

Le **titre** indique le sujet du diagramme.

Les étiquettes sur les **axes** indiquent ce que les données représentent.

Les nombres sur l'**axe** « Largeur de l'empreinte en centimètres » précisent l'**échelle**.
L'échelle est : 1 carré représente une largeur de 1 cm.

Dans les deux diagrammes, la bande au sujet du couguar comporte 8 carrés.
Donc, la largeur de l'empreinte du couguar est de 8 cm.

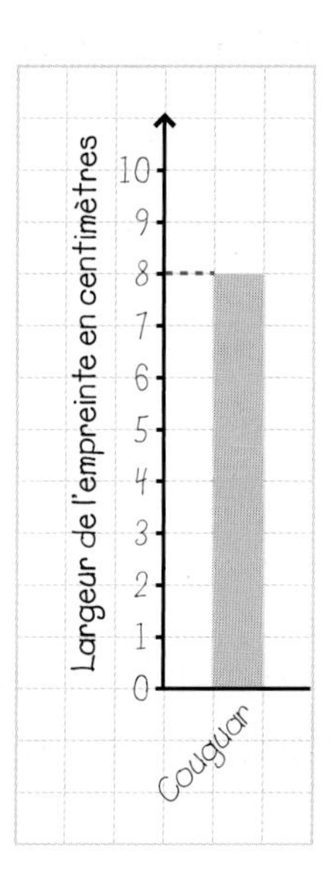

À ton tour

1. La classe d'Éric a voté pour choisir quelle espèce d'arbre planter dans la cour d'école.

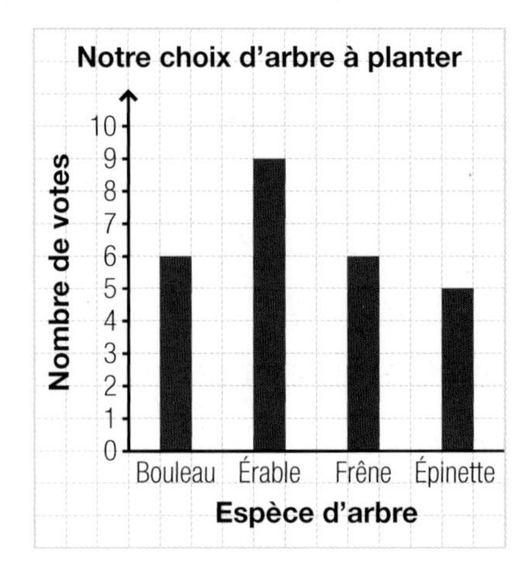

   a) Qu'est-ce que les étiquettes des axes t'apprennent?
   b) Qu'est-ce que le diagramme t'apprend au sujet des votes?
   c) Selon toi, quelle espèce d'arbre la classe plantera-t-elle? Explique.

2. Liane a demandé à des camarades de classe de nommer leur saison préférée.
   a) Quelle saison est la plus aimée des élèves?
   b) Combien d'élèves Liane a-t-elle interrogés?
   c) Écris 2 autres choses que le diagramme de Liane t'apprend.

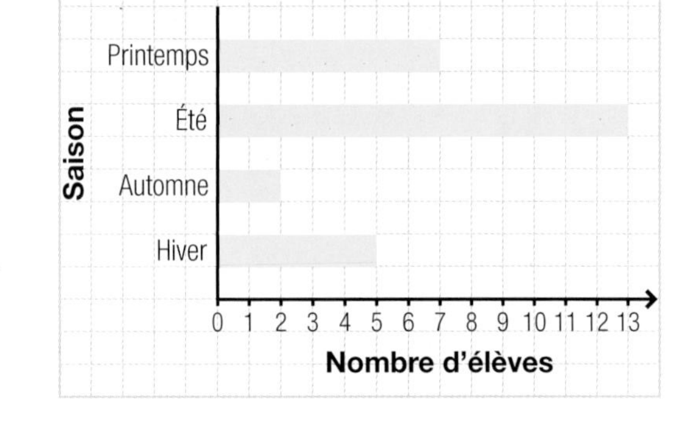

3. Ce diagramme à bandes présente la masse de quelques animaux du Canada.
   a) Quels animaux ont la même masse?
   b) Ordonne les masses par ordre croissant. Comment as-tu fait?
   c) Quelle est la différence entre la masse du vison et la masse du blaireau?
   d) Écris 2 questions au sujet des données. Réponds à tes questions.

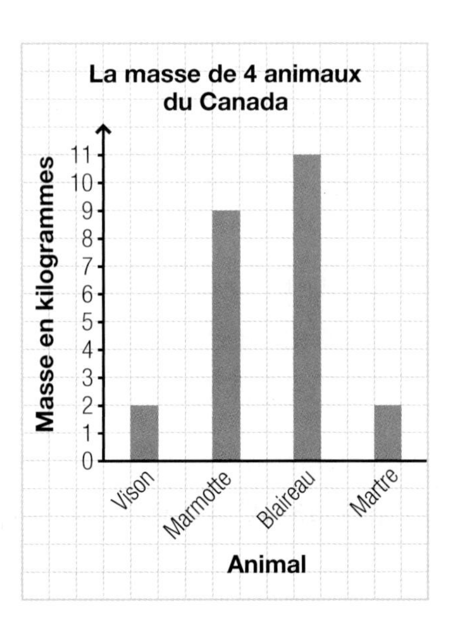

4. Ce diagramme représente le nombre d'individus qu'on a comptés dans quelques groupes de baleines.

a) Qu'est-ce que chaque axe indique ?

b) Écris 3 choses que ce diagramme t'apprend.

c) Supposons qu'il y a 1 individu de plus dans le groupe de baleines boréales. Comment le diagramme en sera-t-il changé ?

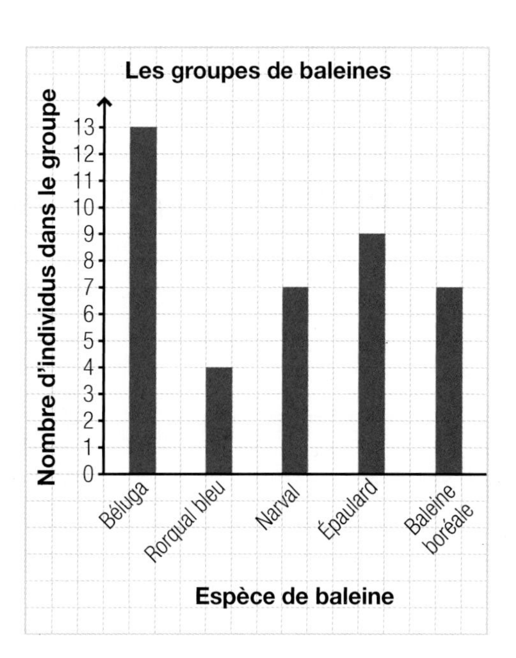

5. François a construit ce diagramme au sujet des buts marqués par 3 équipes de soccer.

a) Quelle équipe a marqué le plus de buts ? Explique comment tu le sais.

b) Quel tracé linéaire correspond au diagramme de François ? Comment le sais-tu ?

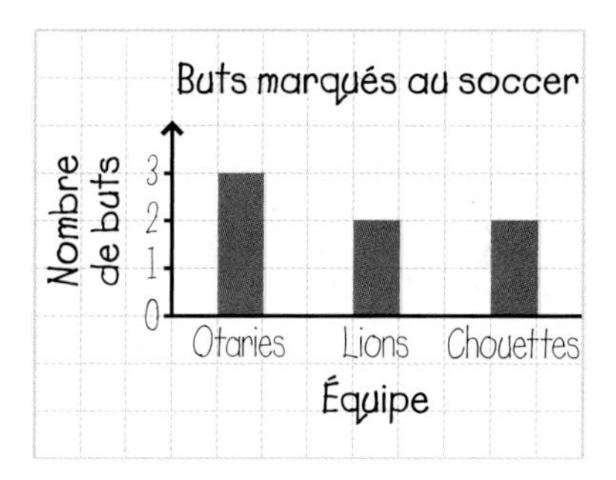

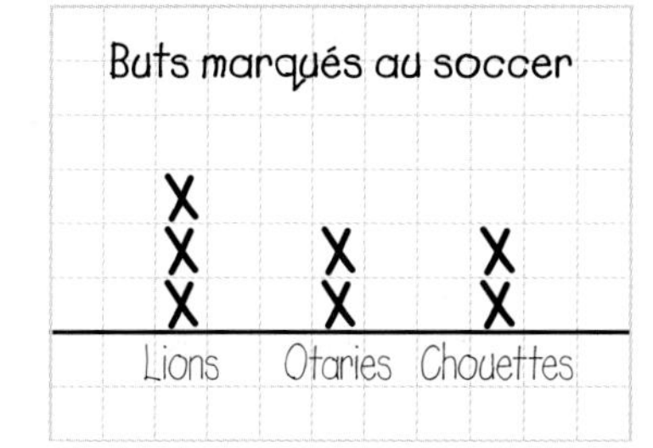

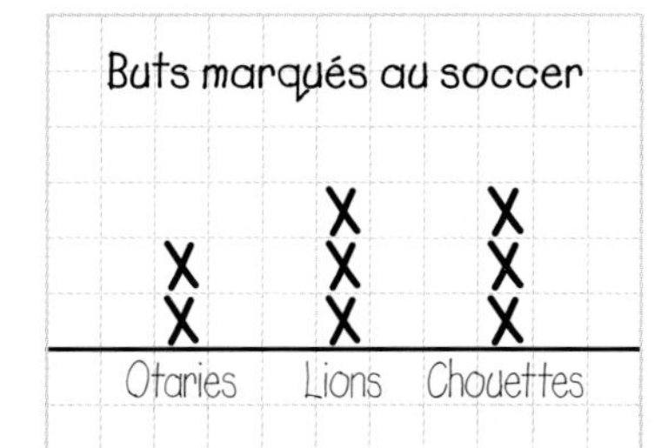

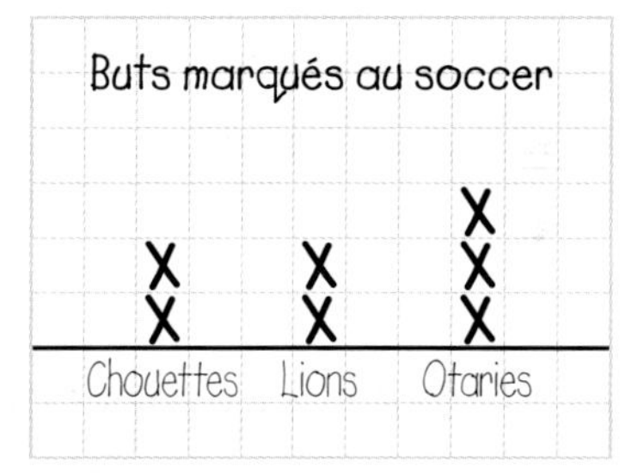

6. Quelles sont les ressemblances entre tous les diagrammes à bandes de cette leçon ? Quelles sont les différences entre certains diagrammes à bandes ?

Réfléchis

Supposons que l'ordre des bandes est modifié dans un diagramme. Le diagramme représentera-t-il les mêmes données ? Explique.

Construire des diagrammes à bandes

Quels genres de films tes camarades et toi préférez-vous ?

Au tableau de la classe, trace une **marque de pointage** vis-à-vis du genre de film que tu préfères.

Explore

Tu as besoin de papier quadrillé et d'une règle.

➤ Utilise les marques de pointage inscrites au tableau.
Construis un diagramme à bandes pour représenter les données.
Colorie 1 carré pour représenter 1 choix.

➤ Écris 3 questions au sujet de ton diagramme.
Réponds à tes questions.

Qu'as-tu trouvé ?

Discute avec deux autres camarades de ta façon de construire ton diagramme. Quelles sont les ressemblances et les différences entre les diagrammes ?
Discutez de vos questions et de vos réponses.

 OBJECTIF | Construire et interpréter des diagrammes à bandes.

Découvre

Hélène a demandé à ses camarades de classe :

Quelle est ton activité préférée à la maison?
Écouter de la musique ___
Lire ___
Regarder la télé ___
Faire du sport ___
Utiliser un ordinateur ___
Autre ___

Activités préférées à la maison

Activité	Marques de pointage	Nombre d'élèves
Écouter de la musique	卌 I	6
Lire	IIII	4
Regarder la télé	III	3
Faire du sport	IIII	4
Utiliser un ordinateur	卌 II	7
Autre	II	2

Pour construire un diagramme à bandes :

➤ Trace 2 axes sur du papier quadrillé.

➤ Écris le titre.

➤ Nomme un axe « Activité ». Écris le nom des activités sur l'axe.

➤ Nomme l'autre axe « Nombre d'élèves ». Écris les nombres le long de l'axe.

➤ Pour chaque élève qui a choisi une activité, colorie 1 carré au-dessus de l'activité.

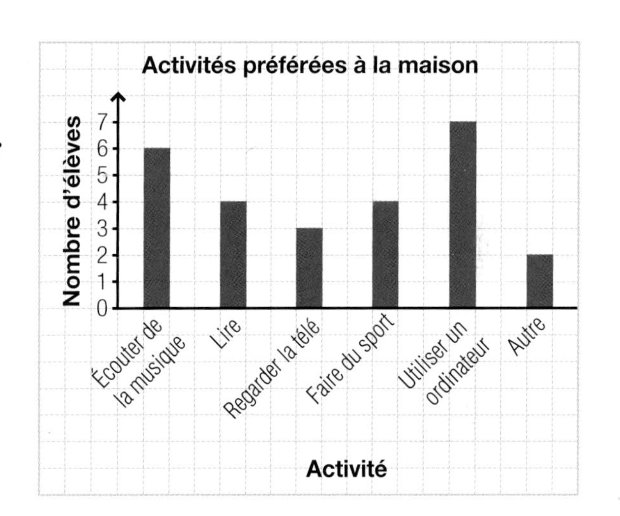

Voici quelques-unes des choses que le diagramme t'apprend :

- Utiliser un ordinateur est l'activité la plus populaire.
- Le même nombre d'élèves ont choisi « Lire » et « Faire du sport ».

1. Utilise les données de la rubrique *Découvre*.
   a) Construis un diagramme à bandes horizontales.
   b) Compare ton diagramme avec celui de la rubrique *Découvre*.

2. Emma a demandé à ses camarades de classe : « Qui aimeriez-vous inviter à dîner ? »
   a) Construis un diagramme à bandes.
   b) Combien d'élèves en tout ont choisi l'athlète et la musicienne ?
   c) Supposons que 2 élèves changent d'idée et choisissent « Agent de la GRC » au lieu de « Musicienne ». Comment le diagramme en sera-t-il modifié ?

Personne invitée à dîner

Personne	Nombre de votes
Athlète	7
Infirmière	4
Musicienne	6
Agent de la GRC	5

3. L'hiver dernier, des élèves de Vancouver ont noté les jours où il a neigé. Ils ont construit un tracé linéaire.

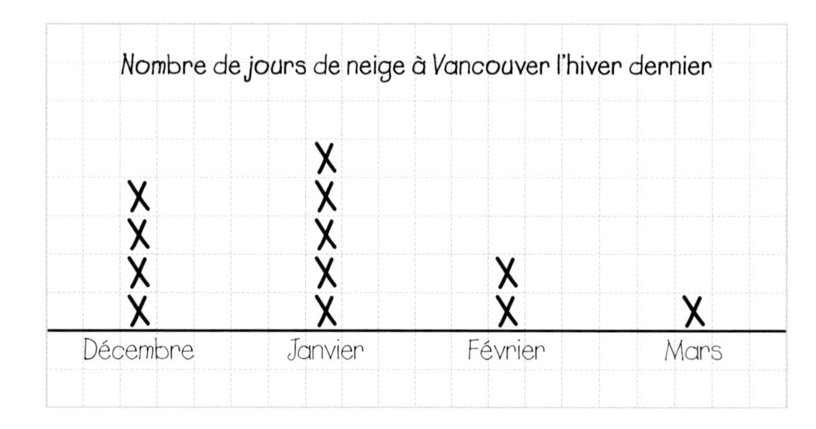

   a) Selon toi, pourquoi les élèves n'ont-ils pas représenté les autres mois de l'année dans leur tracé linéaire ?
   b) Construis un diagramme à bandes à partir des mêmes données.
   c) Combien de jours a-t-il neigé à Vancouver ?
   d) Note 2 autres choses que ton diagramme t'apprend.

4. Kumar a écrit ces données au tableau de la classe.

a) Selon toi, quelle question a-t-il posée à la classe ?
b) Construis un diagramme à bandes à partir des données.

5. a) Construis un diagramme à bandes à partir des données du tableau.
b) Quelle est la différence de longueur des deux plus petits dinosaures ? Explique ta réponse de 2 façons.
c) Écris une question au sujet du diagramme. Réponds à ta question.

Longueur des dinosaures

Dinosaure	Longueur
Tyrannosaurus Rex	14 m
Albertosaurus	8 m
Tricératops	9 m
Ankylosaurus	10 m
Dromæosaurus	2 m
Pachycephalosaurus	5 m

Réfléchis

Selon toi, quelle erreur peut-on faire en construisant un diagramme à bandes ? Comment corrigerais-tu cette erreur ?

Résoudre des problèmes à l'aide de diagrammes

➤ Discute des différentes façons de répondre à ces questions :
- Combien d'élèves de ta classe pratiquent un sport ?
- Tes camarades préfèrent-ils regarder un match ou pratiquer un sport ?
- Quel est le sport préféré de chaque élève de ta classe ?

Tu as besoin de papier quadrillé et d'une règle.

➤ Choisis une question.
- Quel sport ta classe ira-t-elle regarder jouer dans une école secondaire ?
- Qui aimerais-tu inviter dans ta classe ?
- Quels sports y aura-t-il à la journée des sports ?

Quel sport préfères-tu pratiquer ?

Hockey –
Baseball –
Basketball –
Volleyball –
Soccer –
Autre –

➤ Avec ton groupe, décide :
- quelle question tu vas poser ;
- à qui tu poseras ta question ;
- comment tu vas noter les réponses.

➤ Recueille les données. Construis un diagramme à bandes.

➤ Comment répondras-tu à ta question ?

Qu'as-tu **trouvé ?**

Montre ta question et tes données à un autre groupe.
Discutez des décisions que vous avez prises.

Découvre

Angèle voulait résoudre un problème au sujet de la planification d'une sortie de classe.

➤ Elle a construit un tableau pour recueillir des données auprès de ses camarades.

Votes pour notre sortie de classe		
Lieu	Marques de pointage	Nombre de votes
Parc	III	3
Zoo	~~IIII~~ IIII	9
Musée	~~IIII~~	5
Planétarium	IIII	4
Théâtre de marionnettes	~~IIII~~	5

➤ Elle a construit un diagramme.

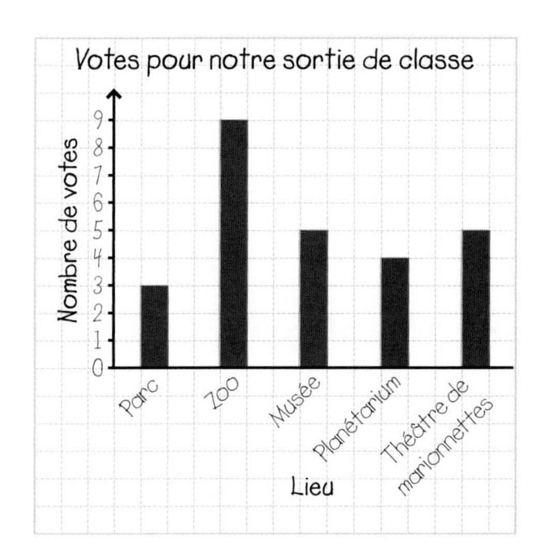

Angèle a fait les découvertes suivantes :

- Plus d'élèves ont choisi le zoo que tout autre lieu.
- Le deuxième choix des élèves est le musée ou le théâtre de marionnettes.

Angèle a donc planifié une sortie au zoo.

À ton tour

1. Résous ce problème.
   Quelle sortie planifierais-tu pour tes camarades ?
   a) Fais la liste des endroits où aller.
   Décide si tu veux inclure une étiquette « Autre » pour les élèves qui préfèrent aller dans un autre endroit.
   b) Recueille les données et organise-les.
   c) Présente les données dans un diagramme à bandes.
   d) Comment peux-tu résoudre le problème ? Explique.

2. Choisis un sujet de problème.
   a) Écris le problème à résoudre.
   b) Quelle question poseras-tu ?
   c) Recueille les données et organise-les.
   d) Présente les données dans un diagramme à bandes.
   e) Quelle est ta solution au problème ? Explique comment le diagramme t'a aidé à résoudre le problème.

> Sujets de problèmes
> - Une histoire à lire en classe
> - Un jeu pour une récréation à l'intérieur
> - Une personne à inviter en classe
> - La musique pour une fête en classe

3. **a)** Écris une question au sujet du problème que tu as résolu à la question 2. Réponds à ta question.
   b) Montre ton travail à une ou un camarade. Réponds à sa question. Comparez vos réponses.

Notre monde

Partout dans les journaux, dans les revues et dans Internet, on présente des données dans toutes sortes de diagrammes.

Réfléchis

Décris un problème que tu as résolu dans cette leçon.
Que ferais-tu différemment la prochaine fois ?

À la verticale ou à l'horizontale

Jeu

Tu as besoin de 2 dés numérotés et d'une feuille de jeu pour chaque personne.

Le but du jeu est de colorier 6 carrés dans 1 bande, ou de colorier 1 carré pour chaque nombre de 0 à 12.

- Chaque élève lance un dé.
  L'élève qui obtient le plus grand nombre joue en premier.
- À tour de rôle, les élèves lancent les deux dés. Chaque élève additionne ou soustrait les nombres, puis colorie un carré dans son diagramme à bandes pour représenter la réponse.
- La première personne qui colorie 6 carrés dans 1 bande ou qui colorie 1 carré pour chaque nombre de 0 à 12 gagne la partie.

LEÇON

La boîte à outils

Explore

Simon avait des pièces de 5 ¢, de 10 ¢ et de 25 ¢.
Il a acheté une bande dessinée usagée à 25 ¢.
On ne lui a pas rendu de monnaie.
De combien de façons différentes a-t-il
pu payer sa bande dessinée ?

Qu'as-tu trouvé ?

Montre à tes camarades comment tu as résolu le problème.
Comment sais-tu que tu as trouvé toutes les combinaisons ?

Découvre

Amélie avait des pièces de 1 ¢, de 5 ¢ et de 10 ¢.
Elle a acheté un crayon à 20 ¢.
On ne lui a pas rendu de monnaie.
De combien de façons différentes a-t-elle
pu payer son crayon ?

Stratégies

- Fais un tableau.
- Utilise un modèle.
- Fais un dessin.
- Résous un problème plus simple.
- Travaille à rebours.
- Prédis et vérifie.
- Dresse une liste ordonnée.
- Utilise une régularité.

Que sais-tu ?
- Amélie a payé 20 ¢.
- Amélie a utilisé des pièces de 1 ¢, de 5 ¢ et de 10 ¢.

Pense à une stratégie qui peut t'aider à résoudre le problème.
- Tu peux **résoudre un problème plus simple**.
- Utilise de l'argent fictif.

 OBJECTIF | Interpréter un problème et choisir une stratégie appropriée.

Note les différentes façons d'obtenir 5 ¢.
Note toutes les différentes façons d'obtenir 10 ¢, puis 15 ¢, puis 20 ¢.
Note chaque combinaison dans un tableau.
De combien de façons différentes peux-tu obtenir 20 ¢ ?

Aurais-tu pu résoudre le problème autrement ?

À ton tour

Choisis une **Stratégie**

1. Montre 4 façons d'obtenir 55 ¢ avec 6 pièces ou moins.
2. Le restaurant Roma offre ce choix d'ingrédients pour garnir ses pizzas : pepperoni, champignons et poivrons verts.
   Tu peux choisir 1, 2 ou 3 ingrédients comme garniture.
   Combien de pizzas différentes peux-tu obtenir ?

3. Qui suis-je ?
   - J'ai 2 chiffres.
   - Je suis plus petit que 90.
   - Je suis plus grand que 20.
   - Mon chiffre des unités a 1 unité de plus que mon chiffre des dizaines.

   Combien de nombres peux-tu trouver ?

Réfléchis

Raconte une situation où tu as dû payer avec des pièces de monnaie. Comment as-tu décidé quelles pièces utiliser ?

Module 7 Montre ce que tu sais

LEÇON

1

1. a) Demande à tes camarades s'ils sont gauchers, droitiers ou les deux.
   Note les données dans un tableau des effectifs.
   b) Nomme 3 choses que ton tableau indique.

2. a) Demande à tes camarades quelle est leur émission de télé préférée. Note les données sur une liste.
   b) Pose une question au sujet des données.
   Réponds à la question.
   c) Pourquoi quelqu'un voudrait-il connaître ces données ?

3. a) Mesure la distance du poignet à l'épaule de 5 camarades.
   Note les mesures dans un tableau.
   b) Le tableau représente-t-il très exactement les données ? Explique.

2

4. Émilie a représenté dans un tracé linéaire les articles qu'elle a vendus dans une exposition d'artisanat.
   a) Combien d'articles a-t-elle vendus en tout ?
   b) Supposons qu'Émilie a vendu 1 bracelet de plus et 1 panier de moins. Comment le tracé linéaire sera-t-il modifié ?

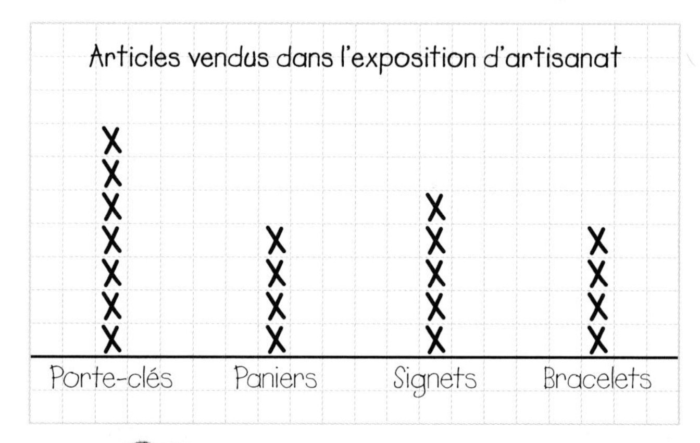

ÇON

3 **5.** Le diagramme montre les médailles remportées par le Canada aux Jeux olympiques d'hiver de 2006.

a) Le Canada a-t-il remporté plus de médailles d'argent ou de bronze ? Combien de plus ?

b) Combien de médailles en tout le Canada a-t-il remportées à ces jeux ?

c) Note 2 autres choses que ce diagramme t'apprend.

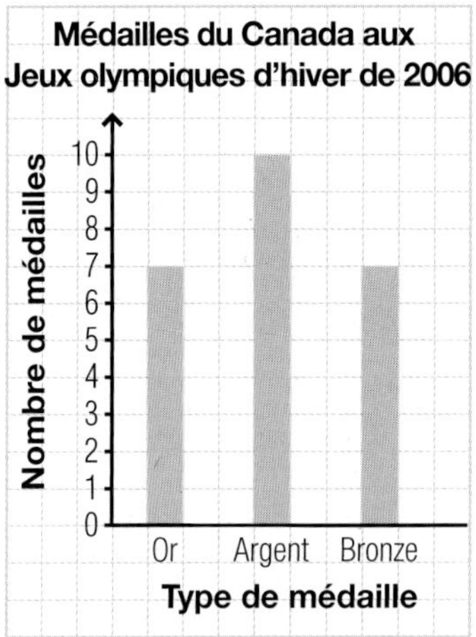

Médailles du Canada aux Jeux olympiques d'hiver de 2006

Type de médaille	Nombre de médailles
Or	7
Argent	10
Bronze	7

4 **6.** Ty a fait des marques de pointage pour montrer le nombre de timbres dans sa collection.

a) Construis un diagramme à bandes.

b) Ty veut mettre tous les timbres de 2 pays sur 1 page de son album. Il veut mettre 16 timbres sur cette page. Quels pays doit-il choisir ?

c) Selon toi, pourquoi Ty a-t-il inclus une étiquette « Autre » ?

Collection de timbres	
France	~~IIII~~ I
Espagne	~~IIII~~
Mexique	~~IIII~~ ~~IIII~~
Suède	~~IIII~~ III
Autre	III

3 4 **7. a)** Construis un diagramme à bandes différent pour les données de la question 6.

b) Quelles sont les ressemblances entre les diagrammes ?

5 **8.** Choisis dans ce module un tableau, une liste, un tracé linéaire ou un diagramme.

a) Écris un problème que tu peux résoudre à l'aide des données.

b) Résous le problème. Explique ta solution.

MODULE 7 **Tes objectifs**

- ☑ Recueillir et organiser des données.
- ☑ Utiliser des marques de pointage, des tableaux, des listes et des tracés linéaires.
- ☑ Interpréter des diagrammes à bandes.
- ☑ Construire des diagrammes à bandes.
- ☑ Résoudre des problèmes à l'aide de diagrammes à bandes.

Problème du module

Chez le vétérinaire

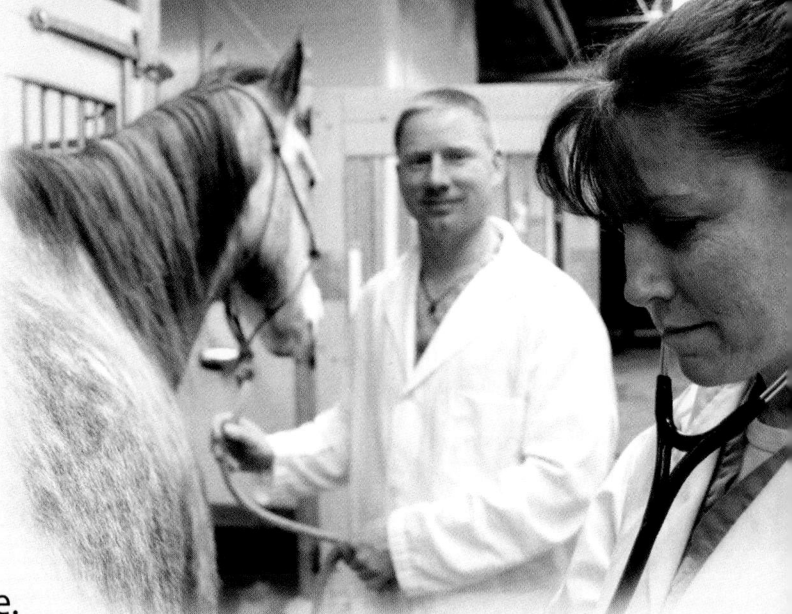

Les vétérinaires recueillent des données sur les animaux.

Partie 1

- Demande à tes camarades de nommer leur animal d'élevage préféré.
- Recueille les données dans un tableau des effectifs ou un tracé linéaire.
- Décris comment tu as organisé les données.
- Écris 3 choses que les données t'ont apprises.

Partie 2

Utilise le diagramme à bandes.

- Nomme 2 animaux que le vétérinaire a vus le même nombre de fois. Comment le sais-tu ?
- Combien d'animaux le vétérinaire a-t-il vus en tout ?
- Écris une question au sujet du diagramme à bandes. Réponds à ta question.

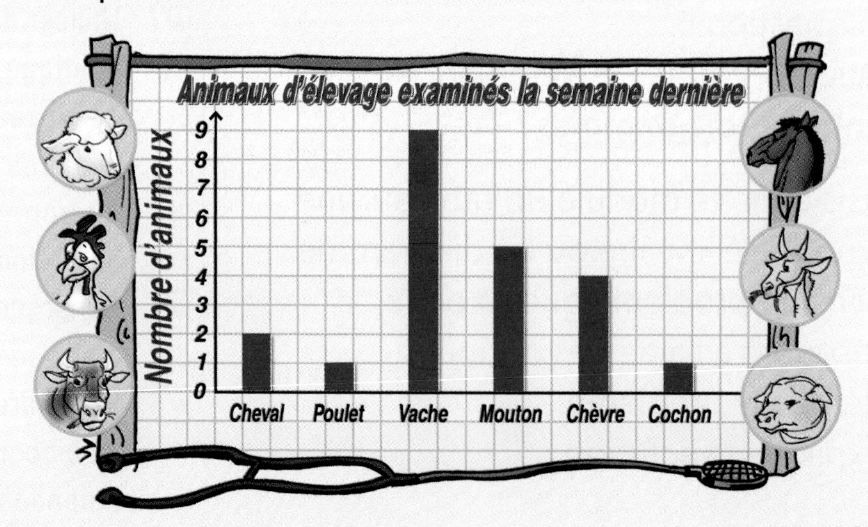

Liste de contrôle

Ton travail devrait montrer :

- ☑ une explication claire des données recueillies ;
- ☑ tes données présentées dans un tableau des effectifs, un tracé linéaire, un tableau ou une liste ;
- ☑ un diagramme à bandes facile à comprendre qui comporte des étiquettes et un titre ;
- ☑ une explication claire de ce que tu as trouvé.

Partie 3

Écris un problème au sujet d'un vétérinaire ou au sujet d'animaux d'élevage.

➤ Écris une question qui peut t'aider à résoudre ton problème.

➤ Recueille les données et organise-les.

➤ Présente les données dans un diagramme à bandes.

➤ Résous le problème.

➤ Comment as-tu utilisé le diagramme pour résoudre le problème ?

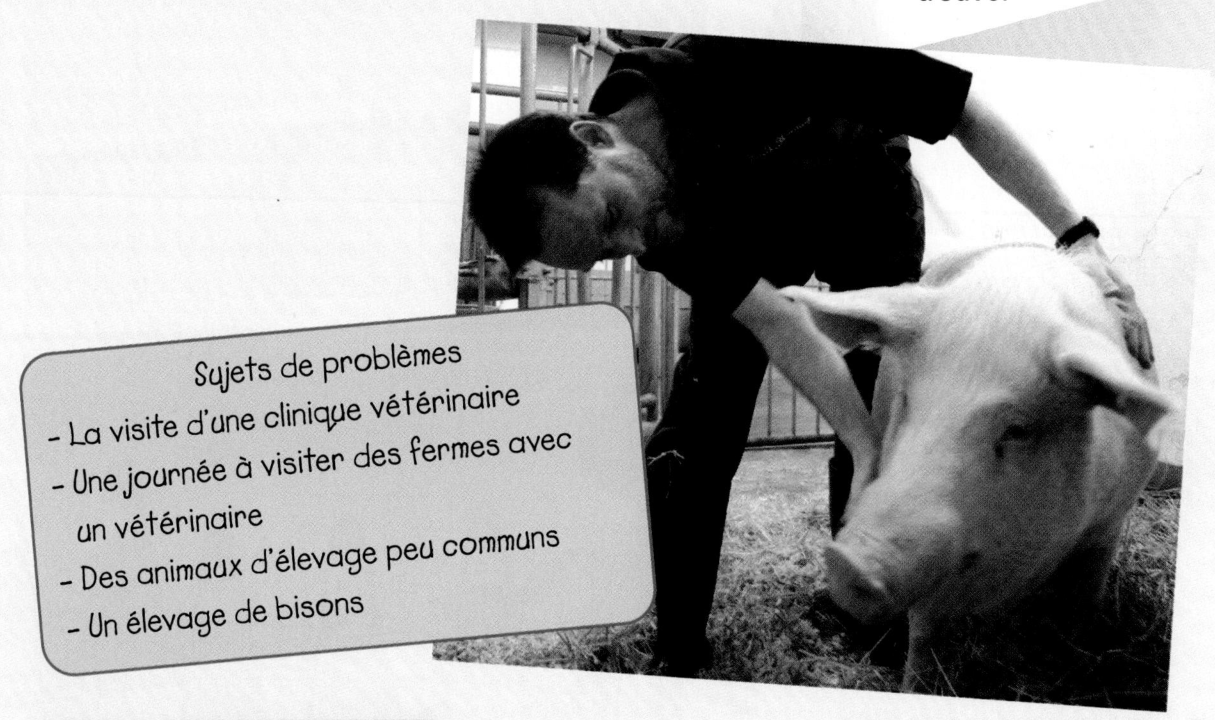

Retour sur le module

Qu'as-tu appris sur la collecte et l'organisation des données ?

MODULE 8

La multiplication

Tes objectifs

- Modéliser des multiplications et des divisions jusqu'à 5×5.
- Développer des stratégies pour multiplier et diviser jusqu'à 5×5.
- Créer et résoudre des problèmes à l'aide de multiplications et de divisions.

et la division

L'école planifie une journée sportive.
La classe de 3e année préparera l'équipement.

Combien y a-t-il de cônes de signalisation ?
Combien y a-t-il de ballons de basketball ?
Comment peux-tu trouver la réponse sans compter chaque élément ?

Mots clés

- multiplier
- une multiplication
- fois
- des groupes égaux
- une matrice
- un produit
- diviser
- une division
- divisé par

Des groupes égaux

Yvan a visité le parc national du Canada Jasper avec sa famille.
En roulant en voiture, il a vu des chèvres de montagne. Il n'avait que quelques secondes pour compter les chèvres.

Comment peux-tu trouver le nombre de chèvres sans les compter une à une ?

Explore

Jeu

Tu as besoin de 5 jeux de cartes à points portant chacune de 1 à 5 points.

- ➤ L'élève A ferme les yeux.
- ➤ L'élève B :
  - choisit de 2 à 5 cartes qui portent le même nombre de points ;
  - place les cartes sur la table, face vers le haut ;
  - demande à sa ou son camarade d'ouvrir les yeux et de dire combien il y a de points.
- ➤ Les deux élèves changent de rôle et recommencent le jeu.

Qu'as-tu trouvé ?

Quelles stratégies as-tu utilisées pour compter les points ?
Comment peux-tu trouver le nombre total de points sans les compter un à un ?

 OBJECTIF | Représenter la multiplication à l'aide de groupes égaux.

Découvre

Dans des **groupes égaux**, il y a le même nombre d'éléments dans chaque groupe.
Ces perles se vendent en paquets de 5.
Combien de perles y a-t-il dans 3 paquets ?

Utilise des groupes égaux pour trouver la réponse.

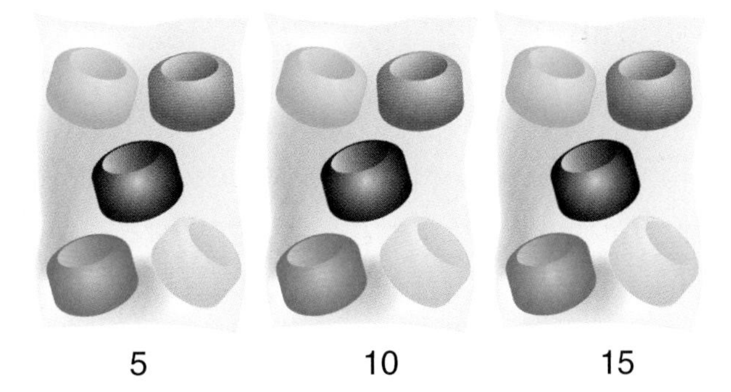

- Dessine les 3 paquets.
  Représente le nombre de perles dans chaque paquet.
- Compte par sauts pour trouver le nombre total de perles.
  Il y a 15 perles en tout.

Tu peux écrire « 3 groupes de 5 font 15 » sous la forme d'une **multiplication**.

3	$\times$	5	$=$	15
↑		↑		↑
Nombre de groupes		Nombre d'éléments dans chaque groupe		Nombre total d'éléments Le **produit**

Cela se dit : « 3 **fois** 5 égale 15 ».

À ton tour

1. Représente chaque ensemble à l'aide d'un dessin ou de cartes à points.
   a) 2 groupes de 5
   b) 2 groupes de 4
   c) 2 groupes de 2
   d) 1 groupe de 5

2. Écris une multiplication pour chaque image.

a) 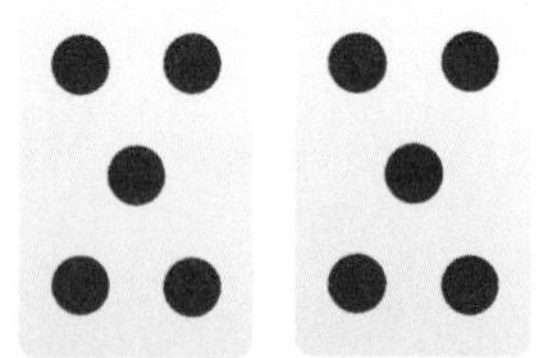

b) 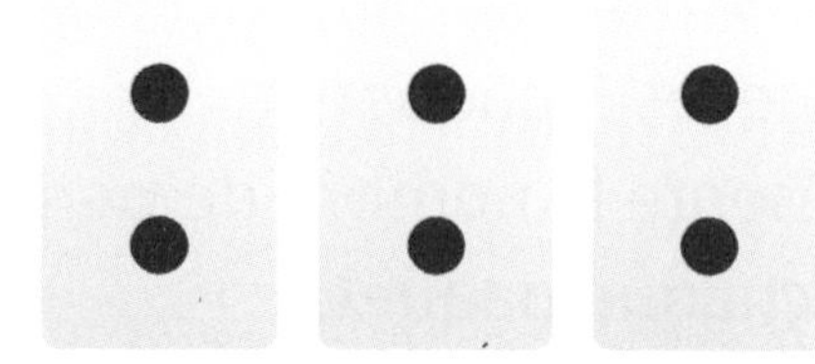

c) 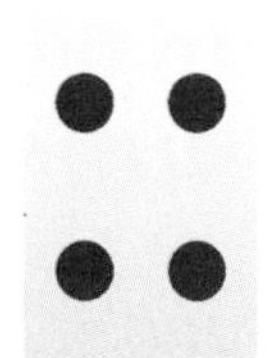

d) 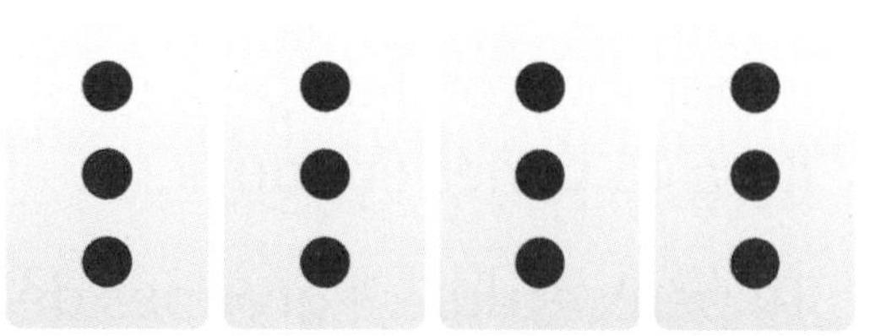

3. Les balles de tennis se vendent en paquets de 3. L'enseignante d'éducation physique a apporté 3 paquets pour son cours. Combien de balles a-t-elle apportées ? Représente ta solution à l'aide d'un dessin et d'une multiplication.

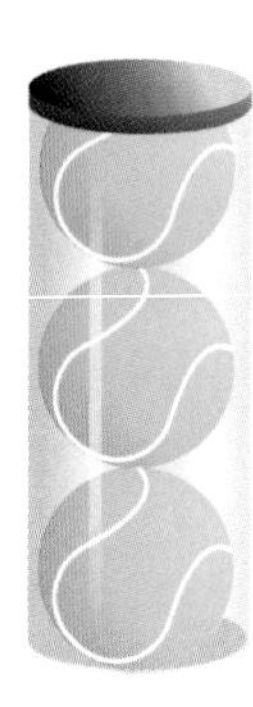

4. Représente le produit de 3×4 en faisant un dessin. Crée un problème à partir de ton dessin.

5. Trouve le produit de chaque multiplication.
   a) 4×2
   b) 3×4
   c) 1×3
   d) 5×1
   e) 2×5
   f) 4×5

6. Effectue chaque multiplication.
   a) 1×4
   b) 3×3
   c) 2×3
   d) 4×3
   e) 1×5
   f) 5×2

7. Pour quelles images peux-tu écrire une multiplication ?
Quand c'est possible, écris la multiplication.
Si tu ne peux pas écrire une multiplication, montre pourquoi à l'aide de mots, de dessins ou de nombres.

a)

b)

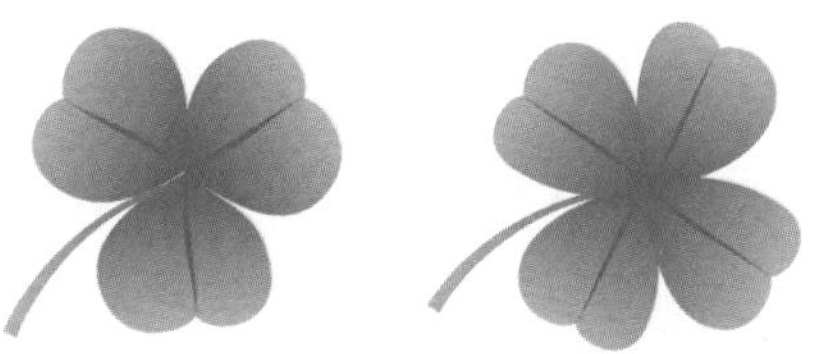

c)

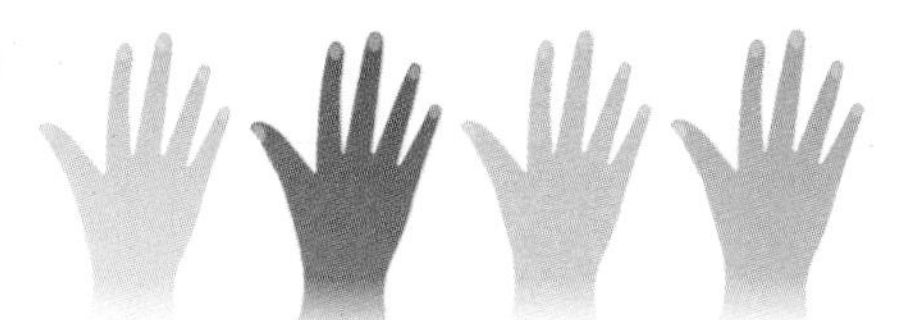

d)

8. a) Karine construit des triangles à l'aide de pailles et de cure-pipes.
Elle ne doit pas plier les pailles.
De combien de pailles Karine a-t-elle besoin pour construire 4 triangles ?

b) Supposons que Karine construit 4 carrés.
Aura-t-elle besoin de plus de pailles ou de moins de pailles ? Comment le sais-tu ?

9. Peux-tu écrire une multiplication pour cette image ?
Explique pourquoi.

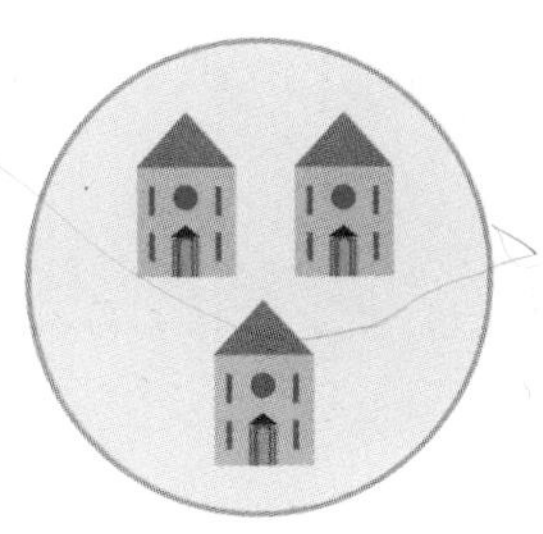

Réfléchis

Quand peux-tu faire une multiplication pour trouver le nombre d'éléments ? Explique à l'aide de mots, de dessins ou de nombres.

À la maison

Trouve à la maison 3 choses qui forment des groupes égaux. Combien d'éléments y a-t-il dans 2 groupes ? Dans 3 groupes ?

Le plus proche de 12

Jeu

Tu as besoin de 75 jetons et de 4 jeux de cartes numérotées de 1 à 5. Joue à ce jeu en groupes de trois.
Le but du jeu est d'obtenir la réponse la plus proche de 12.

- Mêle les cartes et place-les en une seule pile, face vers le bas.
- Retourne la carte du dessus. Place-la à côté de la pile. Cette carte indique le nombre de groupes de jetons.
- Chaque personne prend une carte sur le dessus de la pile. Cette carte indique le nombre de jetons dans chaque groupe.
- Prends les jetons qu'il te faut. Écris une multiplication qui montre le nombre de jetons que tu as pris.
- La personne dont la réponse est la plus proche de 12 marque 1 point.
- Si plus d'une personne obtient la réponse la plus proche de 12, aucun point n'est marqué.
- La première personne qui marque 5 points gagne la partie.

LEÇON

Le lien entre la multiplication et l'addition répétée

Explore

Rachel parcourt à pied 4 pâtés de maisons pour se rendre à l'école.
Elle additionne la distance parcourue chaque jour pour trouver le total de la semaine.
Au total, combien de pâtés de maisons a-t-elle parcourus :

- le lundi ?
- le mardi ?
- le vendredi ?

Représente tes résultats à l'aide de dessins et de nombres.

Qu'as-tu **trouvé ?**

Montre ton travail à une ou un camarade.
Comment peux-tu résoudre le problème grâce à une addition ?
Comment peux-tu résoudre le problème grâce à une multiplication ?

Découvre

Tu peux utiliser l'**addition répétée** pour penser à la multiplication.

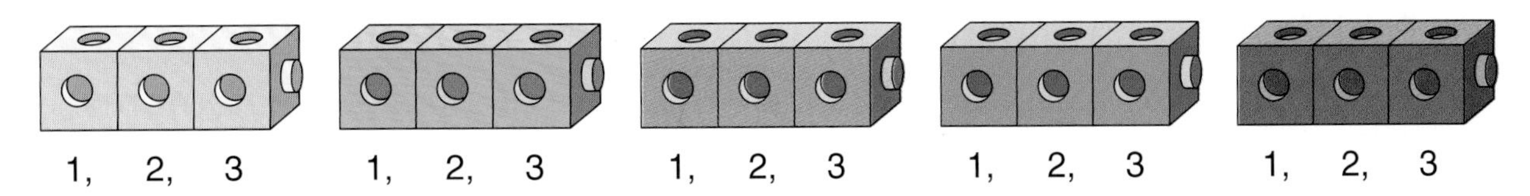

Réunis les cubes emboîtables pour former un long train.

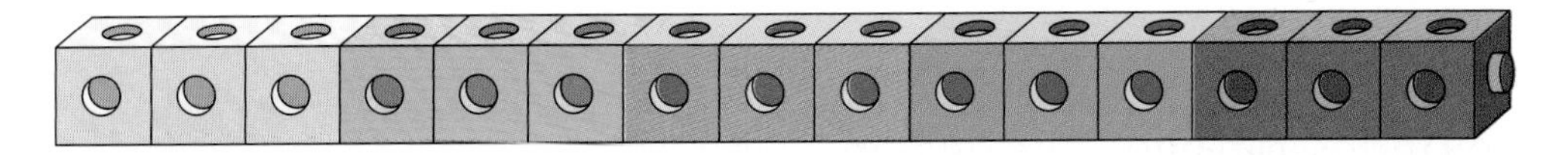

$$3 + 3 + 3 + 3 + 3 = 15$$
$$5 \times 3 = 15$$

OBJECTIF | Représenter la multiplication sous la forme d'une addition répétée.

Une **droite numérique** permet aussi de représenter une multiplication sous la forme d'une addition répétée.

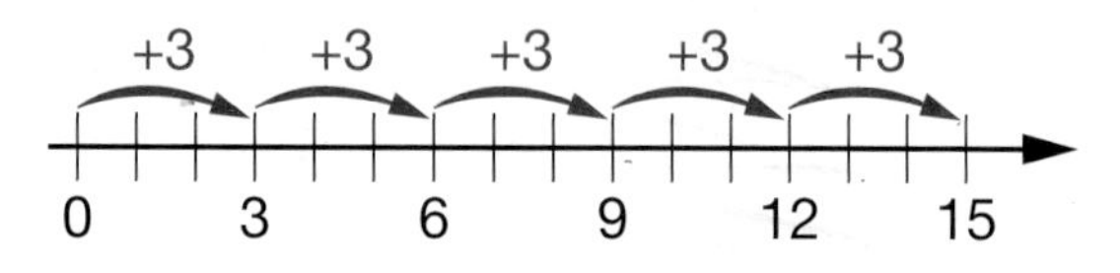

Additionne 3 chaque fois.
5 fois 3 égale 15.

À ton tour

1. Représente chaque addition répétée à l'aide de cubes emboîtables. Écris une multiplication pour chaque addition.
   a) $1 + 1 + 1 + 1 = 4$
   b) $5 + 5 = 10$
   c) $4 + 4 + 4 + 4 + 4 = 20$
   d) $0 + 0 + 0 = 0$

2. Écris une addition pour chaque multiplication. Représente le résultat à l'aide d'un dessin.
   a) $2 \times 3 = 6$ **b)** $5 \times 1 = 5$ **c)** $4 \times 3 = 12$

3. Pour chaque image, écris une addition et une multiplication.
   a) De combien de billets les enfants ont-ils besoin ?
   b) Au total, combien de jouets peuvent être rangés sur les étagères ?

4. Paul dit qu'on ne peut pas utiliser l'addition répétée pour 1×5. Es-tu d'accord ? Explique à l'aide de mots, de dessins ou de nombres.

5. Mélanie a fabriqué un collier de perles pour son amie.
   Elle a utilisé 4 ensembles de perles comme celui-ci.
   Combien de perles a-t-elle utilisées en tout ?

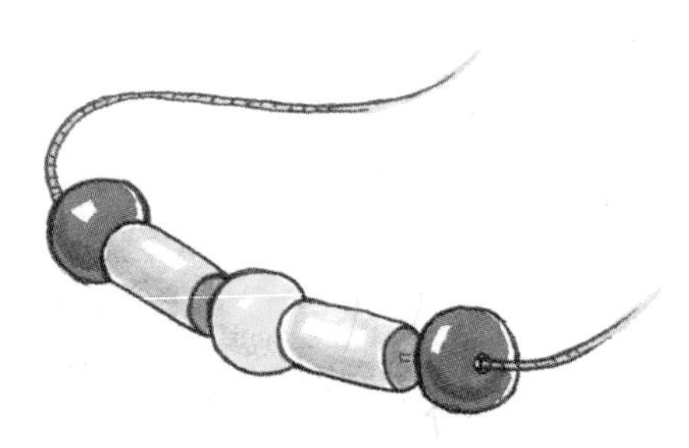

6. Chaque jour d'école cette semaine, Suzanne a lu le même nombre de livres.
Combien de livres a-t-elle lus en tout si elle a lu :

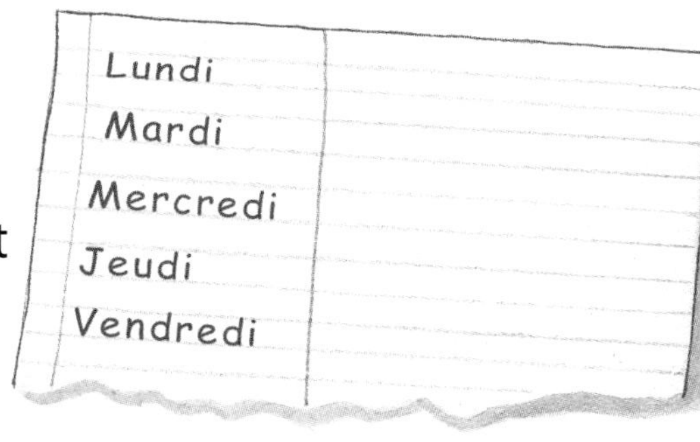

a) 1 livre par jour ?
b) 2 livres par jour ?
c) 3 livres par jour ?
d) 4 livres par jour ?
e) 5 livres par jour ?
Quelles régularités vois-tu ?

7. Écris une addition et une multiplication pour chaque droite numérique.

a) 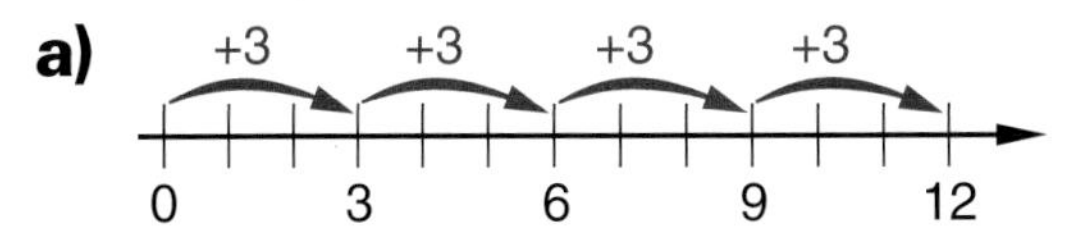

b) 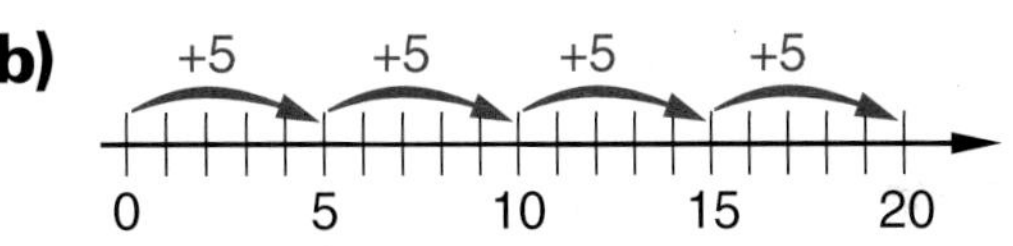

8. Mélissa et 3 de ses amies font la danse du cerceau.
Chaque danseuse se sert de 5 cerceaux pour cette danse.
Combien de cerceaux utilisent-elles en tout ?
Représente ta réponse à l'aide de dessins, de mots ou de nombres.

9. Rédige un problème pour chaque opération.
Résous chaque problème à l'aide de mots, de dessins et de nombres.
a) 3×3 **b)** $5 + 5 + 5$ **c)** 2×5 **d)** $1 + 1 + 1 + 1$

10. Fais un dessin pour chaque question.
Écris l'opération qui représente chaque question.
Quelles sont les ressemblances et les différences entre les 2 opérations ?
a) Additionne 4 et 5.
b) Multiplie 4 et 5.

Réfléchis

Quand peux-tu utiliser la multiplication comme raccourci de l'addition ? Quand est-ce impossible ?

LEÇON 3

Multiplier à l'aide de matrices

La classe de Jessica amasse de l'argent pour une cause humanitaire.
Les élèves confectionnent de petits personnages en pompons qu'ils vendront.
Les boîtes d'emballage ont différentes tailles.
Les élèves veulent emballer les personnages en rangées égales dans les boîtes.

Explore

Tu as besoin de 25 jetons pour chaque équipe de 2 élèves.

➤ Trouve différentes façons d'emballer jusqu'à 25 personnages en rangées égales.
Représente chaque combinaison à l'aide de jetons.

➤ Note chaque combinaison que tu as trouvée.
- Écris le nombre de rangées.
- Écris le nombre de personnages dans chaque rangée.
- Écris le nombre de personnages qu'il y a dans la boîte.

Qu'as-tu trouvé ?

Fais part de tes réponses à deux autres camarades.
Ont-ils trouvé des réponses différentes des tiennes ?

 OBJECTIF | Représenter la multiplication à l'aide d'une matrice.

Découvre

Une **matrice** est un ensemble d'objets organisés en rangées égales.

Voici une matrice de 4×3.
Il y a 4 rangées égales et
3 jetons dans chaque rangée.
$4 \times 3 = 12$

Voici une matrice de 2×2.
Il y a 2 rangées égales et
2 jetons dans chaque rangée.
$2 \times 2 = 4$

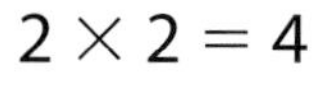

Voici une matrice de 1×4.
Il y a 1 rangée et
4 jetons dans la rangée.
$1 \times 4 = 4$

Tu peux voir la multiplication comme une addition répétée.

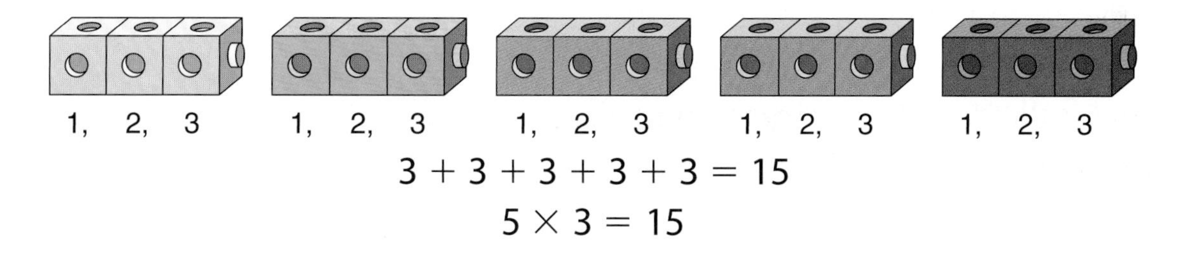

$$3 + 3 + 3 + 3 + 3 = 15$$
$$5 \times 3 = 15$$

Tu peux assembler ces cubes emboîtables pour former une matrice.

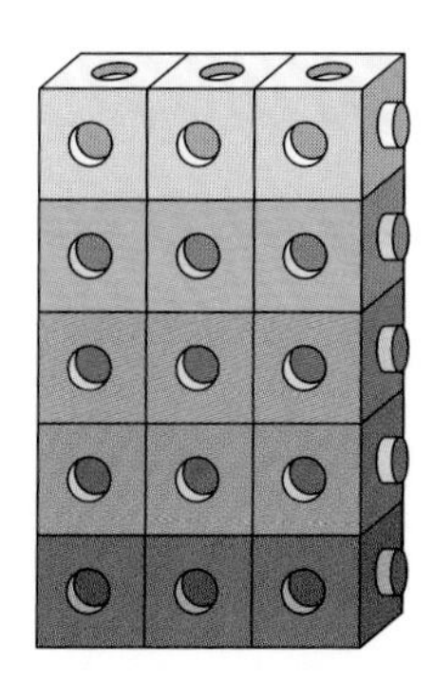

Voici une matrice de 5×3.
Il y a 5 rangées égales et
3 cubes emboîtables dans chaque rangée.
$5 \times 3 = 15$

À ton tour

1. Écris une multiplication pour chaque matrice.

a)

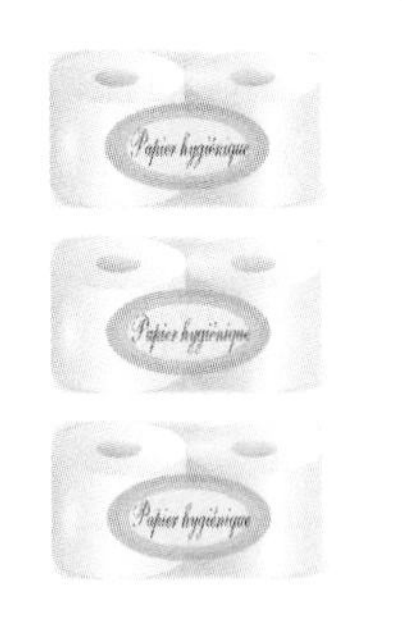

b)

c)

d)

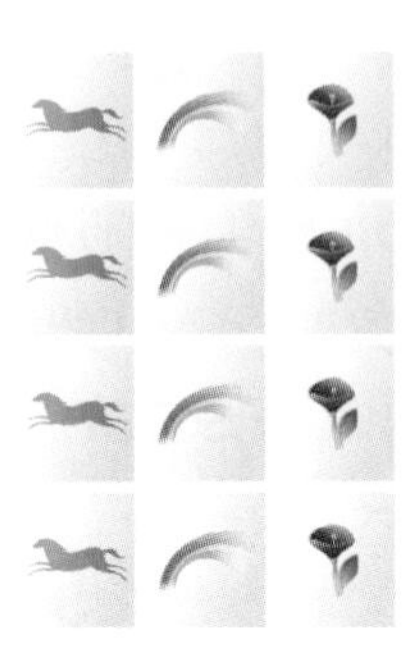

2. Il y a 20 pupitres dans une classe.
L'enseignant veut déplacer les pupitres pour former des rangées. Il veut qu'il y ait le même nombre de pupitres dans chaque rangée.
Écris différentes multiplications pour représenter comment il peut disposer les pupitres.

3. Simon veut faire pousser des tomates dans son jardin.
Il met 5 plants dans chaque rang.
Combien de rangs doit-il former pour avoir au moins 12 plants en tout ?

4. Pour chaque multiplication, construis une matrice à l'aide de papier quadrillé ou de jetons.

a) $1 \times 1 = 1$ **b)** $2 \times 2 = 4$ **c)** $3 \times 3 = 9$
d) $4 \times 4 = 16$ **e)** $5 \times 5 = 25$

Que remarques-tu à propos de la forme de chaque matrice ? Explique.

5. Utilise des jetons ou du papier quadrillé.
Construis une matrice pour trouver chaque produit.

a) 2×3 **b)** 4×3 **c)** 3×5
d) 3×4 **e)** 5×1 **f)** 2×4
g) 2×5 **h)** 3×2 **i)** 4×1

6. Écris une multiplication pour chaque image.
Explique ton raisonnement.

a) Combien y a-t-il de dalles ?

b) Combien y a-t-il de pièces dans tout le casse-tête ?

7. **a)** Les pâtissiers utilisent des matrices pour compter les biscuits dans chaque fournée.
Écris une multiplication pour chaque plaque à biscuits.

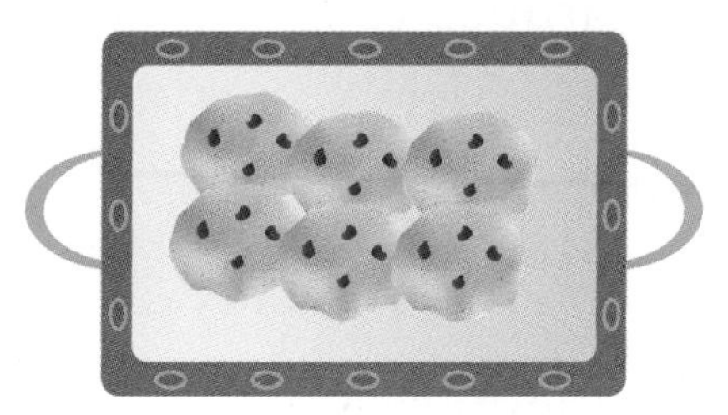

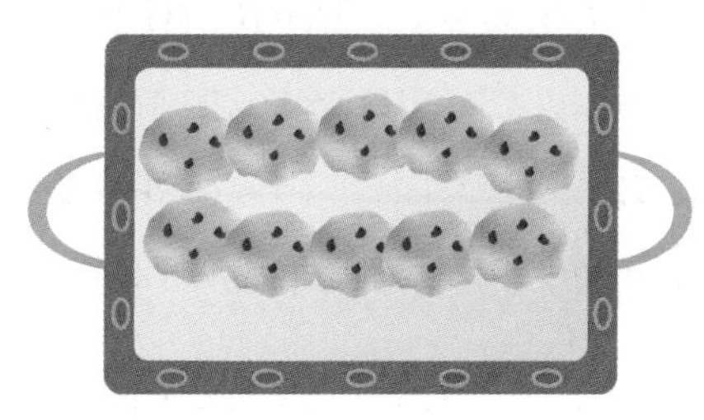

b) La pâtissière décide de faire plus de biscuits.
Elle double le nombre de rangées sur chaque plaque.
Comment le nombre de biscuits est-il modifié ?
Est-ce que ce sera toujours ainsi ? Explique.

8. Crée un problème de multiplication au sujet d'un ensemble représenté par une matrice. Échange ton problème contre celui d'une ou d'un camarade. Résous le problème.

Réfléchis

Quelles sont les ressemblances et les différences entre utiliser des matrices pour multiplier et utiliser des groupes égaux ?

Établir des liens entre des multiplications

Tu as besoin de ciseaux et de feuilles de papier quadrillé 4 × 4.
Dessine sur le papier quadrillé autant de matrices différentes que tu peux.
Découpe chaque matrice.
Écris une multiplication sur chaque matrice.
Essaie de trouver des matrices qui ont la même forme et la même taille.
Que remarques-tu ?

Qu'as-tu trouvé ?

Montre tes matrices à deux autres camarades.
Essaie de trouver des matrices qui ont le même produit,
mais des multiplications différentes. Que remarques-tu ?
Comment peux-tu expliquer cela ?

Découvre

Kim a construit des matrices avec du papier quadrillé 5 × 5.
Voici 2 matrices correspondantes construites par Kim.

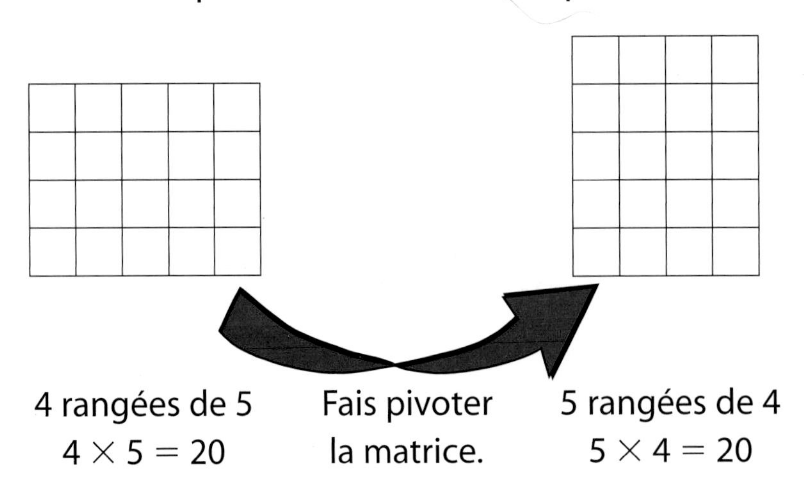

4 rangées de 5
$4 \times 5 = 20$

Fais pivoter la matrice.

5 rangées de 4
$5 \times 4 = 20$

Quand tu **multiplies** deux nombres, tu peux changer l'ordre des nombres sans modifier le produit.

 OBJECTIF | Identifier des multiplications correspondantes qui ont le même produit.

Tu peux représenter la même idée à l'aide de **groupes égaux**.

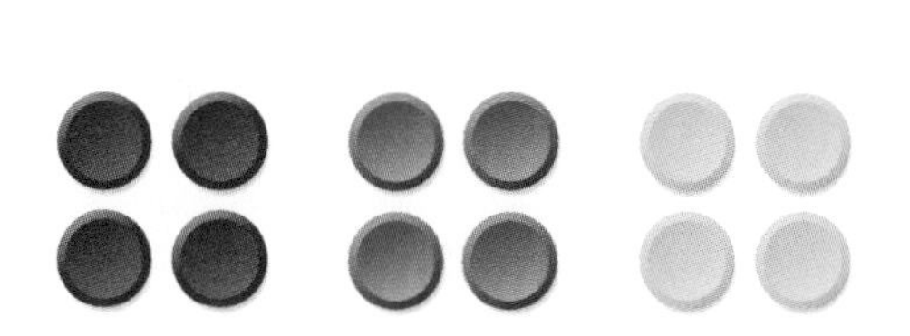

3 groupes de 4
$3 \times 4 = 12$

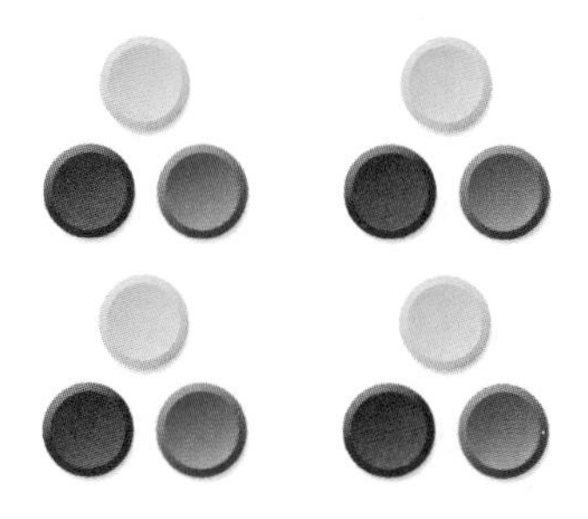

4 groupes de 3
$4 \times 3 = 12$

Quand on intervertit le *nombre de groupes* et le *nombre d'objets dans chaque groupe*, le nombre total d'objets reste le même. Donc, le produit reste aussi le même.

À ton tour

1. Écris deux multiplications pour chaque matrice.

a)

b)

2. Avec chaque ensemble, construis une matrice qui a au moins 2 rangées et 2 colonnes. Fais un dessin pour montrer ta stratégie. Pour chaque matrice, écris 2 multiplications et deux additions répétées.

a)

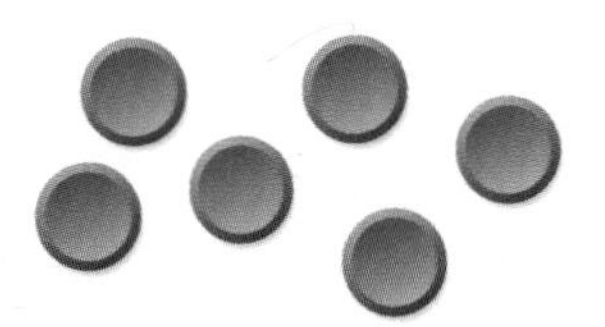

b)

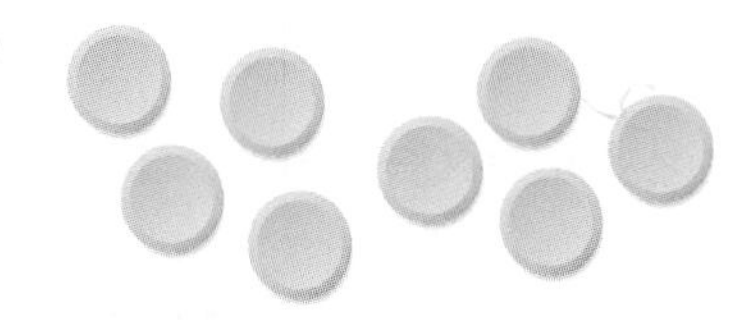

c)

3. Comment peux-tu montrer que 2 sacs de 5 billes et 5 sacs de 2 billes contiennent le même nombre de billes ? Explique ton raisonnement à l'aide de mots, de dessins et de nombres.

4. **a)** Construis 2 matrices. Pour chaque matrice, il doit exister une seule multiplication possible. Dessine tes matrices.

b) Explique pourquoi tu peux écrire une seule multiplication pour les matrices que tu as construites.

5. **Jetons sur grille**

Jeu

Tu as besoin :

- d'une grille 10×10 ;
- de jetons de 2 couleurs ;
- de 4 jeux de cartes numérotées de 1 à 5.

Choisis d'abord la couleur de tes jetons.

➤ Mêle les cartes et place-les sur la table, face vers le bas.

➤ Chaque élève prend 2 cartes sur le dessus du paquet.

➤ L'élève A utilise des jetons pour construire, n'importe où sur la grille, une matrice qui correspond aux nombres sur ses cartes.

➤ L'élève B utilise des jetons pour construire une matrice qui correspond à ses cartes. Il ne peut pas mettre un jeton sur un carré déjà occupé.

➤ Chaque élève trouve le produit de sa matrice. Le produit correspond à son nombre de points pour ce tour.

➤ Continue de jouer jusqu'à ce que ce soit impossible de construire une matrice sur la grille.

➤ Additionne les points. L'élève qui a le plus de points gagne la partie.

Réfléchis

Supposons que tu dois multiplier 2 nombres.
Décris 3 stratégies que tu peux utiliser pour trouver le produit.

La division et les groupes égaux

Beaucoup de choses sont formées
de groupes égaux.
Où as-tu vu des choses disposées
en groupes égaux ?

Explore

Tu as besoin de 20 cubes.

Annie prépare des sacs pour une vente de garage.
Elle veut mettre le même nombre de jouets
dans chaque sac.
Aide-la à trouver des façons d'emballer les jouets.

- Choisis 8 cubes.
  Dispose les cubes en groupes de façon
  à avoir le même nombre dans chaque groupe.
  De combien de sacs Annie a-t-elle besoin ?
- Répète l'activité. Utilise 15 cubes.
- Répète l'activité. Utilise un nombre de cubes de ton choix.
- Note les résultats de ton travail.

Qu'as-tu **trouvé ?**

Fais part de tes réponses à une ou un camarade.
Explique comment tu as formé des groupes égaux.
Peux-tu toujours former des groupes égaux ? Pourquoi ?

OBJECTIF | Représenter la division sous forme de groupes égaux.

Découvre

Tu peux utiliser la **division** pour trouver le nombre de groupes égaux quand tu connais la taille des groupes.

➤ Utilise 12 jetons.

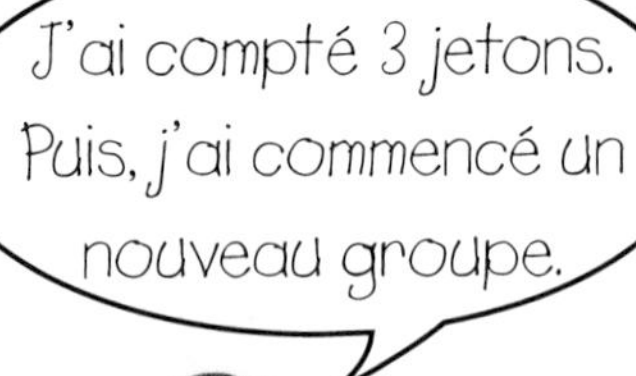

➤ **Divise** les jetons en groupes de 3.
Compte le nombre de groupes.

➤ Écris la **division**.

12	÷	3	=	4
↑		↑		↑
Nombre de jetons		Nombre dans chaque groupe		Nombre de groupes

Cela se dit : « 12 **divisé par** 3 égale 4 ».

•• •• •• •• ••
•• •• •• •• ••

20 groupé par 4 donne 5 groupes.

$20 \div 4 = 5$

Je peux représenter la division de différentes façons.

À ton tour

1. Utilise des cubes. Trouve le nombre de groupes.
   Écris une division pour chaque problème.
   a) Divise 6 cubes en groupes de 2.
   b) Divise 8 cubes en groupes de 4.
   c) Divise 12 cubes en groupes de 4.

2. Fais un dessin et écris une opération pour résoudre chaque problème.
   a) Il y a 4 lits dans chaque chambre. Combien de chambres faut-il pour loger 20 enfants ?

   b) Chaque véhicule tout-terrain a 3 roues. Combien de véhicules tout-terrain peut-on assembler avec 15 roues ?

3. Utilise des cubes. Forme des groupes égaux pour effectuer chaque division.

a) $12 \div 4$	**b)** $10 \div 5$	**c)** $8 \div 2$
d) $15 \div 3$	**e)** $6 \div 2$	**f)** $10 \div 1$
g) $4 \div 2$	**h)** $8 \div 4$	**i)** $6 \div 3$

4. La classe de Thomas commande de très grands sous-marins pour une fête.
   Chaque sous-marin peut nourrir 4 élèves.
   Combien de sous-marins faut-il pour nourrir 16 élèves ?

5. Zacharie voulait mettre 3 glaçons dans 3 verres.
Quand il a ouvert la glacière, tous les glaçons avaient fondu.
Écris une division.
Explique ce qui arrive toujours quand 0 est divisé en groupes égaux.

6. Olivier a 20 photos à mettre dans son album. Il a 5 pages blanches. Il veut mettre le même nombre de photos sur chaque page. Combien de photos devrait-il mettre par page ?

7. La classe de 3e année va en excursion au bord d'un lac. Rédige au moins 2 problèmes de division à partir de l'image. Résous les problèmes.

Réfléchis

Pense à la stratégie de division qui forme des groupes égaux.
Qu'est-ce que chaque nombre représente dans cette division ?
$9 \div 3 = 3$
Explique ton raisonnement à l'aide de mots, de dessins ou de nombres.

LEÇON 6

La division et le partage en parties égales

Quels jeux de cartes connais-tu ?
Dans certains jeux, on commence par distribuer à chaque joueur le même nombre de cartes.

Explore

Antoine connaît un jeu qui se joue avec 15 cartes numérotées.
Comment peut-il partager également 15 cartes entre 3 joueurs ?

- Représente une solution possible à l'aide de matériel.
- Note ta solution à l'aide de dessins, de mots et de nombres.
- Trouve maintenant une façon de partager 15 cartes entre 5 joueurs. Note ta solution.

Qu'as-tu **trouvé ?**

Fais part de tes réponses à deux autres camarades.
Quelles stratégies as-tu utilisées pour partager les cartes également ?

Découvre

Tu peux utiliser la division pour trouver le nombre d'éléments dans chaque groupe quand tu connais le nombre de groupes.

Quatre élèves ont aidé à nettoyer la classe.
L'enseignante a 12 autocollants à partager également entre les élèves pour les récompenser.

OBJECTIF | Représenter la division sous forme de partage en parties égales.

L'enseignante dispose les 12 autocollants, un par un, en 4 piles jusqu'à ce qu'il n'y en ait plus.

- 1 autocollant dans chaque pile

- 2 autocollants dans chaque pile

- 3 autocollants dans chaque pile

Nous pouvons dire : « 12 partagé également en 4 groupes donne 3 dans chaque groupe ». Écris la division.

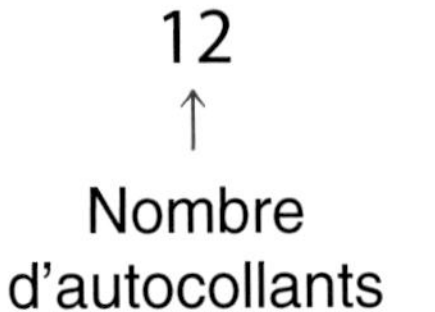  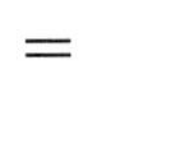 

12	÷	4	=	3
↑		↑		↑
Nombre d'autocollants		Nombre de groupes		Nombre d'autocollants dans chaque groupe

Cela se dit : « 12 divisé par 4 égale 3 ».

À ton tour

Utilise du matériel pour représenter les problèmes.

1. Trouve le nombre d'objets dans chaque groupe.
Écris une division qui correspond au résultat de ton travail.

a) 8 bâtons de hockey sont divisés en 2 groupes égaux.

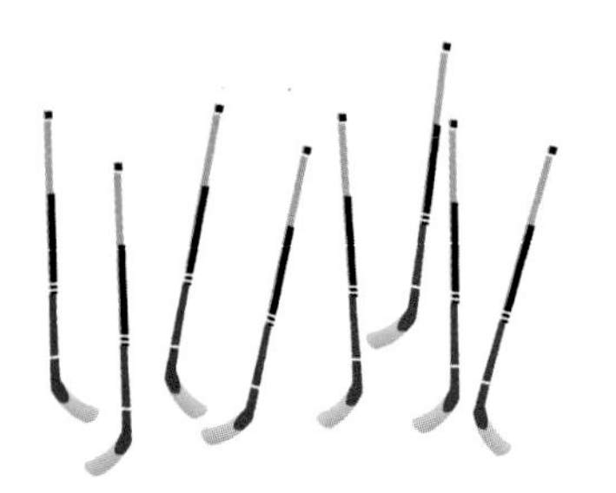

b) 25 billes sont divisées en 5 groupes égaux.

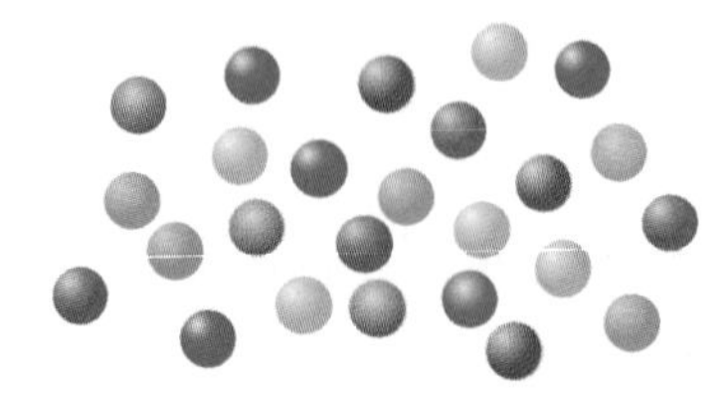

c) 9 balles sont divisées en 3 groupes égaux.

2. L'enseignant a disposé les pupitres en 4 groupes égaux.
Il y a 20 pupitres dans la classe.
Combien y a-t-il de pupitres dans chaque groupe ?

3. Kim a divisé 25 marqueurs en 5 paquets égaux.
Combien y a-t-il de marqueurs dans chaque paquet ?

4. Trouve le nombre d'éléments dans chaque groupe.

a) $15 \div 5$ **b)** $12 \div 4$ **c)** $6 \div 3$

d) $8 \div 2$ **e)** $9 \div 3$ **f)** $10 \div 5$

g) $4 \div 2$ **h)** $10 \div 2$ **i)** $8 \div 4$

5. L'animatrice du camp de vacances a invité 10 enfants à une chasse au trésor.
Elle a divisé les enfants en équipes égales.
Combien d'enfants pouvait-il y avoir dans chaque équipe ?
Montre comment tu as résolu le problème.

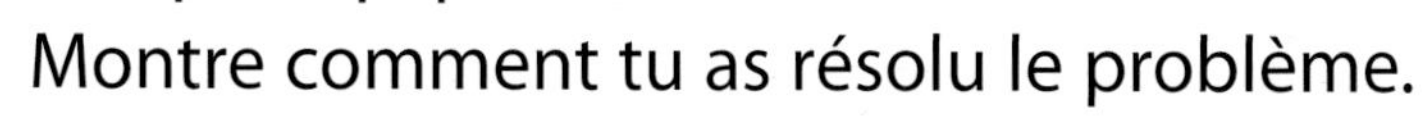

6. Crée un problème de partage en parties égales pour chacune de ces divisions.
Utilise des dessins, des mots ou des nombres pour montrer comment tu as résolu le problème.

a) $9 \div 3$ **b)** $15 \div 5$ **c)** $10 \div 2$ **d)** $25 \div 5$

Mesure

Coupe une bande de papier de 12 cm de long.
Plie-la deux fois en 2 de façon à obtenir 4 parties égales.
Quelle est la longueur de chaque partie ?
Quel lien y a-t-il entre plier du papier et diviser ?

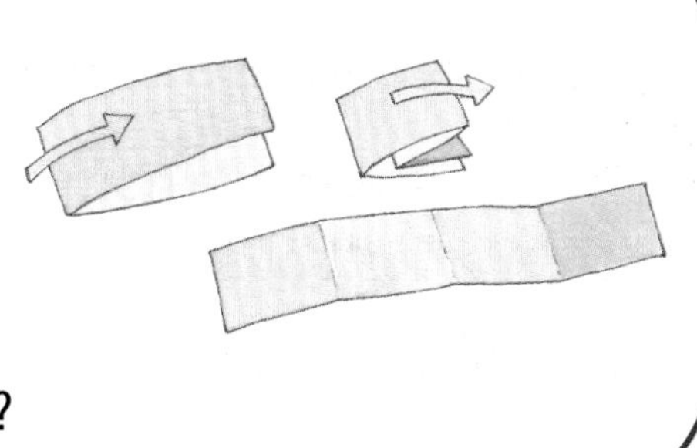

Réfléchis

Nomme 2 façons de penser à la division.
Explique à l'aide d'exemples.

Le lien entre la division et la soustraction répétée

Jeanne a imprimé 8 photos qu'elle a prises au pique-nique de sa classe.
Elle veut donner 2 photos à chacune de ses amies.
Combien d'amies obtiendront 2 photos avant qu'il ne reste plus de photos ?

➤ Choisis du matériel pour représenter le problème.
Représente ta solution en faisant un dessin.

➤ Supposons que Jeanne a imprimé 10 photos.
Combien d'amies obtiendront 2 photos ?

Qu'as-tu trouvé ?

Montre tes réponses à deux autres camarades.
En quoi tes dessins te rappellent-ils la division ?

Découvre

Sophie et Alex utilisent la soustraction répétée pour trouver $6 \div 2$.

➤ Sophie compte le nombre de groupes de 2 qu'elle doit soustraire jusqu'à ce qu'il ne reste plus d'éléments.

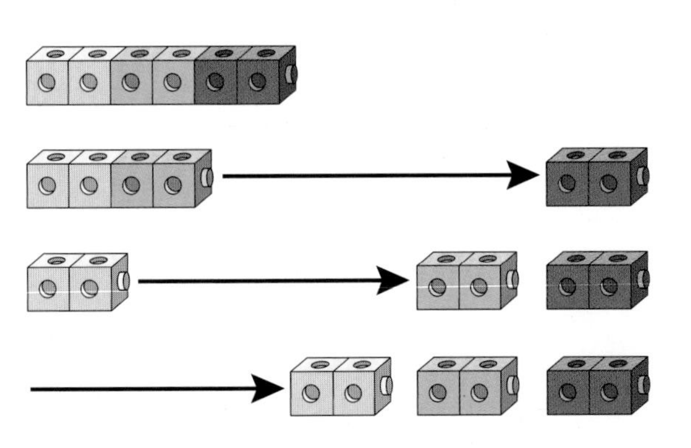

Je soustrais 2 de 6, j'obtiens 4. Je soustrais encore 2, j'obtiens 2. Je soustrais encore 2, j'obtiens 0. Il y a 3 groupes.

 OBJECTIF | Représenter la division sous la forme d'une soustraction répétée.

➤ Alex dispose les 6 éléments en 2 groupes égaux, puis il compte.

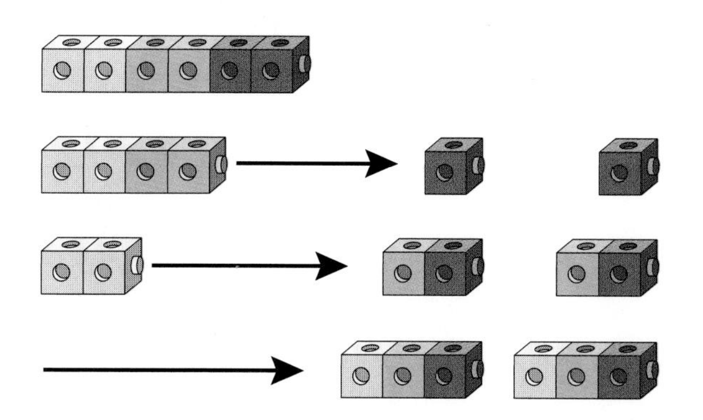

Je soustrais 2 de 6, j'obtiens 1 dans chaque groupe. Je soustrais encore 2, j'obtiens 2 dans chaque groupe. Je soustrais encore 2, j'obtiens 3 dans chaque groupe.

➤ Une droite numérique peut aussi montrer comment la division équivaut à une soustraction répétée.

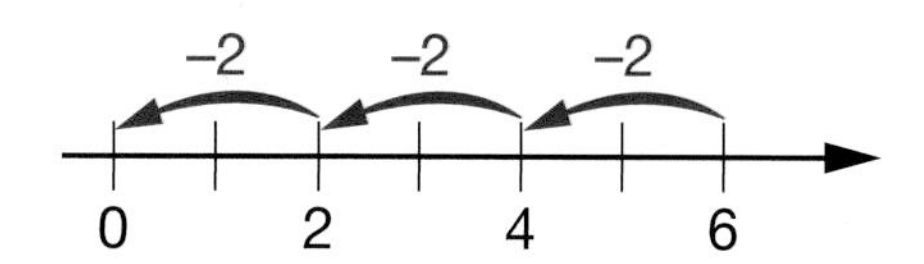

À partir de 6, soustrais chaque fois 2 jusqu'à ce que tu arrives à 0.
$6 - 2 - 2 - 2 = 0$
Compte le nombre de sauts de 2 que tu as faits de 6 à 0.
$6 \div 2 = 3$

À ton tour

1. Écris une division pour chaque soustraction répétée.

a) $4 - 1 - 1 - 1 - 1 = 0$

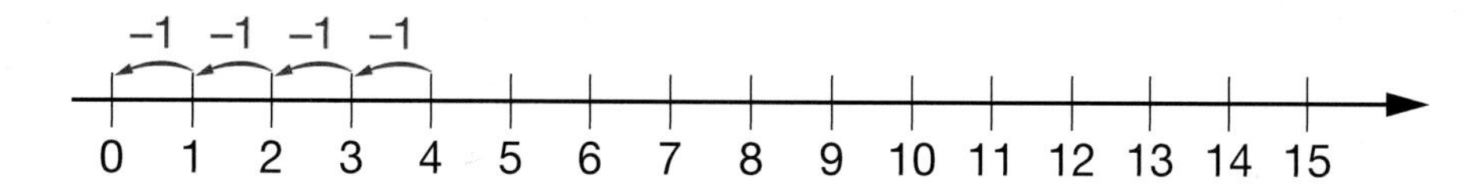

b) $12 - 4 - 4 - 4 = 0$

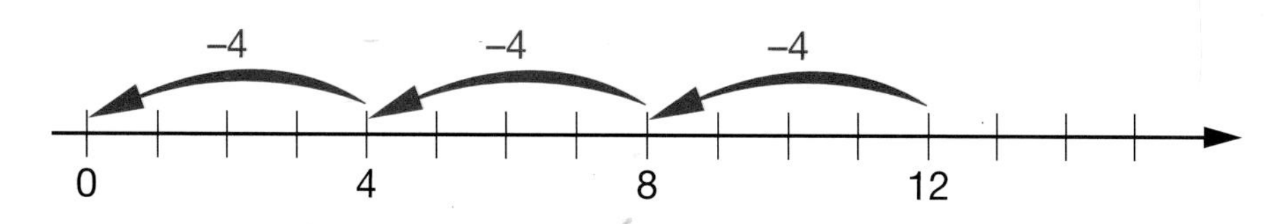

c) $8 - 4 - 4 = 0$

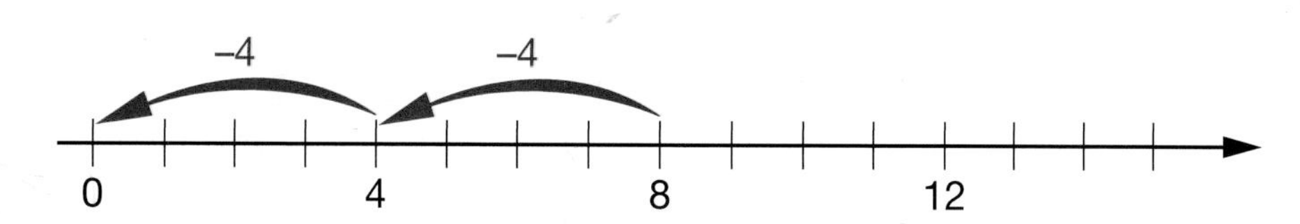

2. Écris chaque division sous la forme d'une soustraction répétée. Représente la soustraction répétée à l'aide d'un dessin.

a) $25 \div 5 = 5$ **b)** $10 \div 2 = 5$ **c)** $5 \div 5 = 1$

3. Le lecteur de CD de Brigitte fonctionne avec 2 piles. Brigitte a un paquet de 8 piles. Combien de fois peut-elle changer les piles ?

4. Chaque samedi matin, Jason livre 15 journaux. Il peut livrer 3 journaux en 1 minute. Combien de temps lui faut-il pour livrer ses 15 journaux ?

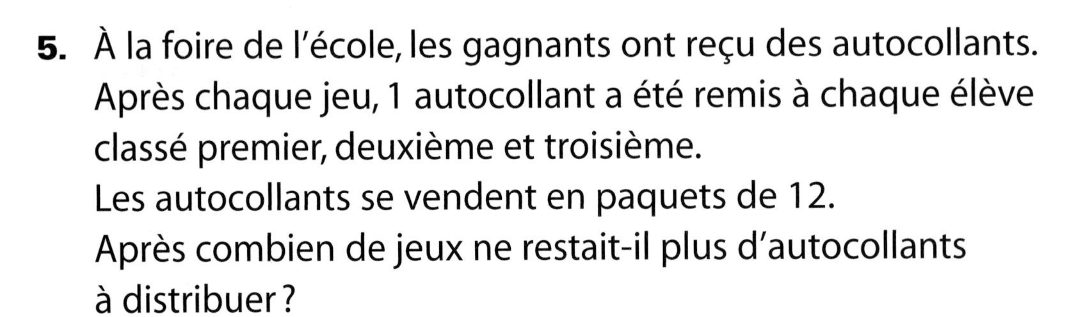

5. À la foire de l'école, les gagnants ont reçu des autocollants. Après chaque jeu, 1 autocollant a été remis à chaque élève classé premier, deuxième et troisième. Les autocollants se vendent en paquets de 12. Après combien de jeux ne restait-il plus d'autocollants à distribuer ?

6. Crée un problème de division. Échange ton problème contre celui d'une ou d'un camarade. Montre comment tu as résolu son problème.

7. Quelle différence y a-t-il entre $8 - 2$ et $8 \div 2$? Montre ton raisonnement à l'aide de dessins, de mots ou de nombres.

Monnaie

Supposons que tu veux acheter un article qui coûte 20 ¢.
Pour trouver le nombre de pièces de 5 ¢ dans 20 ¢, divise par 5.
Quelle division peux-tu écrire pour représenter le nombre de pièces de 1 ¢ dans 5 ¢ ?

8. Normand a visité le glacier Athabasca à l'âge de 7 ans.
Il a appris que la couche de glace diminue de 3 m par an.

Normand est retourné voir le glacier plus tard.
La couche de glace avait diminué de 15 m depuis sa première visite.
Combien d'années se sont écoulées depuis sa première visite ?

Athabasca signifie en langue crie : « là où il y a des roseaux ».

9. Lise et Ludovic passent la journée au Stampede de Calgary.
Les billets pour les manèges se vendent en groupes de 10, 15 ou 20.

a) Lise aime les tours en moto.
Combien de tours peut-elle faire avec chaque groupe de billets ?
Quel groupe de billets utilisera-t-elle au complet ?
Comment le sais-tu ?

b) Ludovic aime la grande roue.
Combien de tours peut-il faire avec chaque groupe de billets ?

Réfléchis

Comment la soustraction répétée peut-elle t'aider à diviser ?
Explique à l'aide d'un exemple.

LEÇON 8 — Établir le lien entre la multiplication et la division à l'aide de matrices

Explore

Tu as besoin de jetons et d'une copie de l'image ci-dessous.

Les élèves d'une école assistent à un concert.
Les enseignants achètent les billets dans la section bleue.

Classe	Nombre de personnes
1re année A	16
1re année B	15
2e année A	15
2e année B	15
3e année A	20
3e année B	25

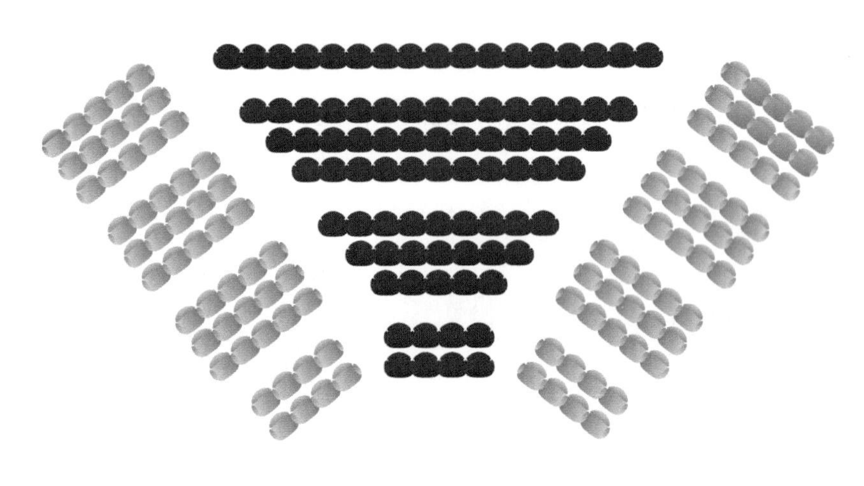

Trouve une façon d'asseoir tout le monde dans la section bleue.
Essaie de placer ensemble les élèves de chaque classe.
Fais un dessin de ton plan.

Qu'as-tu trouvé ?

Montre ton travail à deux autres camarades.
Comment la multiplication peut-elle t'aider
à placer tous les élèves ?
Comment la division peut-elle t'aider à décider
du nombre de rangées attribuées à chaque classe ?

 OBJECTIF | Reconnaître des multiplications et des divisions correspondantes à l'aide de matrices.

Découvre

Une matrice peut représenter une multiplication.

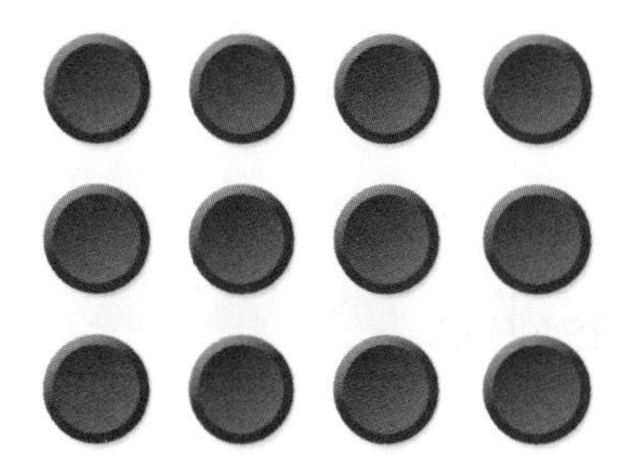

3 rangées de 4
$3 \times 4 = 12$

4 rangées de 3
$4 \times 3 = 12$

Une matrice peut aussi représenter une division.

12 objets en tout

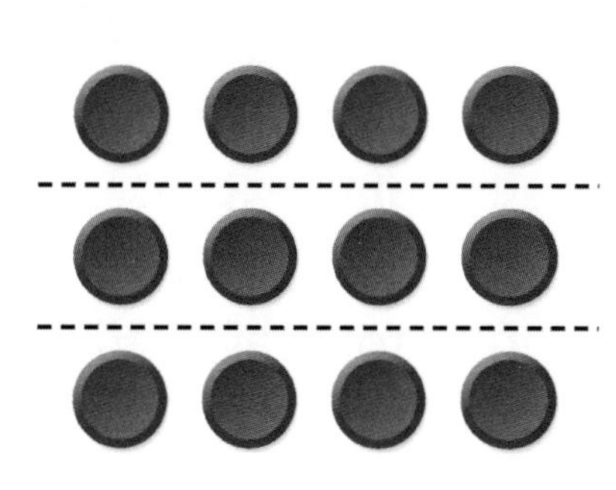

12 divisé en 3 groupes
$12 \div 3 = 4$

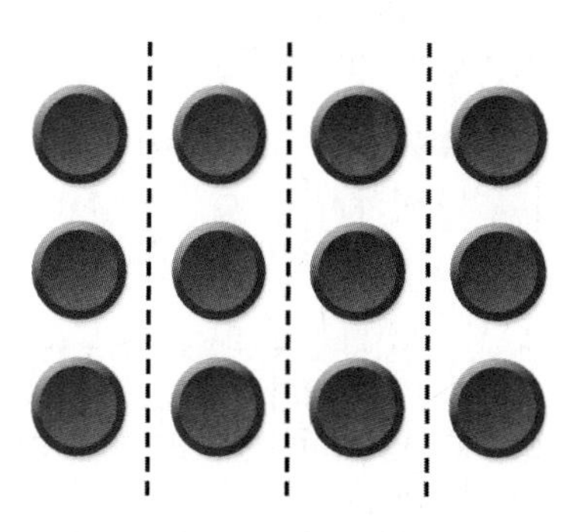

12 divisé en 4 groupes
$12 \div 4 = 3$

$3 \times 4 = 12$
$4 \times 3 = 12$
$12 \div 3 = 4$
$12 \div 4 = 3$

Ces multiplications et ces divisions sont des **opérations correspondantes**.

À ton tour

1. Écris une multiplication pour chaque image.
   Écris une division pour chaque image.

   a) 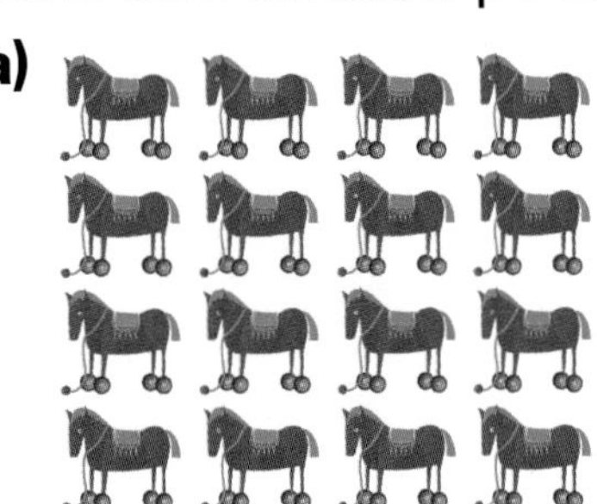 **b)** 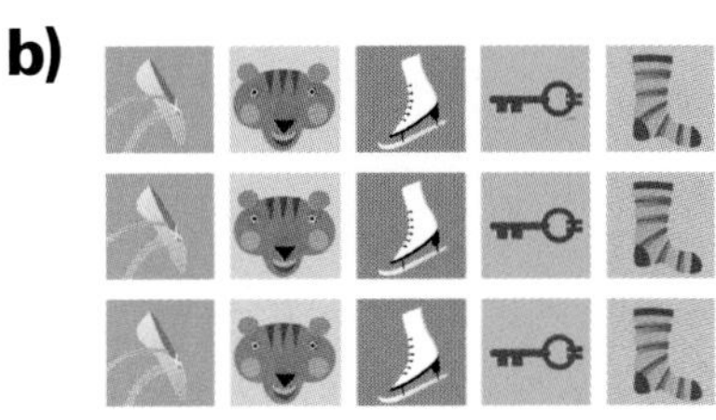 **c)** 

2. Construis une matrice pour chaque nombre à l'aide de jetons.
   Pour chaque matrice, écris 2 multiplications et 2 divisions.
   a) 12 **b)** 8 **c)** 6

3. Effectue chaque division. Comment la multiplication peut-elle t'aider ?
   a) $9 \div 3$ **b)** $15 \div 3$ **c)** $20 \div 4$ **d)** $4 \div 4$
   e) $10 \div 5$ **f)** $25 \div 5$ **g)** $6 \div 3$ **h)** $5 \div 1$

Pour les questions 4 et 5, montre ton travail à l'aide de dessins, de mots ou de nombres.

4. Lydia dispose sa collection de cartes de hockey dans un album.
   Chaque page peut contenir 12 cartes.
   Chaque page contient 4 rangées de pochettes.
   Combien de cartes Lydia peut-elle mettre dans chaque rangée ?

5. Comment peux-tu utiliser une matrice pour multiplier ?
   Comment peux-tu utiliser une matrice pour diviser ?
   Explique à l'aide de mots, de dessins et d'opérations.

Réfléchis

Comment la multiplication peut-elle t'aider à comprendre la division ?

Établir le lien entre la multiplication et la division à l'aide de groupes

Dans le cours d'arts plastiques, les élèves de 3e année ont appris à confectionner des perles en papier. Supposons que tu aides les élèves à former des ensembles de perles pour les vendre au bazar de l'école.
Quelle stratégie pourrait t'aider à compter les ensembles ?

Explore

Tu as besoin de 50 jetons et de 2 jeux de cartes numérotées de 1 à 5.

➤ Chaque élève choisit 2 cartes sans regarder.
  - La carte 1 indique le nombre de groupes de jetons.
  - La carte 2 indique le nombre de jetons dans chaque groupe.

  Prends le nombre de jetons correspondant et mets-les en pile.
  Écris une multiplication pour représenter le nombre de jetons que tu as pris.

➤ Échange ta pile contre celle de ta ou ton camarade.
  Trouve différentes façons de diviser les jetons en groupes égaux.
  Écris une division pour chaque solution.

➤ Échangez vos multiplications et vos divisions.
  Que remarques-tu ?

Replace les jetons et les cartes. Répète l'activité.

Qu'as-tu **trouvé ?**

Montre ton travail à deux autres camarades.
Discute des régularités que tu vois.

OBJECTIF | Établir un lien entre la multiplication et la division à l'aide de groupes.

Découvre

Il existe un lien entre la multiplication et la division.

La multiplication
Tu connais :
- le nombre de groupes
- le nombre d'objets dans chaque groupe

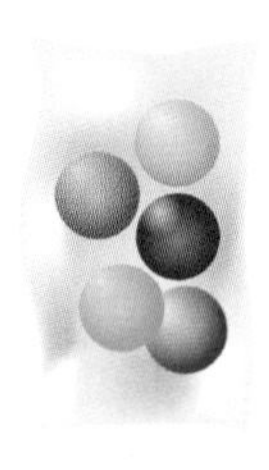

$2 \times 5 = \mathbf{10}$

Tu as besoin de trouver :
- le nombre d'objets en tout

La division par groupes
Tu connais :
- le nombre d'objets dans chaque groupe
- le nombre d'objets en tout

$10 \div 5 = \mathbf{2}$

Tu as besoin de trouver :
- le nombre de groupes

La division par partage
Tu connais :
- Le nombre d'objets en tout
- Le nombre de parties égales

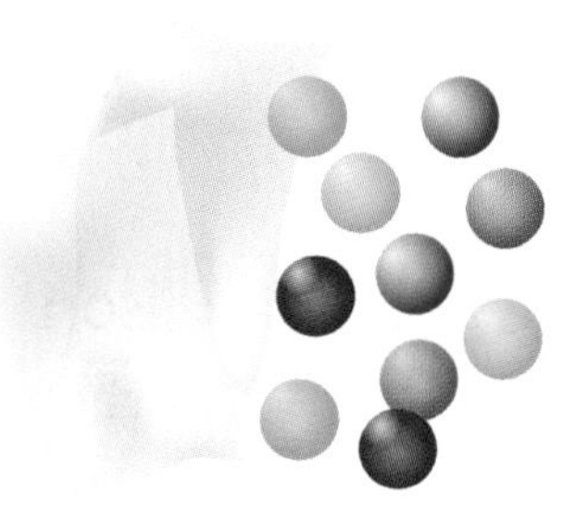

$10 \div 2 = \mathbf{5}$

Tu as besoin de trouver :
- le nombre d'objets dans chaque partie

Parfois, la multiplication peut t'aider à diviser.
Qu'est-ce que $20 \div 4$?

$4 \times \square = 20$
Tu sais que $4 \times \mathbf{5} = 20$.
Donc, $20 \div 4 = 5$.

4 fois quel nombre égale 20 ?

À ton tour

1. Rédige un problème de multiplication et un problème de division pour chaque image.

a)
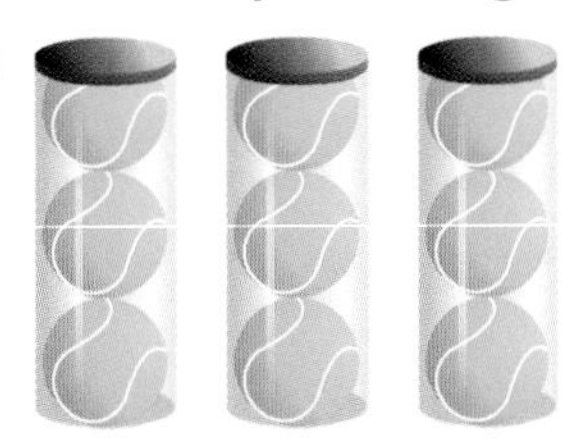

b)

c)

2. Tao a acheté quelques paquets de cartes de collection. Chaque paquet contient 5 cartes. Tao a 25 cartes en tout. Combien de paquets a-t-il achetés ?

3. Écris les opérations correspondantes pour chaque ensemble de nombres.
   a) 3, 5, 15 b) 4, 2, 8
   c) 2, 5, 10 d) 4, 3, 12
   e) 5, 5, 25 f) 4, 5, 20

4. Samuel a acheté 4 sous-marins pour un pique-nique. Il a divisé chaque sous-marin en 3 morceaux. Puis, Samuel et ses amis se sont partagé les sous-marins également. Combien de morceaux chaque personne a-t-elle eus ?

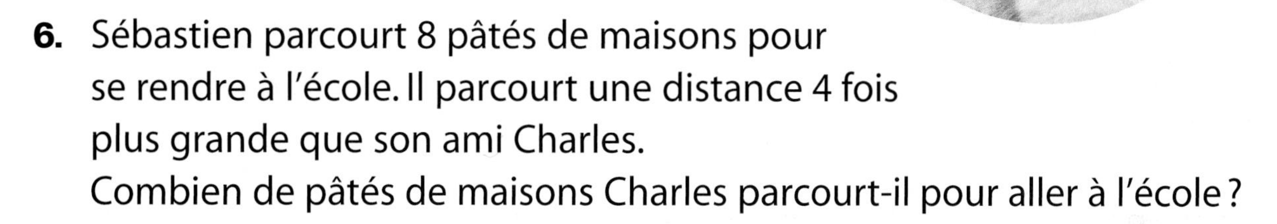

5. Le chien de Diane pèse 20 kg. Il est 4 fois plus lourd que quand il était chiot. Quelle était sa masse quand il était chiot ?

6. Sébastien parcourt 8 pâtés de maisons pour se rendre à l'école. Il parcourt une distance 4 fois plus grande que son ami Charles. Combien de pâtés de maisons Charles parcourt-il pour aller à l'école ?

7. Crée un problème de multiplication et un problème de division pour chaque ensemble de nombres.
   a) 4, 2, 2 b) 15, 3, 5 c) 10, 2, 5

8. Explique ce que peut signifier chacun des nombres 4, 3 et 12 dans ces opérations correspondantes.
   $4 \times 3 = 12$ $3 \times 4 = 12$
   $12 \div 4 = 3$ $12 \div 3 = 4$

Réfléchis

Montre 3 façons différentes de trouver $15 \div 3$.
Explique chaque façon à l'aide de mots, de nombres ou de dessins.

LEÇON

La boîte à outils

Explore

Carole a 3 t-shirts et 2 pantalons.
Combien de combinaisons peut-elle faire avec ses vêtements ?
Montre ton travail.

Qu'as-tu trouvé ?

Montre comment tu as trouvé les combinaisons. Explique ta stratégie.

Découvre

Bernard veut s'acheter un nouveau vélo. Il peut choisir entre un vélo de course, un vélo tout-terrain et un vélo BMX. Chaque vélo existe en bleu, noir, argent ou rouge.
Parmi combien de vélos différents Bernard peut-il choisir ?

Stratégies

- **Fais un tableau.**
- **Utilise un modèle.**
- **Fais un dessin.**
- **Résous un problème plus simple.**
- **Travaille à rebours.**
- **Prédis et vérifie.**
- **Dresse une liste ordonnée.**
- **Utilise une régularité.**

Que sais-tu ?
- Il y a 3 types de vélos.
- Il y a 4 couleurs.
- Tu dois trouver combien il y a de vélos différents.

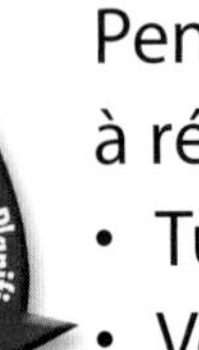

Pense à une stratégie qui peut t'aider à résoudre le problème.
- Tu peux **faire un tableau**.
- Voici tous les vélos bleus.
  Reproduis le tableau et remplis-le pour chacune des autres couleurs.

Couleur	Vélo
bleu	course
bleu	tout-terrain
bleu	BMX

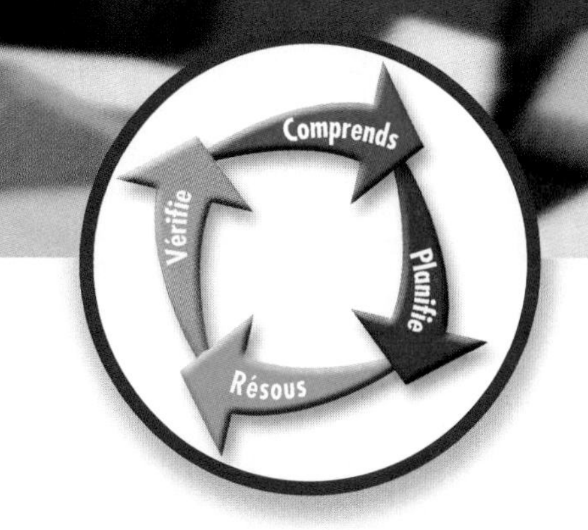

Il y a 3 vélos bleus.
Combien y a-t-il de vélos pour chacune des autres couleurs ?
Combien de vélos différents y a-t-il en tout ?

Comment la multiplication peut-elle t'aider à résoudre le problème ?

À ton tour

Choisis une **Stratégie**

1. Zoé va passer la nuit chez sa tante.
   Elle emporte 1 jeu et 1 jouet.
   - Pour le jeu : elle doit choisir entre les dames et les cartes.
   - Pour le jouet : elle doit choisir entre un camion, un ourson, un lapin et un cerceau.

   Combien y a-t-il de combinaisons possibles pour Zoé ?

2. Planifie une journée à la garderie. Les enfants peuvent choisir 1 activité extérieure et 1 film en après-midi.
   Fais une liste de 4 activités extérieures qu'ils pourraient faire.
   Fais une liste de 4 films qu'ils pourraient regarder.
   Combien y a-t-il de combinaisons possibles pour les enfants ?

Réfléchis

Comment la stratégie « fais un tableau » aide-t-elle à résoudre un problème ?
Peux-tu résoudre le problème sans remplir le tableau ?
Explique.

Module 8 Montre ce que tu sais

LEÇON

1

1. Effectue les multiplications.

a) 3×2 **b)** 4×1 **c)** 1×3 **d)** 5×5

e) 4×5 **f)** 2×4 **g)** 2×1 **h)** 5×1

2. Fais un dessin pour chaque réponse.

a) Trouve 2 façons de former des équipes égales avec 8 enfants.

b) Trouve 2 façons de former des équipes égales avec 10 enfants.

2

3. Construis un inukshuk avec des blocs-formes.
Supposons que tu veux construire 3 inukshuks.
De combien de blocs de chaque sorte auras-tu besoin ?
Écris une addition répétée et une multiplication pour chaque réponse.

3

4. Dessine des matrices pour les multiplications suivantes :

a) $3 \times 1 = 3$
$3 \times 2 = 6$
$3 \times 3 = 9$

b) $4 \times 1 = 4$
$4 \times 2 = 8$
$4 \times 3 = 12$

c) $5 \times 1 = 5$
$5 \times 2 = 10$
$5 \times 3 = 15$

Quelles régularités remarques-tu ? Comment peux-tu expliquer cela ?
Écris les deux multiplications suivantes pour chaque série.

4

5. Nadine a calculé que $2 \times 5 = 10$ et $5 \times 2 = 10$.
Elle se demande pourquoi les réponses sont les mêmes.
Montre-lui pourquoi à l'aide de dessins, de nombres et de mots.

5

6. Fais une liste de 3 choses qui existent en groupes égaux de 5 unités ou moins.
Crée un problème de division pour chaque élément de ta liste.
Résous chaque problème.

7. Utilise des jetons. Trouve le nombre de jetons dans chaque groupe.

a) $9 \div 3$ **b)** $16 \div 4$ **c)** $12 \div 3$

d) $20 \div 4$ **e)** $6 \div 2$ **f)** $8 \div 4$

LEÇON

6 **8.** Comment ces cartes peuvent-elles être partagées également entre 4 enfants ? Explique à l'aide de dessins et d'une opération.

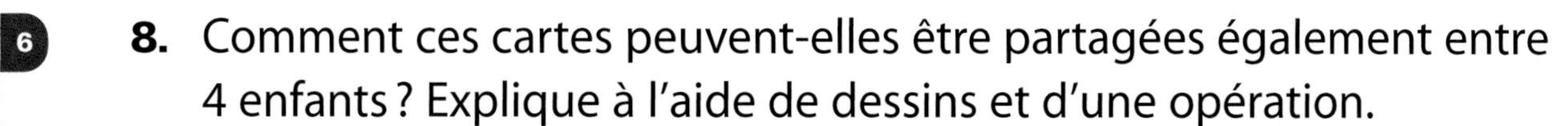

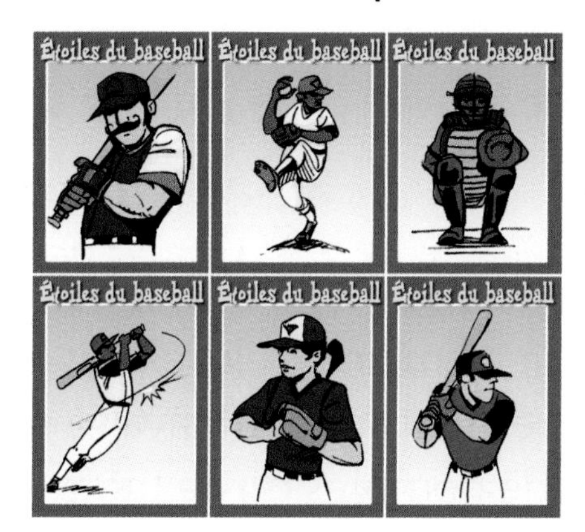

7 **9.** Tao a 20 jetons pour jouer soit à *Basketball*, soit à *Tir sur cible*. Utilise la soustraction répétée et la division pour montrer combien de fois Tao peut jouer à chaque jeu.

8 **10.** Écris des multiplications qui peuvent t'aider à résoudre ces divisions.

a) $12 \div 3 = \square$ **b)** $16 \div 4 = \square$

Dessine une matrice pour montrer le lien entre les opérations.

11. Écris les opérations correspondantes de chaque ensemble de nombres.

a) 2, 4, 8 **b)** 3, 5, 15

c) 4, 3, 12 **d)** 5, 5, 25

9 **12.** Écris les opérations de division correspondantes de ces multiplications.

a) $3 \times 3 = 9$ **b)** $5 \times 4 = 20$

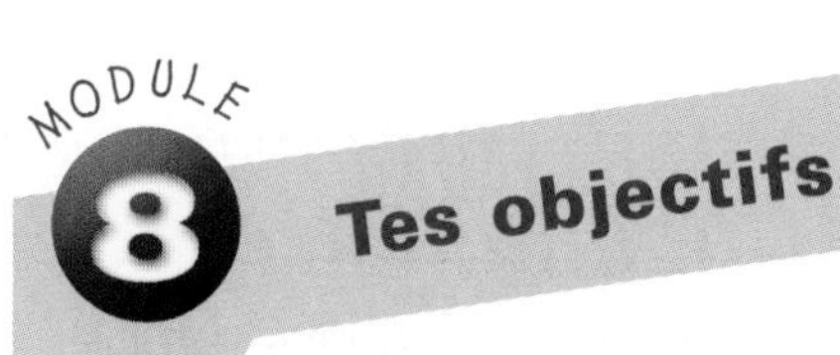

- ☑ Modéliser des multiplications et des divisions jusqu'à 5×5.
- ☑ Développer des stratégies pour multiplier et diviser jusqu'à 5×5.
- ☑ Créer et résoudre des problèmes à l'aide de multiplications et de divisions.

Problème du module

La journée sportive

Les chefs de groupe doivent former des équipes égales pour chaque activité de la journée sportive.

Partie 1

Divise chaque classe en équipes égales.
Il doit y avoir au moins 3 élèves par équipe.
Montre les résultats de ton travail à l'aide de dessins, de nombres ou de mots.

Maternelle	12 élèves
1re année	15 élèves
2e année	20 élèves
3e année	16 élèves
4e année	25 élèves

Activité 1 : Tir au panier

Partie 2

Choisis une activité pour la journée sportive.
Crée un problème de multiplication pour cette activité.
Montre comment tu résoudrais le problème.
Pense à un problème de division lié à ton problème de multiplication.
Montre comment tu résoudrais le problème.

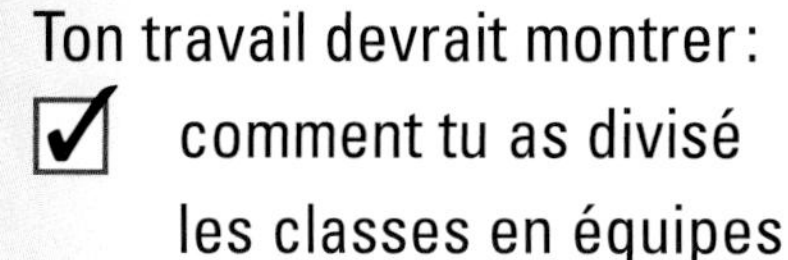

Ton travail devrait montrer :

- ☑ comment tu as divisé les classes en équipes égales ;
- ☑ le problème de multiplication ;
- ☑ le problème de division ;
- ☑ une explication claire de la façon dont tu résoudrais tes problèmes.

Activité 2 : Chat gelé

Activité 3 : Tir de balle de ping-pong

Retour sur le module

Qu'as-tu appris de nouveau au sujet de la multiplication et de la division ? Explique tes idées à l'aide de dessins, de nombres et de mots.

Exploration

Es-tu un carré ou un rectangle ?

Partie 1

Tu as besoin d'un mètre à ruban.

- Mesure la taille de ta ou ton camarade sans ses chaussures.
- Mesure l'envergure de ses bras.
- Note ces mesures dans un tableau.

Taille	Envergure des bras

- Demande à ta ou ton camarade de prendre les mêmes mesures sur toi. Comparez vos tailles et l'envergure de vos bras.
  - Si ta taille est plus grande que l'envergure de tes bras, tu es un grand rectangle.
  - Si ta taille est plus petite que l'envergure de tes bras, tu es un petit rectangle.
  - S'il y a moins de 2 cm de différence entre ta taille et l'envergure de tes bras, tu es un carré.

Es-tu un grand rectangle, un petit rectangle ou un carré ?

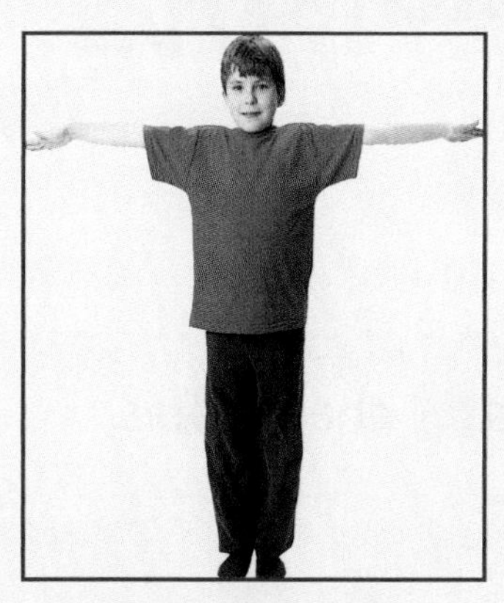

Grand rectangle

Petit rectangle

Carré

Partie 2

Tu as besoin de papier quadrillé.

➤ Recueille des données auprès de tes camarades.
Invite chaque élève à noter quelle figure elle ou il forme dans un tableau des effectifs ou un tracé linéaire.
- Quelle est la figure la plus courante ? La moins courante ?

➤ Représente les données dans un diagramme à bandes.
Compare ton diagramme avec ceux d'autres camarades.
Quelles sont les ressemblances et les différences entre les diagrammes ?

➤ Écris une question au sujet du diagramme.
Réponds à ta question.

Montre ton travail

Note tes découvertes à l'aide de mots, de dessins ou de nombres.

Va plus loin

Trouve les figures que forment tes amis et des membres de ta famille.
Comment se comparent-elles avec celles de tes camarades ?
Note tes découvertes.

Modules 1 à 8 Révision cumulative

MODULE

1

1. a) Crée une régularité : à partir de 1 ▢, ajoute des ▢ chaque fois.
   b) Représente ta régularité à l'aide d'un dessin.
   c) Écris la règle de la régularité.

2. Quelle est la règle de la régularité ?
   Recopie la régularité et écris les nombres qui manquent.
   a) 24, 27, ___, ___, 36, 39, ___
   b) 87, 77, ___, 57, ___, ___, 27

3. a) Crée une régularité : à partir de 15 ▢, enlève des ▢ chaque fois.
   b) Représente ta régularité à l'aide d'un dessin.
   c) Écris la règle de la régularité.

2

4. Utilise les chiffres 5, 7 et 9. Utilise chaque chiffre une seule fois.
   a) Écris autant de nombres à 3 chiffres que tu peux.
   b) Ordonne les nombres par ordre croissant.
   c) Quel nombre est le plus grand ? Le plus petit ?

5. À partir de 350, compte par sauts de 25 jusqu'à 900.
   Écris chaque nombre à mesure que tu comptes.
   Quelles régularités vois-tu dans les chiffres des unités ?
   Dans les chiffres des dizaines ? Dans les chiffres des centaines ?

6. Trouve 3 façons différentes d'obtenir deux dollars et vingt-huit cents en pièces de 1 ¢, de 10 ¢ et de 1 $.

3

7. Un ensemble d'opérations correspondantes est formé de trois nombres : 5, 9 et □.
   a) Quel peut être le nombre qui manque ?
      Écris les opérations correspondantes.
   b) Trouve un autre nombre possible.
      Écris les opérations correspondantes avec ce nombre.

8. Trouve le nombre qui manque. Explique ta stratégie.
   a) $3 + \square = 8$
   b) $16 - \square = 7$
   c) $\square + 3 = 14$

9. Effectue les additions ou les soustractions. Montre ta stratégie.

a) 138 + 722 **b)** 427 + 299 **c)** 291 + 305

d) 495 − 303 **e)** 400 − 105 **f)** 757 − 238

10. Cinq cent soixante-sept élèves sont dans le stade pour les compétitions d'athlétisme.

- 163 élèves participent uniquement aux courses.
- 139 élèves participent uniquement aux sauts et aux lancers.
- Tous les autres élèves sont dans les gradins.

Crée un problème au sujet de ces compétitions. Résous ton problème. Montre ton travail.

4

11. La famille de Julianne planifie un voyage.
Elle veut partir le 7 juillet.
Elle sera de retour à la maison le 3 août.
Combien de jours le voyage durera-t-il ?

12. Utilise une règle et trace une ligne de :

a) 14 cm de long

b) 5 cm de long

c) 23 cm de long

13. Tu as besoin d'une règle et d'un livre.
Trouve le périmètre de la couverture du livre.

14. Quelle unité utiliserais-tu pour mesurer la masse de chaque objet : les grammes ou les kilogrammes ?

a) 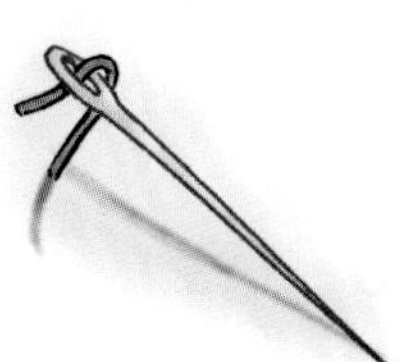 **b)**  **c)** 

d) 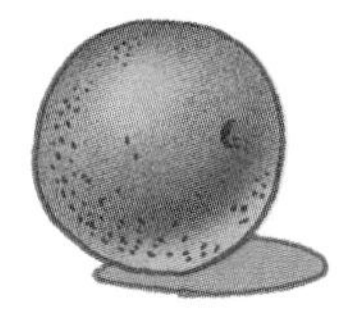

5

15. Représente chaque fraction à l'aide d'un dessin.

a) 2 quarts d'une tarte

b) 3 huitièmes d'une tarte

c) 5 huitièmes d'une tarte

16. Crée une histoire à partir d'un de tes dessins de la question 15.

17. Quelle fraction est la plus grande dans chaque paire ? Explique ton raisonnement à l'aide de dessins, de mots ou de nombres.

a) $\frac{1}{3}$ et $\frac{2}{3}$

b) $\frac{1}{4}$ et $\frac{4}{4}$

c) $\frac{7}{8}$ et $\frac{3}{8}$

d) $\frac{5}{9}$ et $\frac{2}{9}$

6

18. Nomme chaque polygone que tu vois dans cette image.

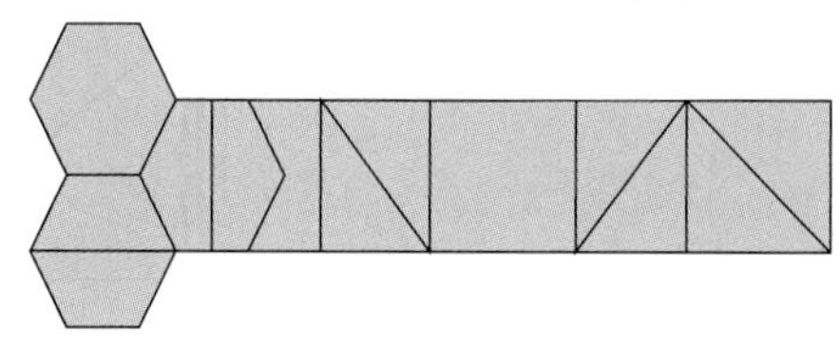

Écris le nom de chaque polygone.
Écris le nombre de côtés.

19. **a)** Lesquels des objets à trois dimensions ci-dessous sont des prismes ? Explique ton raisonnement.

b) Quels objets à trois dimensions sont des pyramides ? Explique ton raisonnement.

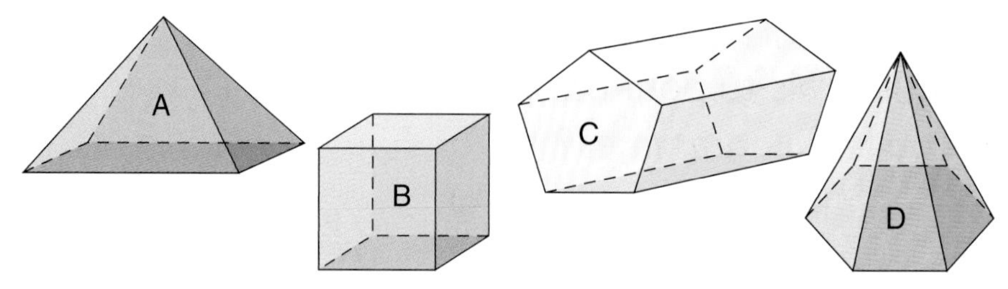

20. Utilise les objets à trois dimensions de la question 19. Nomme chaque objet. Pour chacun, indique le nombre de faces, d'arêtes et de sommets.

7

21. Annie a demandé à des amis d'épeler leur prénom. Elle a fait la liste du nombre de lettres dans chaque prénom.
3, 5, 4, 7, 5, 4, 6, 4, 3, 7, 5, 5, 3, 8, 7, 5, 6, 3

a) Représente les données dans un tracé linéaire.

b) Écris une question à laquelle tu peux répondre à l'aide du tracé linéaire. Réponds à ta question.

22. Marie a interrogé des élèves de 3e année au sujet de leur matière préférée à l'école. Les résultats sont présentés dans le tableau.

a) Combien d'élèves Marie a-t-elle interrogés ?

b) Combien d'élèves préfèrent le français ? Combien d'élèves ne préfèrent pas cette matière ?

c) Représente les données de Marie dans un diagramme à bandes.

d) Écris une question au sujet des données de Marie. Réponds à ta question.

Matières préférées des élèves

Matière	Nombre
ARTS PLASTIQUES	11
FRANÇAIS	16
MATHÉMATIQUES	12
SCIENCES	5
ÉTUDES SOCIALES	9

8

23. Des amis ont acheté des autocollants pour leur collection. Combien d'autocollants chaque enfant a-t-il achetés ?

a) Ali a acheté 4 paquets de 5 autocollants.

b) Karine a acheté 3 paquets de 4 autocollants.

c) Tia a acheté 4 paquets de 4 autocollants.

24. Quels peuvent être les nombres qui manquent ? Trouve autant de façons que tu peux de résoudre chaque problème.

a) ___ × ___ = 12 **b)** ___ ÷ ___ = 3

Glossaire illustré

f.: féminin **m.:** masculin **pl.:** pluriel **v.:** verbe

Addition (f.): Une équation qui représente une addition. $3 + 4 = 7$ est une addition. La somme est 7. Voir aussi **Opérations correspondantes**. Les additions peuvent être présentées dans une table d'addition.

+	1	2	3	4	5	6	7	8	9
1	2	3	4	5	6	7	8	9	10
2	3	4	5	6	7	8	9	10	11
3	4	5	6	7	8	9	10	11	12
4	5	6	7	8	9	10	11	12	13
5	6	7	8	9	10	11	12	13	14
6	7	8	9	10	11	12	13	14	15
7	8	9	10	11	12	13	14	15	16
8	9	10	11	12	13	14	15	16	17
9	10	11	12	13	14	15	16	17	18

Additionner (v.): Réunir deux ou plusieurs quantités pour trouver la quantité totale.

Arête (f.): Le point de rencontre de deux surfaces d'un objet s'appelle une arête. Voir aussi **Cube**.

Axe (m.): Une droite numérique qui borde un diagramme. Dans un diagramme, il faut indiquer les données que chaque axe représente à l'aide d'étiquettes.

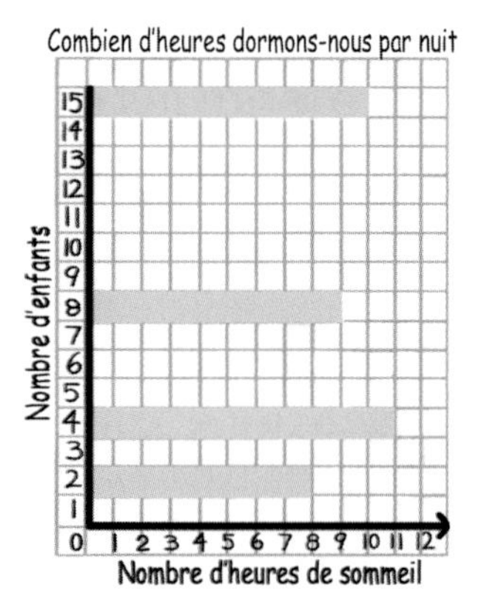

Base (f.): La face qui donne son nom à un objet. Voir **Objet**.

Calcul mental (m.): Méthode de calcul qui n'utilise ni matériel, ni calculatrice, ni papier, ni crayon.

Calendrier (m.): Une façon ordonnée de représenter les jours, les semaines, les mois et les années. En général, une page de calendrier représente un mois.

D	L	M	M	J	V	S
MARS				1	2 Charles chez le dentiste	3
4	5	6	7 Jeux en famille	8	9	10 Coupe de cheveux de Marika
11 Visite chez mamie	12	13	14	15	16	17
18	19	20	21	22	23	24 Visite de tante Nellie
25	26	27 Anniversaire de Lucas	28	29	30	31

Carré (m.) : Un polygone qui a 4 côtés égaux et dont tous les angles sont droits.

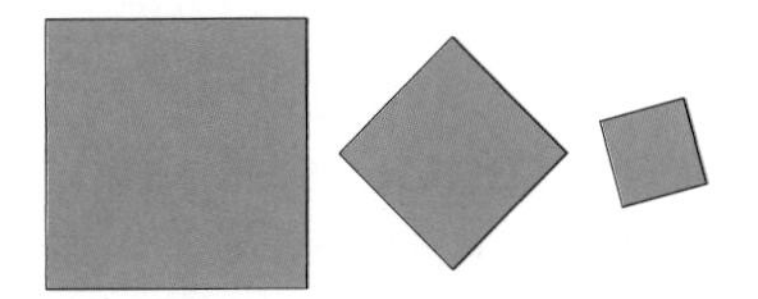

Centimètre (m.) : Une unité de mesure de la longueur, de la largeur et de la hauteur. Le symbole du centimètre est « cm ».

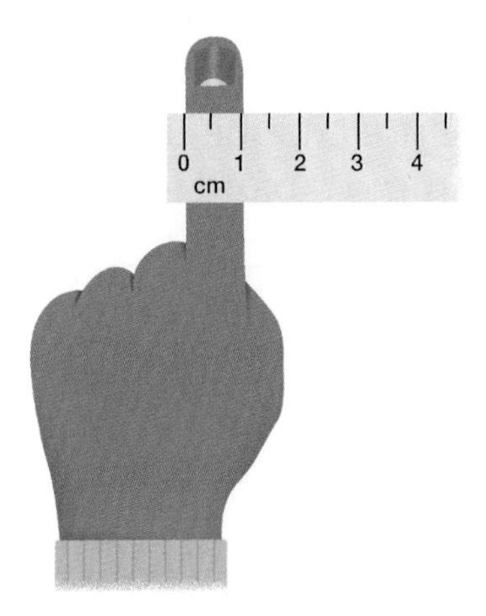

Chiffre (m.) : Voir **Valeur de position.**

Cinquième (m.) : La fraction obtenue quand on divise une quantité en 5 parties égales. Voir **Fraction.**

Comparer (v.) : 1. Remarquer les ressemblances et les différences entre des choses. **2.** Avec des nombres, déterminer lequel est plus grand ou plus petit que l'autre. Quand on compare 5 et 8, on peut écrire 5 < 8 ou 8 > 5.

Compter par sauts (v.) : Compter selon une régularité. Par exemple, compter par sauts de 2 : 2, 4, 6, 8, 10, 12, 14, 16... Compter par sauts de 5 : 5, 10, 15, 20, 25, 30, 35, 40...

Cône (m.) : Un objet qui a une base circulaire, une surface courbe et un sommet.

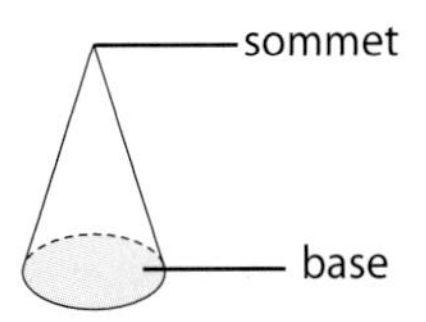

Cube (m.) : Un objet à trois dimensions qui a 6 faces carrées identiques. La ligne de rencontre de deux faces forme une arête.

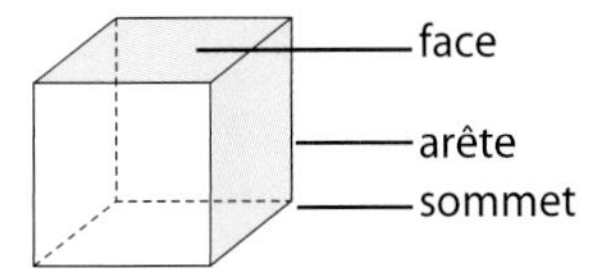

Cylindre (m.) : Un objet à trois dimensions qui a deux bases circulaires identiques reliées par une surface courbe.

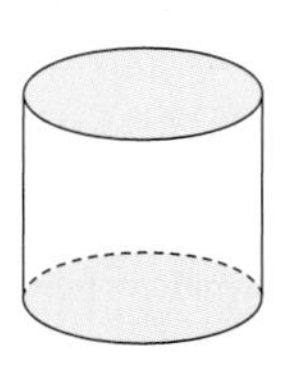

Demi (m.) : La fraction obtenue quand on divise une quantité en 2 parties égales. Voir **Fraction.**

Dénominateur (m.) : La partie d'une fraction qui indique le nombre de parties égales dans un tout. Le dénominateur est le nombre du bas dans une fraction. Dans l'exemple ci-dessous, le dénominateur est 7.

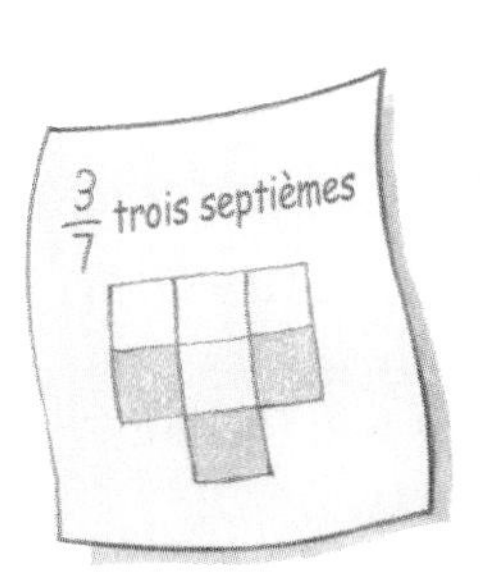

Diagonale (f.) : Un terme qui signifie « en pente ».

Diagramme à bandes (m.) : Un diagramme qui représente les données à l'aide de bandes verticales ou horizontales sur une grille. Dans l'exemple ci-dessous, les bandes sont verticales. Voir aussi **Axe**.

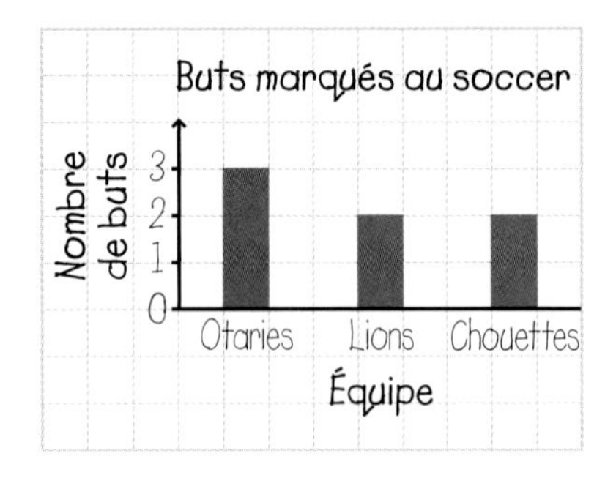

Différence (f.) : Le résultat d'une soustraction. La différence de 9 et 5 est 4, ou $9 - 5 = 4$.

Divisé par (v.) : Dans une division comme $16 \div 4$, nous disons « 16 divisé par 4 ». Nous obtenons 4 groupes égaux à partir de 16 objets.

Diviser (v.) : Séparer un tout en parties égales ou en groupes égaux.

Division (f.) : $6 \div 3 = 2$ est une division. Nous disons : « 6 divisé par 3 égale 2 ».

Dixième (m.) : La fraction obtenue quand on divise une quantité en 10 parties égales. Voir **Fraction**.

Donnée (f.) : Un renseignement recueilli au cours d'un sondage ou d'une expérience.

Double (m.) : La somme de deux nombres identiques. Les doubles sont tous des nombres pairs.

Droite numérique (f.) : Une droite qui présente des nombres par ordre croissant. Les espaces qui séparent les nombres consécutifs sont égaux.

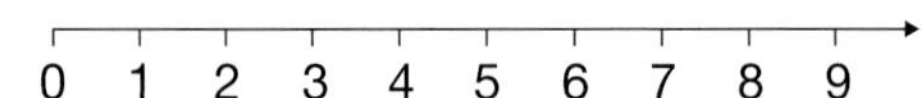

Échelle (f.) : 1. Les nombres écrits le long des axes d'un diagramme. **2.** Le nombre d'éléments que représente chaque unité d'un diagramme à bandes.

Estimation (f.) : Une prédiction qui n'est pas exacte, mais qui est proche de la réponse.

Estimer (v.) : Faire une prédiction qui n'est pas exacte, mais qui est proche de la réponse.

Expression d'égalité (f.) : Un énoncé mathématique qui utilise le symbole « = » pour montrer que deux choses représentent la même quantité.
$5 + 2 = 7$;
$5 + 2 = 3 + 4$;
et $3 + \square = 7$ sont des expressions d'égalité.

Face (f.) : Chaque surface plane d'un objet à trois dimensions. Toutes les faces de ce prisme sont des rectangles.

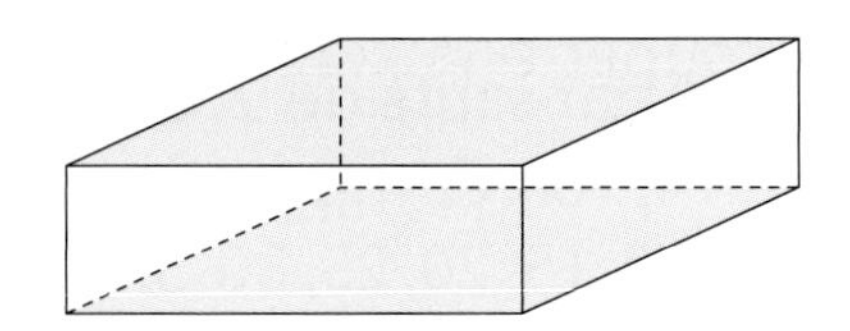

Figure à deux dimensions (f.) : La représentation d'une forme géométrique.

Un cercle

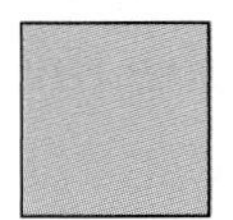
Un carré

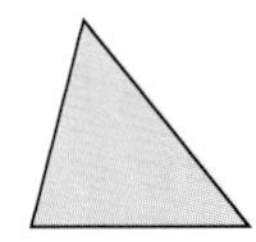
Un triangle

Un rectangle

Fois (f.) : La multiplication $3 \times 4 = 12$ peut se lire « 3 fois 4 égale 12 ».

Forme symbolique (f.) : La représentation d'un nombre à l'aide de chiffres. Par exemple, 37 ou 904.

Fraction (f.) : Un nombre qui représente les parties égales d'une quantité. Voici quelques fractions courantes : un demi $\left(\frac{1}{2}\right)$, un tiers $\left(\frac{1}{3}\right)$, un quart $\left(\frac{1}{4}\right)$, un cinquième $\left(\frac{1}{5}\right)$ et un dixième $\left(\frac{1}{10}\right)$.

Gramme (m.) : Une unité de mesure de la masse. Le symbole du gramme est « g ».

Groupes égaux (m. pl.) : Des groupes qui sont tous formés du même nombre de choses. Les groupes égaux peuvent servir à représenter une multiplication.

Ces groupes égaux représentent $3 \times 4 = 12$.

Hauteur (f.) : La mesure à partir de la base jusqu'au sommet d'une figure. Voir aussi **Objet à trois dimensions.**

Heure (f.) : Une unité de mesure du temps. Il y a 60 minutes dans 1 heure. Une partie de soccer dure environ une heure. Le symbole de l'heure est « h ».

Hexagone (m.) : Un polygone à 6 côtés.

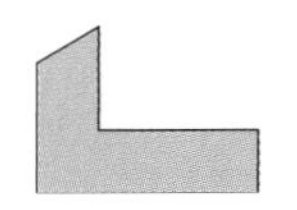

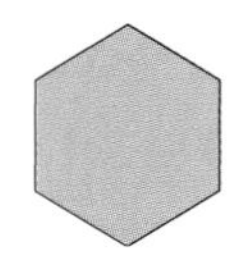

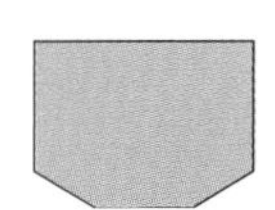

Huitième (m.) : La fraction obtenue quand on divise une quantité en 8 parties égales. Voir **Fraction.**

Kilogramme (m.) : Une unité de mesure de la masse. Le symbole du kilogramme est « kg ».

Largeur (f.) : La mesure d'un bout à l'autre du côté le plus court d'une chose. Voir aussi **Figure.**

Liste (f.) : Une façon d'organiser des nombres ou de l'information.

Activités préférées à la récréation	
Cachette	Éric, Maya, Théo, David, Angèle
Soccer	Pierre, Annie, Kevin, Diane, Andréa, Soshana
Balançoire	Sandrine
Glissade	Michel, Paule

Longueur (f.) : La mesure d'un bout à l'autre du côté le plus long d'une chose. Voir aussi **Figure.**

Marque de pointage (f.) : Une façon de compter en faisant un trait pour chaque élément et en groupant les éléments par 5. Voir un exemple de marques de pointage sous **Tableau des effectifs**.

Masse (f.) : La quantité de matière d'un objet. La masse se mesure en grammes et en kilogrammes.

Matériel de base dix (m.) : Du matériel utilisé pour représenter des nombres naturels. Voici une manière de représenter 158.

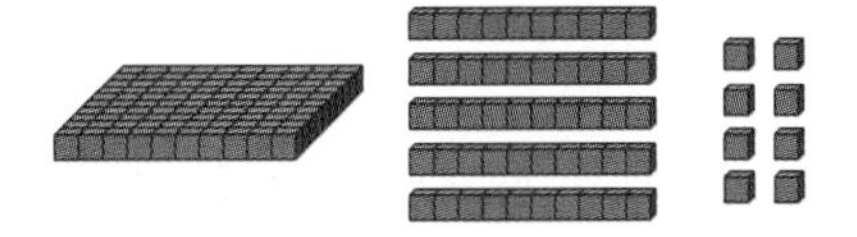

Matrice (f.) : Un ensemble d'objets organisés en rangées égales.

Mètre (m.) : Une unité de mesure de la longueur, la largeur et la hauteur. Le symbole du mètre est « m ».

Millier (m.) : Le nombre obtenu en réunissant 10 groupes de 100.

Minute (f.) : Une unité de mesure du temps. Il faut environ une minute pour boutonner une veste. Le symbole de la minute est « min ».

Multiplication (f.) : $2 \times 3 = 6$ est une multiplication. Nous disons : « 2 fois 3 égale 6 ». Les multiplications peuvent être représentées dans une table de multiplication.

×	1	2	3	4	5
1	1	2	3	4	5
2	2	4	6	8	10
3	3	6	9	12	15
4	4	8	12	16	20
5	5	10	15	20	25

Multiplier (v.) : Trouver le nombre total dans un ensemble de groupes égaux ou de rangées, ou trouver le total quand on additionne le même nombre plusieurs fois.

Neuvième (m.) : La fraction obtenue quand on divise une quantité en 9 parties égales. Voir **Fraction**.

Nombre impair (m.) : Tous les nombres que tu ne nommes pas quand tu comptes par sauts de 2 à partir de 0 : 1, 3, 5, 7, 9, 11, 13, 15, 17, 19, 21, 23, 25... Un nombre qui se termine par 1, 3, 5, 7 ou 9 est un nombre impair.

Nombre pair (m.) : Tous les nombres que tu nommes quand tu comptes par sauts de 2 à partir de 0 : 0, 2, 4, 6, 8, 10, 12, 14, 16, 18, 20, 22... Un nombre qui se termine par 0, 2, 4, 6 ou 8 est un nombre pair.

Nombre presque double (m.) : Le résultat de l'addition de deux nombres consécutifs. Par exemple : $7 + 8 = 15$.

Numérateur (m.) : La partie d'une fraction qui indique combien de parties égales il faut compter. Le numérateur est le nombre du haut dans une fraction. Dans cet exemple, le numérateur est 3.

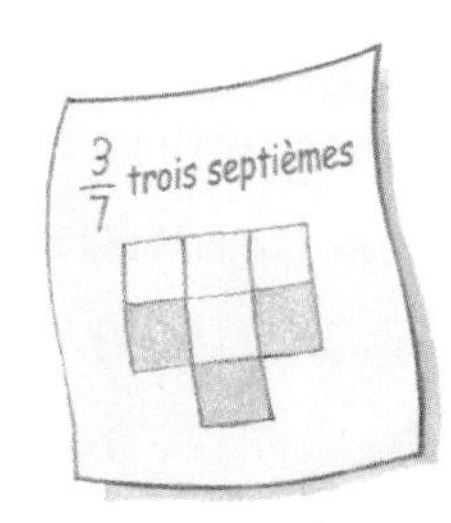

Objet à trois dimensions (m.) : Un objet qui a une longueur, une largeur et une hauteur. Les objets à trois dimensions ont des faces, des arêtes, des sommets et des bases. Certains objets à trois dimensions sont nommés d'après le nombre et la forme de leurs bases.

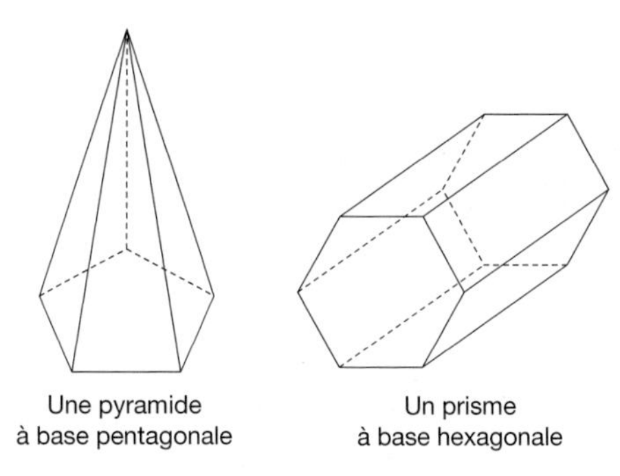

Octogone (m.) : Un polygone à 8 côtés.

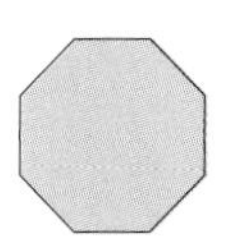
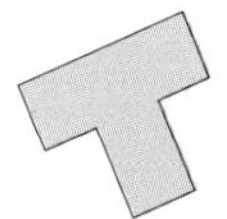
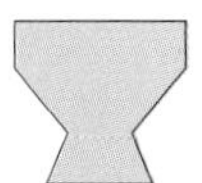

Opération (f.) : L'addition, la soustraction, la multiplication et la division sont des opérations.

Opérations correspondantes (f. pl.) : Des opérations reliées entre elles parce qu'elles comportent les mêmes nombres. Il y a des additions et des soustractions correspondantes.
$4 + 3 = 7$; $3 + 4 = 7$; $7 - 3 = 4$ et $7 - 4 = 3$ sont des opérations correspondantes.

Il y a aussi des multiplications et des divisions correspondantes.
$5 \times 2 = 10$; $2 \times 5 = 10$;
$10 \div 5 = 2$ et $10 \div 2 = 5$ sont des opérations correspondantes.

Ordonner (v.) : Placer des nombres à la suite en suivant une règle.

Partie répétitive (f.) : La partie d'une régularité qui se répète. Voir **Régularité répétitive**.

Parties égales (f. pl.) : Quand on divise, on obtient des parties égales. Voir aussi **Fraction**.

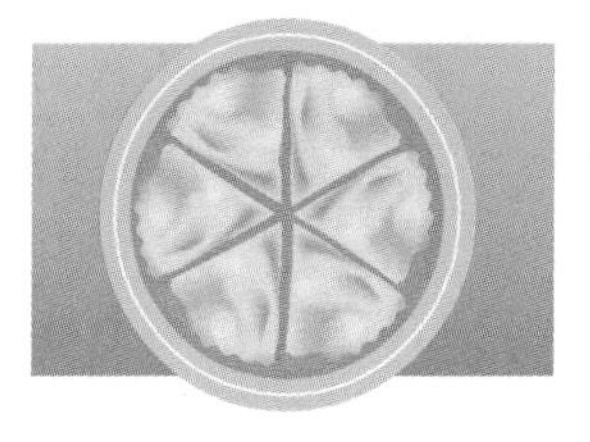

La tarte est divisée en 6 parties égales.

Pentagone (m.) : Un polygone à 5 côtés.

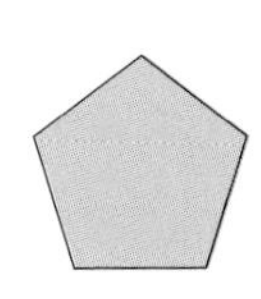
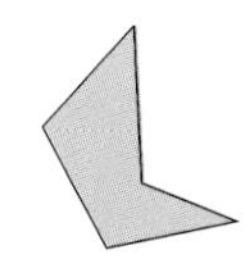
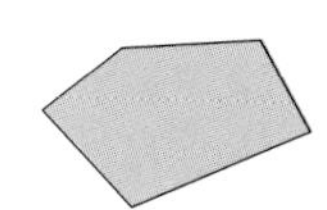

Périmètre (m.) : La mesure du contour d'une figure. Le périmètre est la somme des longueurs des côtés d'une figure. Le périmètre de ce rectangle est de 2 cm + 4 cm + 2 cm + 4 cm = 12 cm.

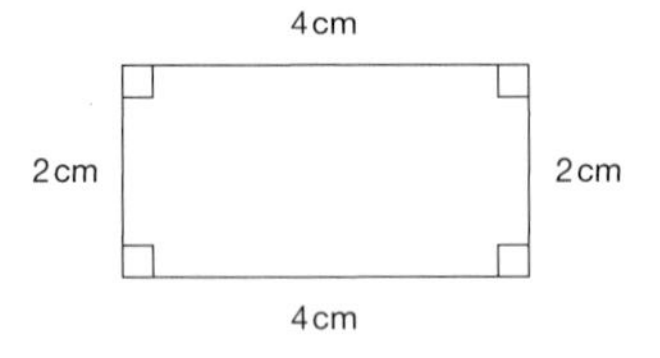

Pictogramme (m.) : Un diagramme qui représente des données à l'aide d'images ou de symboles.

Animaux peu communs examinés en un an	
Autruche	★ ★ ★
Alpaga	★ ★ ★ ★ ★ ★ ★ ★ ★ ★
Bison	★ ★ ★ ★ ★ ★ ★ ★
Lama	★ ★ ★ ★ ★ ★ ★ ★ ★

Polygone (m.) : Une figure fermée qui est composée d'au moins 3 segments de droite. Le nom d'un polygone indique le nombre de ses côtés. Par exemple, un pentagone est un polygone à 5 côtés.

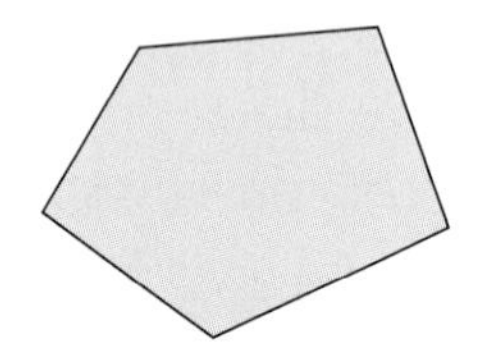

Prisme (m.) : Un objet à trois dimensions qui a 2 bases identiques. Son nom varie selon la forme de sa base.

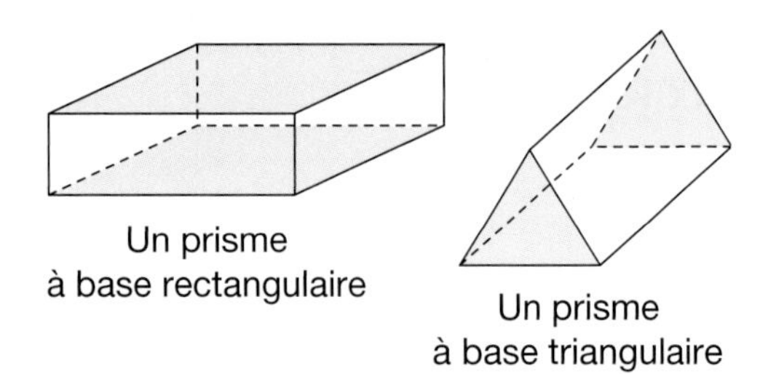

Un prisme à base rectangulaire

Un prisme à base triangulaire

Produit (m.) : Le résultat d'une multiplication. Dans l'expression de multiplication $2 \times 3 = 6$, le produit est 6.

Propriété (f.) : Une caractéristique qui permet de décrire une figure ou un objet ; par exemple, le nombre de côtés ou le nombre de sommets.

Pyramide (f.) : Un objet à trois dimensions formé d'une base et de faces triangulaires. Son nom varie selon la forme de sa base.

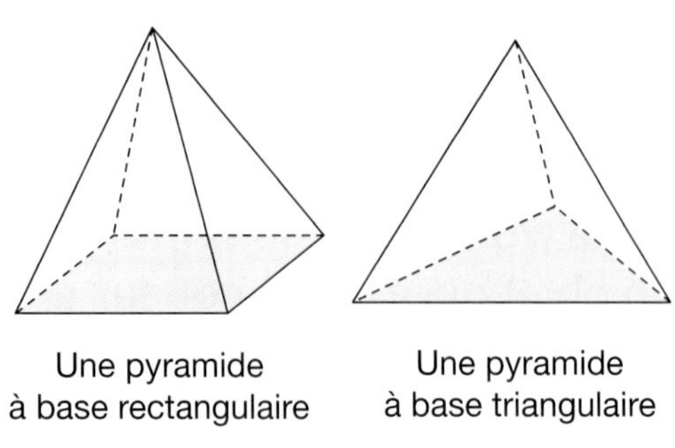

Une pyramide à base rectangulaire

Une pyramide à base triangulaire

Quadrilatère (m.) : Un polygone à 4 côtés.

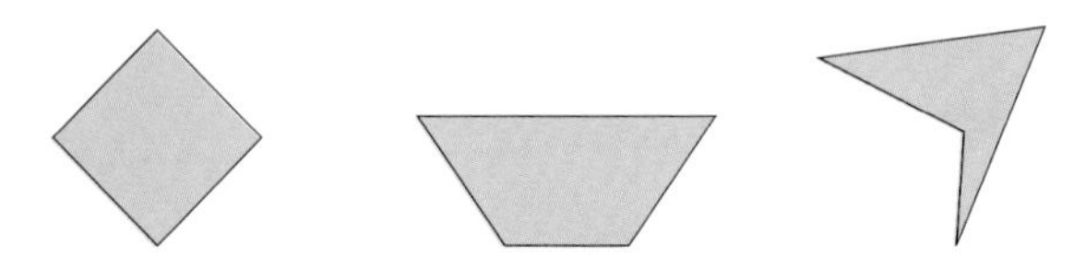

Quart (m.) : La fraction obtenue quand on divise une quantité en 4 parties égales. Voir **Fraction**.

Rectangle (m.) : Un quadrilatère qui a 2 paires de côtés opposés identiques et 4 angles droits.

Référent (m.) : Un objet auquel tu peux penser pour t'aider à estimer une mesure. La largeur de ton doigt est un référent pour 1 cm. Tenir 10 jetons dans ta main peut te servir de référent pour estimer le nombre de jetons sur ton pupitre.

Règle de la régularité (f.) : Ce qui décrit une régularité ou comment créer une régularité. La régularité 1, 4, 7, 10, 13 ,16... suit la règle suivante : « pars de 1 et additionne 3 chaque fois ».

Règle de tri (f.) : La ou les propriétés qui servent à déterminer si un élément fait partie d'un groupe. Dans cet exemple, la règle de tri est « polygones à 5 côtés et polygones à 3 côtés ».

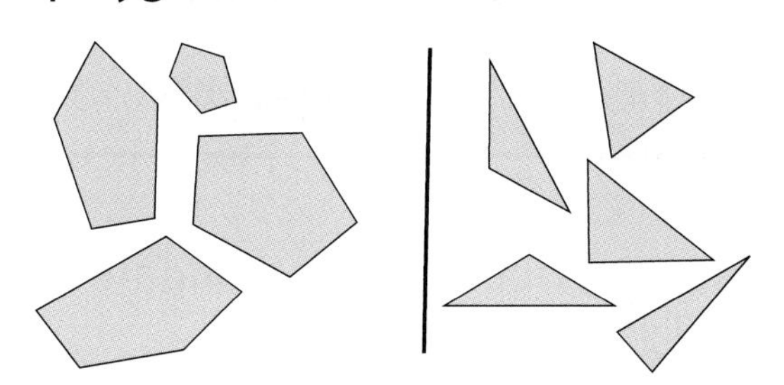

Régularité croissante (f.) : Une régularité qui augmente à chaque étape.

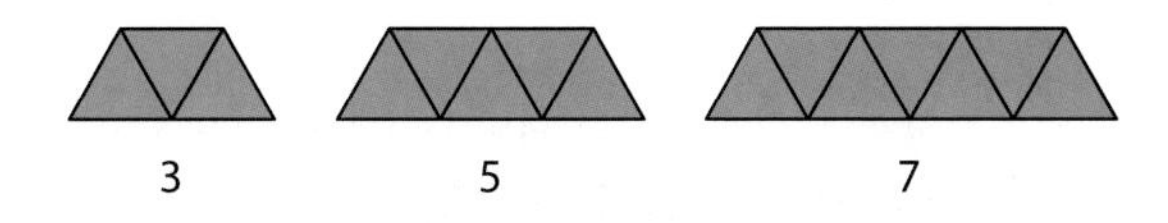

Régularité décroissante (f.) : Une régularité qui diminue à chaque étape.

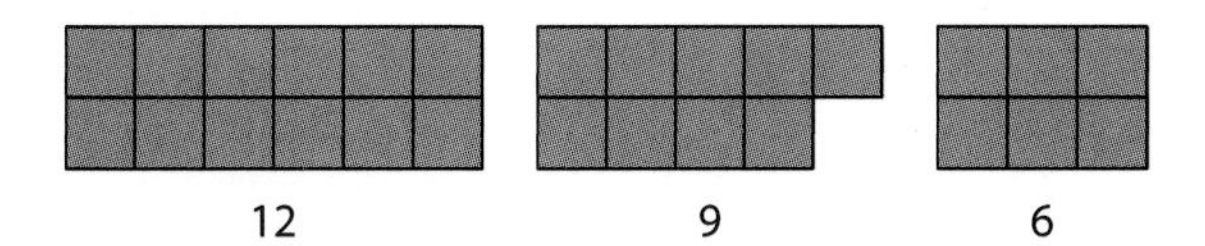

Régularité répétitive (f.) : Une régularité qui comporte une partie qui se répète. La partie répétitive est la plus petite partie de la régularité.

Partie répétitive

Seconde (f.) : Une unité de mesure du temps. Un clignement d'œil dure environ une seconde. Il y a 60 secondes dans une minute. Le symbole de la seconde est « s ».

Septième (m.) : La fraction obtenue quand on divise une quantité en 7 parties égales. Voir **Fraction**.

Sixième (m.) : La fraction obtenue quand on divise une quantité en 6 parties égales. Voir **Fraction**.

Somme (f.) : Le résultat d'une addition. La somme de 2 et 3 est 5, puisque $2 + 3 = 5$.

Sommet (m.) : **1.** Le point de rencontre de deux côtés d'une figure à deux dimensions.
2. Le point de rencontre de deux ou plusieurs arêtes d'un objet à trois dimensions.
3. Sur un cône, le point le plus élevé au-dessus de la base.

Soustraction (f.) : $11 - 7 = 4$ et $11 - 4 = 7$ sont des soustractions. Voir aussi **Opérations correspondantes**.

Soustraire (v.) : Enlever une quantité d'une autre quantité pour trouver combien il reste, ou trouver la partie qui manque dans un problème de combinaison.

Sphère (f.) : Un objet à trois dimensions qui a la forme d'une balle.

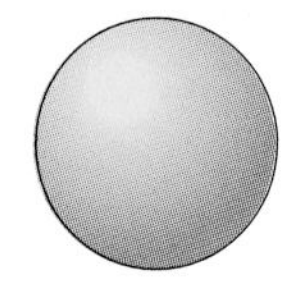

Squelette (m.) : Le contour d'un objet, qui montre les arêtes et les sommets de l'objet.

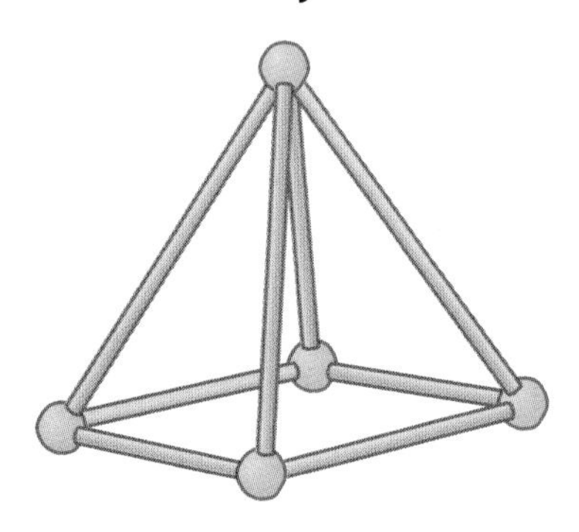

Tableau (m.) : Une façon d'organiser des nombres ou de l'information.

Longueur du saut de certains animaux

Animal	Distance
Lièvre d'Amérique	3 m
Kangourou rouge	5 m
Couguar	9 m
Grenouille léopard	1 m

Tableau des effectifs (m.) : Un tableau dans lequel on inscrit le nombre de choses.

Noir	卌 卌
Rouge	卌 卌
Orange	卌 卌
Vert	卌 卌

Tiers (m.) : La fraction obtenue quand on divise une quantité en 3 parties égales. Voir **Fraction**.

Titre (m.) : La partie d'un diagramme qui indique le sujet du diagramme.

Tracé linéaire (m.) : Un diagramme qui utilise des « X » pour représenter chaque donnée.

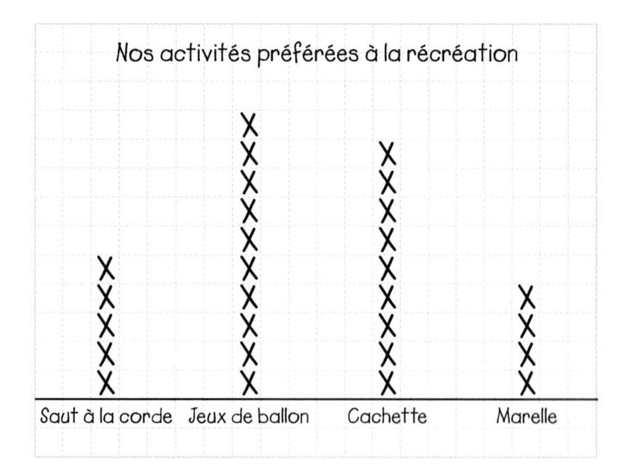

Triangle (m.) : Un polygone à 3 côtés.

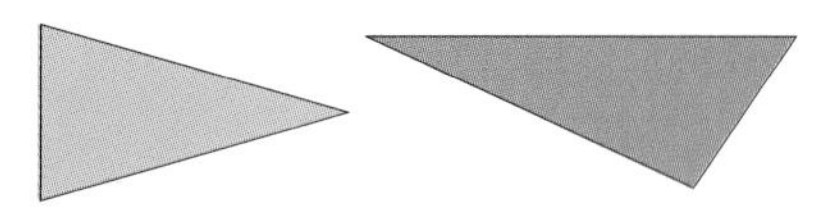

Unité (f.) : Une quantité standard utilisée pour mesurer.

Valeur de position (f.) : La valeur de chaque chiffre d'un nombre. Cette valeur dépend de la position du chiffre dans le nombre.

Centaines	Dizaines	Unités
4	9	7
La valeur de ce chiffre est de 4 centaines ou 400.	La valeur de ce chiffre est de 9 dizaines ou 90.	La valeur de ce chiffre est de 7 unités ou 7.

On écrit : 497. On dit : « quatre cent quatre-vingt-dix-sept ».

Index

Sources

L'éditeur tient à remercier la Monnaie royale canadienne de lui avoir permis de reproduire des illustrations de la monnaie canadienne. De plus, l'éditeur tient à remercier les sources suivantes pour les photographies, les illustrations, et tout le matériel utilisé dans ce livre.

Photographies

Couverture : David Nunuk/firstlight.ca ; p. 2 Ian Crysler ; p. 3 Ian Crysler ; p. 6 Ian Crysler ; p. 10 Galen Rowell/Corbis/Magma Photo ; p. 18 Ian Crysler ; p. 20 Ian Crysler ; p. 22 Ian Crysler ; p. 24 Ian Crysler ; p. 29 Ian Crysler ; p. 35 Ian Crysler ; p. 38 Ian Crysler ; p. 41 Ray Boudreau ; p. 50 Ian Crysler ; p. 54 Ian Crysler ; p. 56 Ian Crysler ; p. 57 Ian Crysler ; p. 58 (en haut à droite) Arlene Jean Gee/ShutterStock ; p. 58 (en haut à gauche) Steven J. Kazlowski/Alamy ; p. 58 (en bas) Ian Crysler ; p. 62 Ian Crysler ; p. 68 Ian Crysler ; p. 71 Ray Boudreau ; p. 72 (en haut) Keith Levit/ShutterStock ; p. 72 (en bas) Ian Crysler ; p. 73 Ian Crysler ; p. 74 Photodisc Collection/ Photodisc Blue ; p. 75 Ian Crysler ; p. 79 Gunter Marx/ Alamy ; pp. 80-81 Natalia Bratslavsky/ShutterStock ; p. 81 (à gauche) Peter Carroll/Alamy ; p. 81 (à droite) Tom Mackie/Alamy ; p. 89 Ian Crysler ; p. 90 Ian Crysler ; p. 92 pmphoto/ShutterStock ; p. 94 JUPITERIMAGES/Creatas/ Alamy ; p. 95 Terry Renna/Associated Press ; p. 100 Ian Crysler ; p. 101 Ian Crysler ; p. 104 Ian Crysler ; p. 106 Ian Crysler ; p. 107 Calaway Park/Bruce Edwards Photography ; p. 108 Gracieuseté de Jim Hawkings ; p. 109 (au centre) Calaway Park/Bruce Edwards Photography ; p. 109 (en bas) Ray Boudreau ; p. 110 Alaska Stock LLC/Alamy ; p. 115 Corel Collection ; p. 116 Ian Crysler ; p. 117 Ian Crysler ; p. 118 Ian Crysler ; p. 120 Gracieuseté de the Times Colonist ; p. 123 (en haut) Rene Johnston/Canapress ; p. 123 (en bas) ShutterStock ; p. 128 Chris Cheadle/Alamy ; p. 129 Konrad Zelazowski/ Alamy ; p. 134 Ian Crysler ; p. 136 Ian Crysler ; p. 138 (en haut à gauche) Digital Vision ; p. 138 (en haut au centre) Corel ; p. 138 (en haut à droite) The Image Bank/AJA Productions ; p. 138 (en bas) Ian Crysler ; p. 139 Ian Crysler ; p. 140 Ulana Switucha/Alamy ; p. 143 Iztok Noc/ShutterStock ; p. 145 Ian Crysler ; p. 146 Ian Crysler ; p. 149 Ian Crysler ; p. 152 Ray Boudreau ; p. 153 Ian Crysler ; p. 154 Ian Crysler ; p. 155 Ian Crysler ; p. 157 Ian Crysler ; p. 160 (en haut) Ray Boudreau ; p. 160 (en bas) Ian Crylser ; p. 161 Ian Crysler ; p. 162 Ian Crysler ; p. 163 Ian Crysler ; p. 164 Ian Crysler ; p. 165 Ian Crysler ; p. 167 Ian Crysler ; p. 169 Ian Crysler ; p. 171 Ian Crysler ; p. 178 Ian Crysler ; p. 179 Ian Crysler ; p. 182 Ian Crysler ; p. 185 Ray Boudreau ; p. 188 Ray Boudreau ; p. 189 Ray Boudreau ; p. 190 Ray Boudreau ; p. 192 Ian Crysler ; p. 196 Ian Crysler ; p. 197 Ian Crysler ; p. 200 Ian Crysler ; p. 211 Ian Crysler ; p. 216 Ken McLaren ; p. 218 (en haut à gauche) Raine Vara/Alamy ; p. 218 (en haut à droite) Allan Freed/ShutterStock ; p. 218 (en bas) Ian Crysler ; p. 220 Richard Garner/Musée canadien des civilisations/ Artifact VII-c-106a, b ; Image S94-6803 ; p. 222 Ian Crysler ; p. 225 Ian Crysler ; p. 228 Ian Crysler ; p. 229 (en haut) Photodisc Green/David Buffington ; p. 229 (en bas) Ian Crysler ; pp. 238-239 Image Source Pink/Alamy ; p. 239 (en haut) Photo Gracieuseté de the Western College of Veterinary Medicine, University of Saskatchewan (www.wcvm.com) ; p. 239 (en bas) Judy Tejero/ ShutterStock ; p. 240 Ian Crysler ; p. 247 Ray Boudreau ; p. 248 (à gauche) Serg Zastavkin/ShutterStock ; p. 248 (au centre) Brian Durell/maXx Images ; p. 248 (à droite) John W. Wall/Alamy ; p. 249 (De gauche à droite) Photos.com/Jupiterimages Unlimited ; p. 252 Ian Crysler ; p. 254 Richard Lam/Canadian Press ; p. 256 Don Smetzer/Stone ; p. 259 Ian Crysler ; p. 264 Photo Gracieuseté de the Western College of Veterinary Medicine, University of Saskatchewan (www.wcvm.com) ; p. 265 Photo Gracieuseté de the Western College of Veterinary Medicine, University of Saskatchewan (www.wcvm.com) ; p. 268 Ian Crysler ; p. 271 Ray Boudreau ; p. 272 Ian Crysler ; p. 273 Ian Crysler ; p. 276 Ian Crysler ; p. 283 Ian Crysler ; p. 284 Ian Crysler ; p. 287 Ian Crysler ; p. 290 Ian Crysler ; p. 291 Ian Crysler ; p. 293 Ulrike Hammerich/ShutterStock ; p. 299 Zuzule/ShutterStock ; p. 306 Ian Crysler ; p. 307 Ian Crysler

Illustrations

Amid Studios, Steve Attoe, Christiane Beauregard, Jackie Besteman, Doris Barrette, Kasia Charko, François Escalmel, Philippe Germain, Linda Hendry, Brian Hughes, André Labrie, Steve MacEachern, Tad Majewski, Dave Mazierski, Paul McCusker, Allan Moon, Mike Opsahl, Dusan Petriçic, Michel Rabagliati, Scott Ritchie, Bill Slavin, Neil Stewart/NSV Productions, Craig Terlson, Carl Wiens